Feng Shui
&
Gesundheit

Widmung

Dieses Buch ist den alten Weisen, taoistischen Meistern und Gelehrten gewidmet, die sich dafür eingesetzt haben, das Bewußtsein für Feng Shui zu schaffen, zu verbreiten und es in den letzten 6 000 Jahren mit Überzeugung zum Wohle der Menschheit zu praktizieren. Manche haben dafür ihr Leben geopfert.

Ich widme dieses Buch auch denjenigen, die – obwohl sie anfangs verlacht und als Exoten angesehen wurden – den Mut hatten, Feng Shui besonders in den europäischen Ländern zu praktizieren. Von vielen wird es immer noch als Aberglaube oder schwarze Magie abgetan.

rechte Seite: Talisman für Harmonie
von Julie Lim

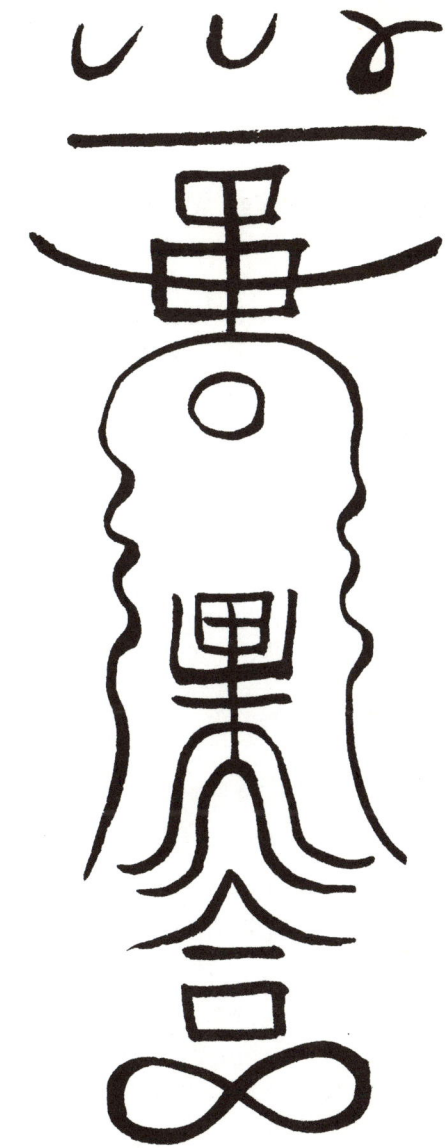

Einleitende Worte

Es ist ein großes Privileg, zu diesem interessanten Buch über die alte kaiserliche Praxis des Feng Shui das Vorwort zu schreiben.

Der Autor Dr. Jes T. Y. Lim hat die Erfahrungen seiner langjährigen naturheilkundlichen Praxis und seiner wissenschaftlichen Forschungen zu einem Feng Shui-Klassiker zusammengestellt. Mit diesem Buch geht er besonders auf die moderne Gesundheitsbewegung ein.

Dr. Lim ist viel und weit gereist. Heute lehrt er sein äußerst umfangreiches Wissen über Feng Shui und Naturheilkunde rund um die Welt.

„Feng Shui und Gesundheit" zeigt auf pragmatische Weise, wie wichtig die Feinabstimmung in der Feng Shui-Praxis ist.

Der Autor hat im asiatischen Raum einen herausragenden Ruf in der Welt der ganzheitlichen Medizin.

Möge das große Tao die Leser und Dr. Jes Lim mit guter Gesundheit segnen.

Lord Pandit Prof. Anton Jayasuriya
Chairman Medicina Alternativa Institute, UNO
Colombo, Sri Lanka

Dr. Jes T. Y. Lim

Feng Shui & Gesundheit

Vital leben in Haus und Wohnung

**aus dem Englischen
von Daniela E. Schenker**

JOY
VERLAG

ISBN 3-928554-29-8

Übersetzung und Koordination: Daniela E. Schenker, München
Umschlaggestaltung: Kuhn Grafik, Digitales Design, Zürich
Layout/Satz: Mathias Weitbrecht, Oy-Mittelberg
Umschlagfoto: Stefan Minder / Werner Graf, Archiv Primavera Life GmbH
Fotografie Innenteil: Gerd Heidorn
Aquarelle: Antonia Baginski, München
Illustrationen/Grafiken: Antonia Baginski, Walter Haag
Druck: Wilhelm Uhl, Bad Grönenbach
Bindung: Franz Kraus, Kempten

Printed in Germany

10 9 8 7 6

2001   2000

Inhalt

Danksagung

Zuerst danke ich zutiefst Meister Lee Fa-Sher.

Er weckte mein Interesse an Feng Shui, indem er mir einen komplizierten chinesischen Kompaß (Lo'pan) mit 38 Ringen gab und mich in seine Weisheit einführte.

Dank an alle meine Meister, Lehrer und Schüler auf der ganzen Welt, die mir ihre wertvolle Zeit und ihr Wissen geschenkt haben, um mehr Licht in das mystische Thema des Feng Shui zu bringen.

Allen Autoren von Büchern und Artikeln, die in der Bibliographie aufgeführt sind, danke ich dafür, daß sie den Mut gefaßt haben, ihr Wissen und ihre Meinung mitzuteilen und damit dem Feng Shui eine neue Bedeutung gegeben haben. Dadurch wurde es für mich einfacher, Feng Shui in Europa zu lehren.

Meine besondere Dankbarkeit gilt meinem Vater, der mich in dieses geheimnisvolle Thema einführte, als ich noch ein kleiner Junge war. Da er jedoch mit dem Problem der geopathischen Störfelder nicht vertraut war, mußte er an Krebs sterben. Sein Tod hat mir außerordentliche Kraft verliehen, so daß ich vieles aufgab, um mein späteres Leben dem Studium der westlichen Geomantie in Kombination mit Feng Shui und Naturheilkunde zu widmen. Mein Anliegen ist es, die Bereiche Gesundheit und Feng Shui zu einer ganzheitlichen Disziplin zusammenzuführen. Nun bin ich in der Lage, Lesern auf der ganzen Welt ein praktisch orientiertes Feng Shui-Wissen vorzulegen, in dem auch Aspekte der westlichen Geomantie integriert sind.

Besonderer Dank gilt Daniela E. Schenker, die für die akkurate Übersetzung dieses Buches und meiner Seminare in Europa verantwortlich ist. Weiterhin danke ich Doris Hirschberg, Wasili Pantazoglou, Josefine Reimig und Christian St. Paul für ihre Mitarbeit sowie Antonia Baginski und Walter Haag für die professionellen Zeichnungen.

Meiner Frau Julie danke ich ganz besonders für den Harmonie-Talisman am Anfang des Buches sowie für die Kalligraphien zu jedem Kapitel. Sie verleihen dem Buch die „chinesische Note".

Laßt uns unser Wissen großzügig teilen, damit die Menschen gesünder, glücklicher und in Wohlstand leben können. Mögen wir den Weltfrieden erlangen.

Love and abundance to all,

Prof. Dr. Jes T. Y. Lim

15. Januar 1997
Haikou, Hainan Island, China

Einleitung

Der außerordentliche wirtschaftliche Erfolg der „Drachenstaaten" Hongkong, Taiwan, Singapur, Malaysia, Thailand und Indonesien, hat zu einer Schlüsselfrage in den westlichen Industrieländern geführt: Wie gelingt es 50 Millionen Auslandschinesen, so erfolgreich zu sein? Bei der Beantwortung dieser Frage wird immer wieder erwähnt, daß die Chinesen Feng Shui als Teil ihrer Kultur praktizieren, um Erfolg und Wohlstand zu verstärken. So kann ein geübtes Auge in den meisten China-Restaurants auf der Welt eine Form von Feng Shui-Hilfsmitteln wie beispielsweise ein Aquarium mit Goldfischen erkennen.

Im alten China war die Feng Shui-Praxis auf den Kaiserhof beschränkt. Zwischen 1950 und 1980 untersagte die kommunistische Regierung in China die Feng Shui-Praxis in der Bevölkerung. Ich war daher sehr überrascht, daß viele speziell für die obersten Parteiabgeordneten reservierten Ferienhäuser jedoch nach strikten Feng Shui-Prinzipien gebaut waren.

Heutzutage ist Feng Shui in China wieder weit verbreitet, wird aber leider auch oft falsch angewendet.

Seit einigen Jahren wird Feng Shui auch in Europa, Australien, Neuseeland und Nordamerika mehr und mehr akzeptiert. Um der steigenden Nachfrage gerecht zu werden, gibt es ein großes Angebot an unterschiedlichen Feng Shui-Lehren, die sich jedoch oft widersprechen und damit unter westlichen Schülern viel Verwirrung stiften.

Ich habe festgestellt, daß die Feng Shui-Praxis auf der Welt folgendermaßen unterteilt werden kann:
• 80 % beruht auf Logik sowie auf gesundem Menschenverstand und ist beweisbar.
• 20 % beruht auf Aberglaube und falschen Ansichten.

Dieses Buch verfolgt drei Ziele:
1. Ich berichte über meine Untersuchungen zur Feng Shui-Praxis, die ich in über dreißig Ländern durchgeführt habe. Fakten, Aberglaube und falsche Ansichten werden voneinander unterschieden.
2. Feng Shui ist unter anderem ein Schlüsselfaktor für Langlebigkeit. Daher verweise ich immer wieder auf den Zusammenhang zwischen Feng Shui und Gesundheit. Die enge Verknüpfung von möglichen Gesundheitsproblemen und schlechtem Feng Shui soll Ihnen keinesfalls Angst machen. Im Gegenteil - wenn Sie eine Situation klar erkennen, haben Sie die Möglichkeit zu handeln.
3. Sie erhalten einen Überblick über häufig auftretende Feng Shui-Probleme sowie allgemeine Lösungsvorschläge für Haus und Wohnung. Auf diese Weise können Sie Ihre persönliche Wahrnehmung schärfen und ungünstige Situationen vermeiden oder Abhilfen schaffen. Dieses Wissen ist auch bei der Wahl einer neuen Wohnung oder eines Hauses äußerst hilfreich. Bedenken Sie, daß es immer mehrere Lösungswege gibt. Da nicht alle Möglichkeiten im Rahmen dieses Buches aufgeführt werden können, ist es sicherlich auch sinnvoll, sich individuell beraten zu lassen.

Dieses Buch ist das erste einer geplanten Serie von zwölf Bänden und kann als Arbeitsbuch verwendet werden. Außerdem biete ich seit vielen Jahren eine Reihe von Feng Shui-Kursen an, die mit einem Diplom in Internationaler Qi-Mag Feng Shui-Praxis abschließen. Nach und nach sollen diese Kurse an Universitäten auf der ganzen Welt gelehrt werden.

Ich freue mich über konstruktive Kommentare und Beiträge von Meistern, Lehrern und Experten auf diesem Gebiet. Feng Shui sollte weiter verbessert und in seiner Wirksamkeit bewiesen werden, damit es weltweit angewendet und akzeptiert wird. Es sollte uns darin unterstützen, ein gesundes und erfolgreiches Leben zu führen.

Was ist Feng Shui?

Kapitel 1

Der Ausdruck Feng Shui stammt aus dem chinesischen Kanton-Dialekt und setzt sich in der heutigen Form aus den beiden Schriftzeichen Feng (Wind) und Shui (Wasser) zusammen. Je nach chinesischem Dialekt werden diese beiden Schriftzeichen unterschiedlich ausgesprochen.

Feng Shui ist der allgemeine Begriff und wird von den fünfzig Millionen Auslandschinesen verwendet, die hauptsächlich aus Südchina stammen und die diese alte Wissenschaft und Kunst auf der ganzen Welt verbreitet haben.

Der Begriff Feng Shui hat eigentlich eine umfassendere Bedeutung.

Feng steht für Wind, Luft, Gas, Wolke, Energiefelder und -strahlen, Strahlung, Sturm und Taifun. Zu der Interpretation von *Feng* gehören Strukturen, die den sanften Fluß des Windes lenken oder beeinflussen. Das können Hügel sein, Berge, Felsen, Gebäude und von Menschenhand errichtete Strukturen.

Unter *Shui* fallen See, Fluß, Bach, Wasserfall, alle fließenden Gewässer, Teiche, Sümpfe, Regen, Straßen, Eis, Schnee sowie Pflanzen und andere Lebewesen, die von Wasser genährt werden.

Ich habe mir viele Feng Shui-Bücher angesehen – jedes liefert eine andere Interpretation des Begriffs Feng Shui. Zusätzlich habe ich viele Feng Shui-Meister in China, Taiwan, Hongkong, Singapur, Malaysia und Amerika befragt. Einige sagen, daß Feng Shui eine praktische Naturwissenschaft ist. Andere wiederum meinen, daß Feng Shui „das richtige Plazieren" ist. Alle stimmten jedoch zu, daß es das Ziel von Feng Shui ist, eine gesunde, harmonische und fruchtbare Umgebung zum Leben und Arbeiten zu schaffen, um Harmonie, Gesundheit und Wohlstand zu verstärken und die Familie zu erhalten.

Aufgrund meiner eigenen Arbeit und meiner Untersuchungen zu diesem komplexen Thema möchte ich den Bereich des Feng Shui noch zusätzlich erweitern.

Die acht Untersuchungsbereiche

Feng Shui teile ich in acht Untersuchungsbereiche ein, die bei einer Beratung berücksichtigt werden. Dabei kann es sich um ein bereits bestehendes oder ein geplantes Gebäude handeln.

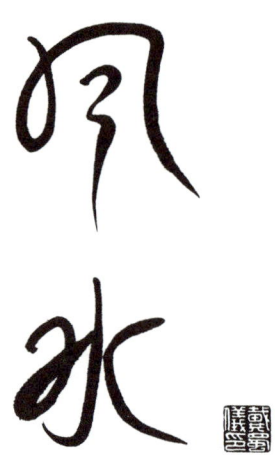

1. **Die Wirkung von essentiellem kosmischem Qi und Sauerstoff,** um Vitalität und Gesundheit zu verstärken (die wichtigsten Faktoren im Feng Shui).

2. **Das Prinzip der Polarität von Yin und Yang** für Harmonie und Gleichgewicht.

3. **Das Prinzip der Fünf Elemente** für mentales, emotionales und körperliches Gleichgewicht und Harmonie.

4. **Das Feng Shui des Makrokosmos** – dies ist das Studium von Astrologie und Kosmologie, die Untersuchung der planetarischen Einflüsse und deren Anwendung beim Einsatz des chinesischen Feng Shui-Kompasses (Lo'pan), um festzustellen, welches die günstigste Position für Eingangstüren, Schlafzimmer, Arbeitszimmer und weitere wichtige Räume ist. Das beinhaltet auch die Anwendung des Lo'Shu-Systems der Fliegenden Sterne oder des Neun Sterne Ki-Systems (Japan).

5. **Das Feng Shui des Mikrokosmos** – dies ist das Studium von Landschaften, Flüssen, Seen, Meeren/Ozeanen, Hügeln und Bergformationen sowie von Baustrukturen, die zwischen einem und sechs Kilometern vom Grundstück entfernt liegen.

6. **Das Feng Shui der näheren Umgebung** – hier wird die Umgebung im Umkreis von einem Kilometer um ein Grundstück herum untersucht. Im einzelnen geht es um das Studium der Landschaft, die Form von Flußläufen, Bächen und anderen fließenden Gewässern, von Meeren und Ozeanen. Berücksichtigt werden Hügel und Felsformationen, Struktur und Beschaffenheit von Felsen, Bäumen und Pflanzen. Es werden weiterhin untersucht: Windrichtungen, Bodenbeschaffenheit, Gebäudeformen, Geräusche und Gerüche auf dem Grundstück und in der Umgebung, Stromleitungen, Radarsysteme, Sendestationen, Straßenverläufe und alle Strukturen, die das Grundstück umgeben.

7. **Baugrundstücke und strukturelles Feng Shui** – man mißt die Landenergie, Qi (günstige Energie) und Shia Qi (negative Energie) des Grundstücks. Untersucht werden: Der Zustand des Bodens, das Shia Qi auf dem Grundstück wenn beispielsweise frühere Grabstätten und Ritualplätze vorhanden waren. Das Grundstück wird unter anderem auf giftige Chemikalien im Boden, auf Erdverwerfungen sowie auf geopathische Störfelder geprüft.

8. **Die unmittelbare Umgebung des Menschen** – dies ist der wichtigste Bereich im Feng Shui. Man stellt fest, wieviel kosmisches Qi in jedem Raum vorhanden ist, insbesondere im Schlafzimmer. Es sollten über 80 % Qi (im Vergleich mit 80 – 100 % im Freien) vorhanden sein. Der Schlafplatz, Arbeitsplatz sowie alle Wohnräume werden untersucht. Man wählt den idealen Ort für Bett, Schreibtisch oder Arbeitstisch und stellt fest, ob dort schädliche geopathische Störfelder oder Erdstrahlen einwirken. Weiterhin wird untersucht: Gibt es störende elektro-

magnetische Felder oder Strahlen, die weniger als einen Meter vom Körper entfernt sind? Gibt es spitze Kanten oder Ecken von Möbeln, Säulen oder Deckenbalken? Sind Beleuchtungssysteme, Spiegel, Pflanzen oder andere Merkmale vorhanden, die eine Person negativ beeinflussen könnten?

Warum ist gerade die unmittelbare Umgebung so wichtig? Wir leben in einer modernen Gesellschaft an der Wende zum 21. Jahrhundert.

Fast jeder Haushalt hat elektrische Geräte, zum Beispiel einen Mikrowellenherd, Fernseher, Computer oder Radiowecker. Überall im Haus sind elektrische Kabel verlegt, und oft schlafen wir nur wenige Zentimeter von Lichtschaltern und Steckdosen entfernt, deren elektromagnetische Felder uns belasten. In den Wänden in der Nähe des Bettes sind vielleicht Abflußrohre verlegt, und die möglicherweise vorhandene Fußbodenheizung verursacht störende Turbulenzen. Unsere Atmosphäre ist außerdem von schädlichem Elektrosmog und Mikrowellenstrahlung durchdrungen, die beispielsweise vom Mobilfunk verursacht werden. Alle diese unnatürlichen Strahlen dringen in unseren Körper ein, wenn wir uns im Haus befinden. Sie ähneln einem großen Netz, das unser Haus umschließt und die natürliche Strahlung aus dem Kosmos verzerrt.

Eine unnatürliche Umgebung versetzt unseren Körper in einen extremen Streßzustand, was sich auf unser emotionales Verhalten, unsere Psyche, unsere Gehirnabläufe und unsere Gesundheit auswirkt. Unsere Vorfahren, die vor Tausenden von Jahren die Erde bevölkerten, hätten die heutige hochgiftige Umwelt nicht überlebt. Daher ist es für uns äußerst wichtig, uns in unserer unmittelbaren Umgebung vor den schädlichen Strahlen und negativen Energiefeldern zu schützen. Wir sollten ein möglichst harmonisches und förderliches Umfeld schaffen, indem wir die effektivsten Feng Shui-Techniken anwenden.

Der Bereich des Feng Shui, wie es früher in China praktiziert wurde, muß erweitert werden. Wir müssen auch die Gefahren des modernen Lebens mit einbeziehen.

Zusammengefaßt stelle ich somit fest: Modernes Feng Shui ist das Studium von Astrologie, Kosmos, Natur, Geographie und Umweltwissenschaft, kombiniert mit der harmonischen Plazierung von Möbeln und Einrichtungsgegenständen in Räumen. Feng Shui soll das kosmische Qi verstärken, um in einer der Natur ähnlichen Umgebung entspannt leben zu können.

Kurz gesagt ist Feng Shui eine Anleitung, die fruchtbarste und gesündeste Umgebung zum Wohnen und Arbeiten zu schaffen. Mit größerer Vitalität können wir auch bessere Leistungen erbringen.

Aus diesen Gründen nutzen die Chinesen Feng Shui. Sie verbinden es immer mit Gesundheit, Wohlstand, Überfluß und Reichtum.

Um genaue Vorhersagen im Feng Shui treffen zu können und es gut umzusetzen, muß ein Schüler alle obengenannten acht Untersuchungsbereiche studieren. Nur so lassen sich die vollständigen Mikro- und Makroaspekte des Feng Shui erfassen.

Kosmisches Qi und Körper-Qi

Im Laufe der Zeit haben die verschiedenen Kulturen dem kosmischen Qi unterschiedliche Namen gegeben. Die Chinesen bezeichnen es als *Ch'i* oder *Qi*, die Inder nennen es *Prana* und die Japaner *Ki*. Es ist die Energie, die alle Lebewesen lebendig macht. Qi ist eine Art elektrischer Strom, der in einer bestimmten Frequenz unseren ganzen Körper durchströmt und alle Körperzellen wie Stromkabel in einem Haus verbindet. Wenn im Körper des Menschen nur unzureichend Qi vorhanden ist, hat er nicht die „elektrische Ladung" für die notwendige Vitalität, um die Körperzellen und Organe gesund zu erhalten.

Seit über 5 000 Jahren wenden die Chinesen Akupunktur an. Das Nadeln soll vor allem einen schnelleren Qi-Fluß in bestimmten Körperregionen bewirken und Energieblockaden auflösen. Weiterhin soll das Qi dazu angeregt werden, von einem Bereich oder Organ zum anderen zu fließen und das Gleichgewicht zwischen Yin- und Yang-Qi herstellen. So wird eine Person mit einem gelähmten linken Bein auf der rechten Seite des Kopfes akupunktiert, um das blockierte Qi aufzulösen. Wenn das Qi in das linke Bein sanft einzufließen beginnt, werden Nerven, Bänder und Muskeln wieder mit mehr Nährstoffen und Sauerstoff versorgt, und das Bein kann sich wieder regenerieren.

Was ist kosmisches Qi?

Es sind winzige Partikel, die aus dem Zusammenwirken von Sonnenstrahlen und der kosmischen Strahlung der Planeten entstehen. Man findet das kosmische Qi in der gesamten Erdatmosphäre und auch viele Meter tief im Boden.

Pflanzen und Waldgebiete sind von einer Fülle von kosmischem Qi umgeben. Mit kinesiologischen Meßtechniken und Pendeln kann Qi gemessen werden. Normalerweise liegt der Wert bei 80 – 100 % Qi im Freien. Bunt blühende Blumen mit Wurzeln sind von 200 – 300 % kosmischem Qi umgeben.

Frische Schnittblumen ziehen in den ersten drei Tagen 150 – 200 % Qi an. Meiner Ansicht nach fühlt sich das Qi aufgrund des strahlenden elektromagnetischen Feldes und des Blütensymbols zu echten Blumen hingezogen. Wenn Sie sich einen Blumenstrauß auf den Arbeitstisch stellen, wirkt das energetisierend und entspannend.

Auch gut gemachte künstliche Blumen ziehen durch ihre Form und Symbolwirkung 100 – 150 % Qi an.

Das kosmische Qi ist auch in hohen Konzentrationen in der Nähe von fließendem und sprudelndem Wasser und insbesondere in der Nähe von Wasserfällen vorhanden. Die Reibung des Wassers erzeugt elektromagnetische Strahlen, die Qi anziehen. Bei Untersuchungen an den Niagarafällen in Kanada und an europäischen Wasserfällen wurde festgestellt, daß die negative Ionisierung der Luft insbesondere in der Nähe des weiß schäumenden Wassers über 300 % betrug, was ein Vielfaches des Qi-Gehalts der normalen Luft im Freien ist. Deshalb fühlen wir uns in der Nähe von Wasserfällen und fließendem Wasser erfrischt und aufgeladen.

In alten Erzählungen wird berichtet, daß die alten Weisen in Indien und die taoistischen Meister in China die größten Inspirationen hatten, wenn sie in der Nähe von Wasserfällen arbeiteten. Sowohl im alten China als auch heute verwendet man echte und auch gemalte Wasserfälle als wirkungsvolle Feng Shui-Hilfsmittel, um Qi anzuziehen. Vor alten Palästen und anderen großen Gebäuden in Europa haben sehr intuitive Architekten riesige Springbrunnen bauen lassen, um die dort herrschenden Familien mit mehr kosmischem Qi zu versorgen.

Wo immer es Qi im Überfluß gibt, ist auch der Sauerstoffgehalt außergewöhnlich hoch. Nach dem Naturgesetz fühlt sich das Männchen immer vom Weibchen angezogen. Dementsprechend folgt der Sauerstoff, der männlich oder *yang* ist, dem kosmischen Qi, das weiblich oder *yin* ist.

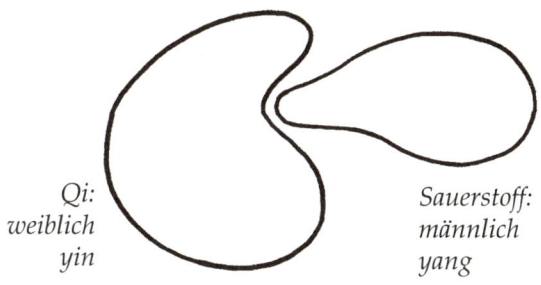

Qi:
weiblich
yin

Sauerstoff:
männlich
yang

Wie Wind und Wasser auf Mensch und Tier wirken

Windenergie

Die taoistischen Meister haben vor mehr als 6 000 Jahren festgestellt, daß starker Wind, egal ob kalt oder heiß, eine beträchtliche negative Wirkung auf unsere Gesundheit und unser Verhalten hat. Im Gegensatz dazu wirken ein sanfter Wind oder eine leichte Brise energetisierend und erfrischend.

Alle lebenden Menschen und Tiere haben eine Aura – elektromagnetische Felder, die vom Körper ausgehen. Die Aura besteht normalerweise aus den sieben Farben des Regenbogens. Mit dem bloßen Auge ist sie nicht wahrnehmbar. Sie wird als unser spiritueller Körper oder unsere Fühler betrachtet, die uns vorwarnen, wenn wir schädlichen, nicht sichtbaren Energiefeldern wie Strahlung oder elektromagnetischen Feldern ausgesetzt sind. Wenn ein kräftiger Wind auf unsere Aura bläst, beginnt sie zu flattern und wird wie die Äste von Bäumen geschüttelt.

Wenn wir ständig starkem Wind ausgesetzt sind, fühlen wir uns nicht wohl. Manchmal wird uns schwindelig, und wir beginnen, das Gleichgewicht zu verlieren.

Diejenigen, die ganz oben auf einem Hügel oder in der Nähe eines Meeresstrandes mit starker Strömung leben, haben mehr Gleichgewichtsprobleme und neigen zu vermehrter Faltenbildung im Gesicht und am Körper, was ein Zeichen für schnellere Hautalterung ist.

Wir fühlen uns daher wohler und entspannter, wenn es in unserer unmittelbaren Umgebung ruhig ist und unsere Aura nicht gestört wird.

Diese Wirkung können wir auch in der Natur beobachten. Wenn es windstill ist oder eine sanfte Brise weht, dann beobachten wir, wie die Vögel aus ihren Nestern kommen und auf Nahrungssuche gehen. Dann werden nämlich Würmer und Insekten aktiv und kommen aus ihrem Versteck, um Nahrung aufzunehmen. Wenn sich der Wind

Das kosmische Qi schwingt mit einer natürlichen Frequenz, so daß es von allen Lebewesen und daher auch dem Menschen angezogen wird. Daraus können wir schließen: wo und wann immer kosmisches Qi vorhanden ist, gibt es dort auch Sauerstoff und demzufolge Leben und Lebewesen.

Wenn kosmisches Qi und Sauerstoffmoleküle aneinander gebunden sind, werden sie zum „kosmischen Leben", das die niedrigste lebende Intelligenz auf der Erde ist. Das kosmische Leben wird vom Magnetismus der Menschen und anderer Lebewesen angezogen. Wo sich Menschen und Tiere bewegen – wenn ein Mensch beispielsweise durch eine Tür geht –, folgt das kosmische Qi. Das ist der Grund, weshalb die Lage der Haupteingangstür eines Hauses und die Ausrichtung der Räume in der Praxis des Feng Shui von so großer Bedeutung sind.

Hier ein Beispiel dafür, wie essentiell Qi ist: Am Fuße des Mount Everest leben Menschen, die sich fast ausschließlich von Luft ernähren und über hundert Jahre alt werden. Sie entnehmen ihre Hauptnährstoffe dem „kosmischen Leben" und anderen Substanzen in der Luft. Diese Menschen ergänzen ihren Nährstoffbedarf, indem sie ein- oder zweimal in der Woche Früchte essen. Sie verfügen über spezielle Qi Gong-Atemtechniken, die ihren Körper in einen Entspannungszustand versetzen. Sie können die Nährstoffe aus der Luft dadurch besser aufnehmen.

plötzlich verändert und stark bläst, was man an den heftigen Astbewegungen der Bäume sehen kann, dann verschwinden auch die Vögel und kehren ins Nest zurück, um sich vor dem Wind zu schützen.

Im Haus spüren wir vielleicht nicht den starken Wind wie im Freien, da wir durch die Fenster und Wände unseres Hauses geschützt sind. Die feinstoffliche Energie des starken Windes dringt jedoch normalerweise bis zu zwei Meter durch Glastüren, Fenster und Glaswände in unser Haus ein. Das bedeutet, daß wir selbst in einem Gebäude von starkem Wind beeinträchtigt und geschwächt werden, wenn wir uns weniger als zwei Meter von einer Glaswand entfernt aufhalten. Das kann man mit Hilfe der angewandten Kinesiologie (siehe Kapitel 10) testen. Auch wenn wir den starken physischen Wind nicht spüren, kann die zweite, feinstoffliche Energieebene des starken Windes das Glas durchdringen, unsere Aura stören und Gleichgewichtsprobleme verursachen. Diese feine Windenergie durchdringt ebenfalls feste Wände aus Beton, Ziegel oder Holz, was jedoch sehr viel langsamer geschieht.

Ein Haus, das ständig starkem Wind ausgesetzt ist, ist daher ungünstig zum Wohnen. Wir können jedoch Abhilfen wie Windschutzzäune, Bambus- oder Holzgeflechte, Betonmauern oder buschige Bäume verwenden, um die Wirkung des starken Windes abzuschwächen. Dann leben wir allerdings immer noch nicht in einer harmonischen Umgebung, denn wir werden nach wie vor von der heißen oder kalten Windenergie beeinträchtigt.

Wasserenergie

Wasser, das fließt oder in Bewegung ist wie in einem See, Fluß oder Bach, verursacht eine Reibung, die elektromagnetische Felder erzeugt. Diese ziehen gutes Qi und Sauerstoff an. Es ist angenehm, sich in der Nähe von Wasser aufzuhalten, das in Bewegung ist. Das ist besonders bei der Haustür zu berücksichtigen, die zum Wasser hin ausgerichtet sein sollte, damit die Qi-Energie optimal genutzt werden kann. Man sollte es jedoch vermeiden, daß ein Fluß mit starker Strömung direkt auf das Haus zufließt oder sich die Strömung eines Gewässers direkt auf ein Haus zubewegt, denn diese starke Wasserenergie hat eine große Reichweite und kann für die menschliche Gesundheit schädlich sein. Wasser, das in Bewegung ist, zieht Qi an und ist richtig eingesetzt in der Praxis des Feng Shui ein essentielles Hilfsmittel. Die Chinesen setzen Wasser mit Reichtum und Glück gleich.

Mit Hilfe von Felsen, Schleusen und Dämmen kann schnell fließendes Wasser verlangsamt werden, so daß wir von der Qi-Energie maximal profitieren können. Sanft und langsam fließendes Wasser ist für den Menschen am besten. Die Fließgeschwindigkeit sollte nicht mehr als einen Meter pro 6 – 8 Sekunden betragen.

Wenn wir uns im Freien in der Nähe von Wasserfällen, Brunnen oder Bächen aufhalten, fühlen wir uns energiegeladen, und es geht uns gut. Befinden wir uns jedoch in einer geschlossenen Umgebung – in einem Gebäude –, ist es nicht für jeden angenehm, wenn sich innerhalb des Raumes ein Springbrunnen oder einfach nur ein Aquarium befindet. Was ist der Grund dafür?

Wenn jemand nach dem chinesischen Kalender in einem Jahr geboren ist, das dem Feuerelement zugeordnet wird, fühlt er sich sehr unwohl, wenn er weniger als zwei Meter von einer starken Wasserenergie entfernt ist, sei es ein Springbrunnen, ein Wasserfall oder ein Aquarium. Das liegt daran, daß Wasser stärker ist als Feuer (siehe auch Kapitel 8, Die Fünf Elemente).

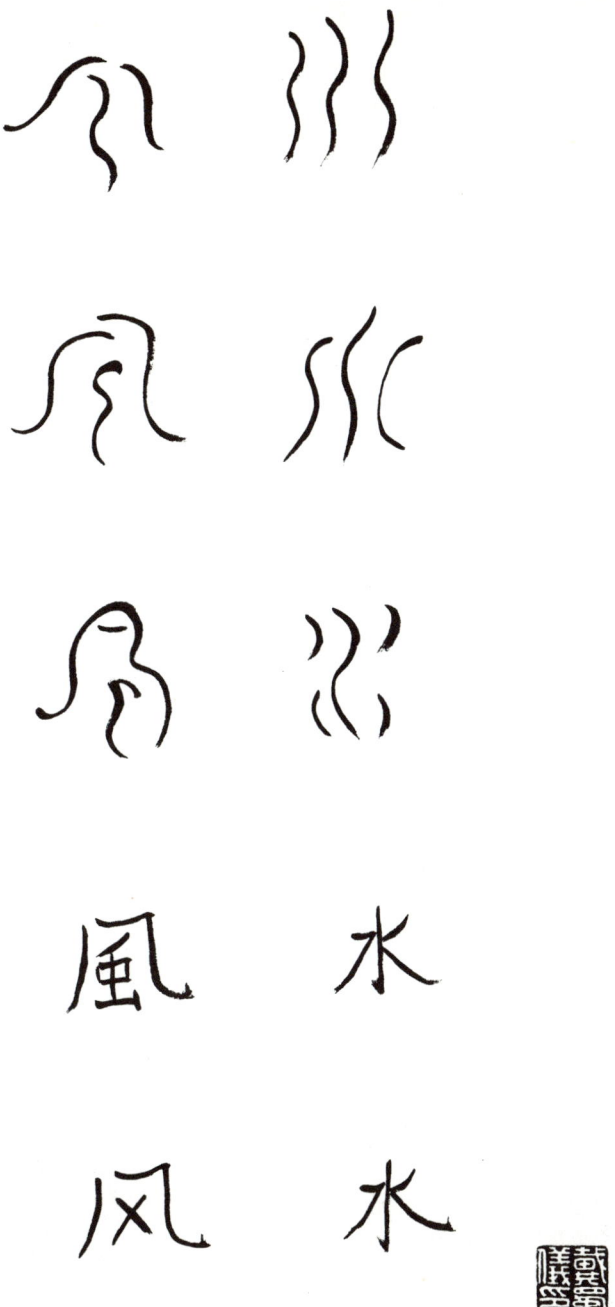

Abbildung 1.2: Die Entwicklung der Schriftzeichen für Feng Shui.
Links: Schriftzeichen für „Wind",
Rechts: Schriftzeichen für „Wasser".

Kurzer Einblick in die Geschichte des Feng Shui

Kapitel 2

Wenn wir die Entwicklungsgeschichte des Feng Shui in China betrachten, können wir besser verstehen, warum die Chinesen auf der ganzen Welt so tief in ihrem Glauben an Feng Shui verwurzelt sind. Während einiger Dynastien war es dem Volk nicht gestattet, Feng Shui auszuüben. Auch unter dem kommunistischen Regime Chinas war Feng Shui in den letzten 30 Jahren verboten.

Viele chinesische kulturelle Praktiken ähneln denen der Juden und der Menschen des Mittleren Ostens. Man glaubt, daß ein Großteil der chinesischen Bevölkerung vom Mittleren Osten aus nach China auswanderte, insbesondere nach der großen Sintflut, die in der Bibel in der Geschichte der Arche Noah beschrieben wird.

Eine beträchtliche Anzahl chinesischer Geschichtswerke wurde von sich bekriegenden Parteien und späteren Dynastien zerstört. Die letzte große unnötige Zerstörung – unter anderem von Millionen wertvoller Geschichtsbücher – fand zwischen 1966 und 1976 während der chinesischen Kulturrevolution der Rotgardisten statt.

In alten Zeiten gab es nur wenige schriftliche Zeugnisse über Feng Shui. Hinweise darauf tauchten in der Dichtung, in folkloristischen Erzählungen und medizinischen Texten auf. Historische Aufzeichnungen besagen, daß König Fu Hsi, der ein Meister des Wahrsagens während der Hsia-Dynastie (2205 v. Chr.) war, einmal ein Pferd und eine Schildkröte sah, die aus dem Fluß Ho emporstiegen und spezielle Muster auf dem Rücken trugen. Diese Muster wurden auf Bambus übertragen und waren bekannt als das *Ho-t'u* (die Zeichnung vom Fluß Ho). Man bezeichnet das *Ho-t'u* auch als *Lo'Shu-Zahlen* (Manuskript des Flusses Lo). Daraus entwickelte sich dann das *Pa'kua des früheren Himmels* (die acht Trigramme).

Das *Pa'kua des früheren Himmels* ermöglichte es, die ideale Anordnung der Natur und deren frühere Entwicklung zu erklären.

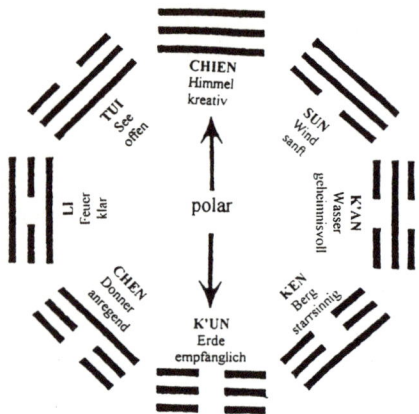

Abbildung 2.1: Das Pa'kua des früheren Himmels.

Das *Pa'kua des späteren Himmels* beschrieb die Veränderungen der Wetter- und Naturphänomene nach den vier Jahreszeiten.

Abbildung 2.2: Das Pa'kua des späteren Himmels.

König Wen, der Begründer der Chou-Dynastie (1122 – 25 v. Chr.) entwickelte das *Ho-t'u* und das *Lo'Shu* weiter, so daß es ein sehr machtvolles Vorhersagesystem wurde. Er erweiterte das *Lo'Shu Pa'kua* von 8 Trigrammen auf 64 Hexagramme, die in der heutigen Zeit als das *I-Ging* bekannt sind, das auch *Das Buch der Wandlungen* genannt und für Orakel verwendet wird.

Der Enkel König Wens, der Herrscher Shing, kombinierte den chinesischen Kompaß mit dem *I-Ging* und erstellte den ersten chinesischen Feng Shui-Kompaß, der als *Lo-Ching* bezeichnet wurde.

Abbildung 2.3: Die uralte Schildkröte aus dem Fluß Lo, die besondere Muster – die Lo'Shu-Zahlen trug.

Abbildung 2.4: Altes Lo'Shu mit chinesischen Zahlen.

Feng Shui – eine Praxis des Kaiserhofes

Schriften über Feng Shui aus der Zeit des Konfuzius (551 – 479 v. Chr.) beschreiben, daß die Beamten des Kaiserhofes über detaillierte Pläne verfügten, in welchem Palast der Kaiser während einer bestimmten Jahreszeit wohnen sollte. Sein jeweiliger Aufenthaltsort wurde durch spezielle astrologische Berechnungen ermittelt.

Taoistische Meister, die mit schamanischen Techniken arbeiteten, erkannten das Prinzip von Yin und Yang bereits vor über 5 000 Jahren.

Während der Han-Dynastie (206 – 219 n. Chr.) entwickelte Tzu Kuei-Ku diese Grundsätze unter Einbeziehung der Feng Shui-Praxis weiter.

Zur Zeit der Han-Dynastie erreichte Feng Shui seinen Höhepunkt und wurde zu einem anerkannten Beruf. Es wurde nun *Kang Yu* genannt, eine Form des Vorhersagens, die auf dem Verstehen der Wandlungen von Himmel und Erde beruht. Das *Kang Yu* wurde von Ching Hu geschaffen und von Yang K'un Sun während der Han-Dynastie verbessert. Der Kang Yu-Kompaß hatte zu diesem Zeitpunkt siebzehn Ringe und vierundzwanzig Kompaßrichtungen und berücksichtigte auch die Astrologie. Dieser Kompaß ähnelte sehr dem modernen Lo'pan (chinesischer Feng Shui-Kompaß).

Der berühmte Chu-Kuo Liang der Drei Königreiche (220 – 265 n. Chr.) entwickelte das *Chi-man tun-chia-System*, welches das *Pa'kua* mit den *Neun Palästen* (Lo'Shu-Gitter für die Bewegungen der Neun Fliegenden Sterne) kombinierte. Dies war ein System, das anfänglich eingesetzt wurde, um für den Kaiserhof günstige und ungünstige Bereiche von Räumen und Standorten für Häuser zu bestimmen.

Kuo-p'u festigte in der Chin-Dynastie (265 – 420 n. Chr.) die Praxis des Feng Shui, die später vom Kaiserhof als eine taoistische Praxis anerkannt wurde. Er war sehr bekannt, da er über ein besonderes Wissen bezüglich der Auswahl von günstigen Grabstätten verfügte. Kuo-p'u schrieb zwei Bücher über die Auswahl von Grabstätten: „Ch'uang-shu" (über die Bewertung der Landschaft für die Wahl günstiger Plätze) und „Ch'inglung Ching" (Diskussionen der grünen Drachenberge). Viele heutige Feng Shui-Berater erkennen ihn als Meister der Feng Shui-Praxis an.

Die zwei Schulen des Feng Shui

Im ersten Jahrhundert n. Chr. wurden zwei Schulen des Feng Shui gegründet – die Kompaß- und die Landschafts- oder Formschule. Mit der formellen Etablierung dieser beiden Schulen wurde das Feng Shui-Wissen zum ersten Mal für das Volk verfügbar. Zuvor war es nur dem Kaiserhof und den Seniorbeamten erlaubt, Feng Shui anzuwenden. Wer das Gesetz mißachtete, konnte verhaftet und hingerichtet werden.

Der kaiserliche Feng Shui-Meister Yang Yunsung gründete und leitete die *Landschaftsschule* in der Provinz Kwangsi 840 – 900 n. Chr. unter der Herrschaft des Kaisers Hi-Tsung (874–888 n. Chr.). Yang schrieb die berühmten Bücher „Handbuch des sich bewegenden Drachens" und „Methoden der zwölf Stäbe".

Die Kompaß- oder *Lo-kang-(Lo'pan-)Schule* wurde von Wang Chih geleitet, der mit einigen seiner treuesten Schüler verschiedene Systeme entwickelte, die seit 960 n. Chr. während der Sung-Dynastie eine praktische Arbeitsgrundlage darstellten.

Die Kompaßschule hat ihren Ursprung in der Provinz Fukien. Vielleicht ist das der Grund, warum gerade aus dieser Provinz die meisten chinesischen Millionäre und Milliardäre kommen.

Schriftliche Überlieferungen

Moderne Historiker sagen, daß 57 Bücher über Feng Shui in der „Geschichte des Sung ‚Sung Shi'" während der Sung-Dynastie (960 – 1129 n. Chr.) geschrieben wurden. Feng Shui wurde in vielen folkloristischen Texten erwähnt. Während der Ming-Dynastie (1368 – 1611 n. Chr.) wurde der Lo'pan auf 36 Ringe erweitert. Ein bekannter Ming Feng Shui-Klassiker mit dem Titel „Tiu-Shi Yin tzu shin-chih" (Wichtige Punkte in der Geographie und bei Landformationen) gilt ebenfalls als gutes Feng Shui-Nachschlagewerk.

Die Ching-Dynastie, eine Fremdregierung aus dem Norden, herrschte von 1644 – 1911 n. Chr. über China. In dieser Zeit verbreitete sich die Praxis des Feng Shui im ganzen Land. Es entstand ein bekanntes Buch mit dem Titel „Lo-ching t'ao Chieh" (Vollständiges Verstehen des Feng Shui-Kompasses), das die 36 Ringe des Lo'pan ausführlich erläutert. Dieser wird heute von Feng Shui-Beratern und -Meistern in Hongkong, Taiwan und anderen Teilen Südostasiens verwendet.

Feng Shui heute

Vielen Feng Shui-Lehrern und -Meistern der letzten dreihundert Jahre waren keine Bestimmungstechniken wie Pendeln oder Kinesiologie bekannt, mit denen sie nachprüfen konnten, ob ihr überliefertes Wissen universell oder nur vor Ort anwendbar war.

Sie übernahmen einfach die alten chinesischen Texte und Manuskripte, ohne wirklich zu verstehen, warum die verstorbenen Autoren bestimmte Aussagen machten oder erklärten, daß gewisse Landschaftsformen für Hausbewohner eine Gefahr darstellten. Häufig wurden die alten Feng Shui-Manuskripte für spezielle Standorte in China geschrieben, in denen die Autoren die meiste Zeit ihres Lebens verbrachten und ihre „begrenzte" Welt erlebten. Aufgrund von Transportproblemen bereisten sie damals nur einen kleinen Teil der großen chinesischen Provinzen und kannten daher nur die dortigen Bedingungen.

Feng Shui-Manuskripte, die nur einen bestimmten Landstrich berücksichtigen, können nicht ohne weiteres auf jeden Ort auf der Welt übertragen werden. Daher müssen wir besonders vorsichtig sein, wenn wir Feng Shui außerhalb Chinas anwenden (siehe auch Kapitel 6).

Die große Nachfrage nach Feng Shui-Wissen hat in den letzen zwanzig Jahren aufgrund der boomenden und reichen Wirtschaft Südostasiens zur Gründung vieler Feng Shui-Schulen geführt, die lediglich von alten Texten übernommene Techniken vermitteln. Viele Schulen unterrichten widersprüchliche und unvollständige Inhalte, ohne überprüfen zu können, ob die von ihnen verwendeten Informationen richtig sind. Dies führt insbesondere bei den Menschen im Westen zu viel Verwirrung.

Infolge der großen Nachfrage nach Feng Shui-Wissen erscheinen zu diesem Thema unterdessen Hunderte von Büchern. Leider sind die wirklich großen wissenden Meister so beschäftigt, daß sie keine Zeit haben, selbst zu schreiben.
Die meisten Bücher stammen von Reportern und Schülern, die nur über ein begrenztes Wissen verfügen. Daher können sie entweder die Feinheiten des Feng Shui nicht genauer erklären, oder aber sie haben Aussagen von Meistern mißverstanden oder falsch zitiert. Oft werden alle Probleme, die sich bei einer Feng Shui-Untersuchung zeigen, einfach als „Shia Qi" (negative Energie) klassifiziert, um eine genauere Erklärung zu umgehen.

Daher finden es Schüler des Feng Shui im Osten und insbesondere im Westen so verwirrend und schwierig, praktisches Feng Shui zu verstehen und zu lernen. Sie können jedoch mit Hilfe der Technik der angewandten Kinesiologie, die in diesem Buch erklärt wird, oder anhand von Pendeltechniken ihre Erkenntnisse nachprüfen. Diese Techniken sind sehr hilfreich, um Feng Shui schneller zu erlernen.

Die zwölf Disziplinen des Feng Shui

1. Kosmisches Qi und die Qualität der Luft
2. Die Prinzipien von Yin und Yang
3. Die Energien der Fünf universellen Elemente
4. Landschafts-Feng Shui oder die Formation der Vier Tiere
5. Das Trigramm der acht Lebenssituationen
6. Die Trigramme des früheren Himmels – die Arbeit mit der spirituellen Ebene
7. Das I-Ging und die acht Basistrigramme des späteren Himmels (Ost-West-System) – bezogen auf den Standort
8. Das Lo'Shu und die Fliegenden Sterne (Astrologie und Kosmologie) – die Zeitfaktoren
9. Geobiologie und Geomantie – Strahlungen von Erde, Kosmos und Umgebung
10. „Wasserdrachen"-Feng Shui – Wasserfluß und Wasserqualität
11. Feng Shui für die Bestattung und das Grab
12. Spirituelles Feng Shui – die höchste Stufe

Im deutschsprachigen Europa und in Nordamerika arbeiten die meisten Feng Shui-Berater nur mit den ersten fünf Disziplinen. Im Idealfall sollten bei einer Feng Shui-Beratung alle zwölf berücksichtigt werden. Dieses Buch behandelt die Anwendung der ersten fünf Disziplinen. Auf die weiteren Punkte werde ich in meinen zukünftigen Büchern eingehen.

Abbildung 2.5: Die Lo'Shu-Zahlen auf dem Schildkrötenpanzer, die acht Trigramme und die Kompaßrichtungen – Grundlage für die Berechnungen des Ost-West-Systems und der Fliegenden Sterne.

Westliche Geomantie

Die moderne Geomantie, die in Europa weit verbreitet ist, ähnelt in gewisser Weise dem Feng Shui und kann auch als dessen Ergänzung betrachtet werden. Die Geomantie ist eine Bestimmungstechnik, bei der mit dem Pendel oder der Rute gearbeitet wird. Mit diesen können geopathische Störfelder, Hartmann-, Benker- oder Currynetzlinien sowie störende Magnetfelder festgestellt werden. Schädliche Strahlen aus der Erde gehören zu den Hauptursachen der meisten degenerativen und unheilbaren Krankheiten. Es ist sehr wichtig, sie zu lokalisieren und zu meiden. Wir können die besten Feng Shui-Praktiken und Abhilfen anwenden – wenn jedoch eine Person in einem Erdstrahlenbereich schläft oder sitzt, verlieren selbst die besten Feng Shui-Maßnahmen an Wirkung.

Das Wissen über die Geomantie hat ihren Ursprung vor vielen tausend Jahren in den alten arabischen Ländern. Ein Beispiel ist die alte Stadt Firusabad im heutigen Iran, die in der ersten Hälfte des dritten Jahrhunderts v. Chr. in einer geometrischen, runden und harmonischen Form nach gutem Feng Shui- und Geomantiewissen erbaut wurde.

Die arabischen Händler brachten ihre geomantischen Kenntnisse nach Europa, wo sie möglicherweise schon die Architektur der alten Griechen und Römer vor 2 000 – 3 000 Jahren beeinflußten. Diese weist viele Formen und Strukturen auf, die mit guter Geomantie und Feng Shui-Richtlinien übereinstimmen. Während des ersten Jahrhunderts v. Chr. verwendete der römische Architekt Vitruvius eine Art Feng Shui mit seinem Bestimmungssystem. Seine Arbeit ist in den „Zehn Büchern der Architektur" beschrieben.

Die alte venezianische Festung Palma Nuora in Italien aus dem Jahre 1593 besitzt eine runde Form mit Vorsprüngen, die den acht Trigrammen der Chinesen ähneln, was auf eine gute Harmonie unter den damaligen Bewohnern hinweist und auch bei der Verteidigung vorteilhaft war. John Stilgoe schrieb in seinem Buch „Typische Landschaften Amerikas 1580 – 1845" über die frühen Siedler im Ohio-Tal, die ihre Bauernhäuser in Harmonie mit dem Land und in Übereinstimmung mit den Pfaden des „günstigen kosmischen Atems" errichteten.

Das von mir gegründete *Qi-Mag International Feng Shui Institute* hat es sich zum Ziel gesetzt, umfassende und korrekte Informationen über die Feng Shui-Praxis zu vermitteln. Es führt eingehende Untersuchungen zu Feng Shui durch und bietet Kurse zur Feng Shui-Praxis an. Die Grundlagen der europäischen Geomantie werden dabei mit einbezogen. Zur Zeit finden die Kurse in 15 Ländern in Europa, Nordamerika und Südostasien statt. Ein Adreßverzeichnis befindet sich im Anhang des Buches.

Der menschliche Lebensraum

Kapitel 3

Als die Menschen noch im Freien lebten, machten Bäume, Pflanzen und Gewässer ihre unmittelbare Umwelt aus. Die Bäume spendeten ihnen Schatten und schützten sie vor Sonne, Regen und Feinden, ihre Haut und Körperbehaarung schützte sie vor extremen Witterungsbedingungen. Später fanden sie besseren Schutz, indem sie in Höhlen lebten.

Diese boten noch größere Sicherheit vor Feinden und wilden Tieren. So wurden Höhlen zum ersten schützenden Zuhause für die Menschen.

Die Evolution des Hauses

Abbildung 3.1: Menschen der Frühzeit lebten geschützt unter überhängenden Felsen.

Abbildung 3.4: Es entstanden die ersten Hütten aus Ästen, Blättern und Gras.

Abbildung 3.2: Die Menschen suchten Schutz unter einem Baum.

Abbildung 3.5: Mit ersten Werkzeugen und scharfen Steinen arbeiteten sie sich in Höhlen hinein und suchten Schutz vor Kälte und wilden Tieren.

Abbildung 3.3: Sie bauten einen zeitweiligen Schutz mit Zweigen und Gras an einem Hang.

Abbildung 3.6: Ein Lehmhaus mit zwei Fenstern und einer Tür, das einem menschlichen Gesicht sehr stark ähnelt.

Das Haus wird zum menschlichen Körper

Über Jahrtausende hat der Mensch in Höhlen und Häusern gelebt, die er aus den vor Ort erhältlichen Materialien baute und mit verschiedenen Vorrichtungen wie zum Beispiel spitzen Dachgiebeln ausstattete (siehe auch Kapitel 12). So entwickelte sich das Bewußtsein, daß das Haus repräsentativ für den Menschen steht.

Die Wände des Hauses sind daher mit der menschlichen Haut und die Räume mit den Organen vergleichbar. Die Struktur eines Hauses kann auf einen menschlichen Körper und seine Gliedmaßen übertragen werden. Durch die Fenster beispielsweise sieht man nach draußen – sie stehen für die Augen.

Die heutigen modernen Menschen haben sich überwiegend von der Natur abgeschnitten, da sie mehr Zeit in Gebäuden verbringen. Ihre Häuser werden nun Bestandteil ihres Lebensraumes. Die innere Anordnung der Räume, Möbel und Einrichtungsgegenstände entspricht der Verhaltensweisen, Vorlieben und Abneigungen der Hausbewohner. Alle Strukturen oder Symbole, die im Haus für sie negativ sind, wirken sich mental, emotional und körperlich auf sie aus.

Aus diesem Grund ist ein Hindernis, das sich unmittelbar am Haus befindet, wie beispielsweise ein Baumstamm oder Laternenpfahl, der in direkter Linie zur Haustür steht, eine Beeinträchtigung und ein Angriff auf den Mund der Hausbewohner.

Ein Baumstamm im Bereich des Fensters ist eine direkte Attacke auf die Augen der Bewohner dieses bestimmten Raums und ein indirekter Angriff auf die Bewohner des gesamten Hauses. In einer solchen Situation neigen sie häufiger zu Augenproblemen.

Nur Bäume mit sichtbarem geraden Stamm, die direkt von der Tür oder vom Fenster aus gesehen werden können, haben eine negative Wirkung auf uns. Ein Baum, der vor einer durchgehenden Hauswand steht, wirkt sich wiederum nicht negativ auf uns aus.

Abbildung 3.7: Die Urform der menschlichen Behausung. Sie hat große Ähnlichkeit mit einem menschlichen Gesicht mit Haaren, Augen und Mund.

Das Haus repräsentiert den Menschen

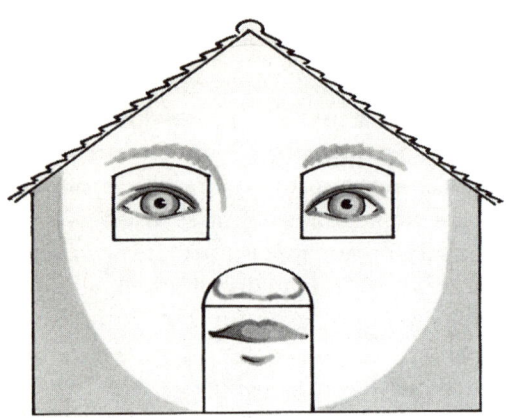

Abbildung 3.8: Ein einfaches modernes Haus, auf dem das Gesicht eines Menschen abgebildet ist und die Ähnlichkeit aufzeigt.

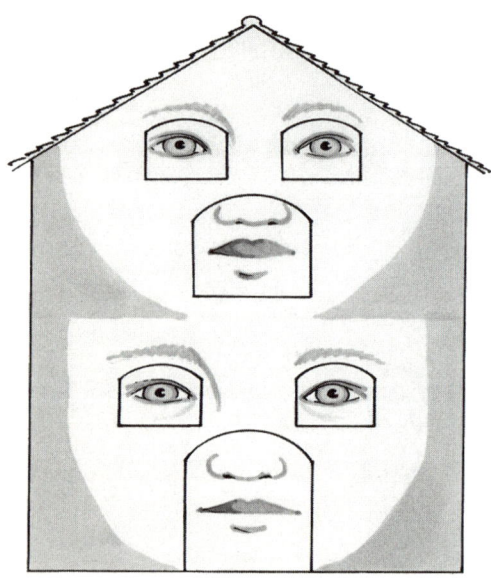

Abbildung 3.9: Ein zweistöckiges Gebäude, das von zwei verschiedenen Familien genutzt wird. Sie werden durch die beiden Gesichter repräsentiert. Jedes einzelne Stockwerk steht für einen menschlichen Körper und das dazugehörige Bewußtsein.

Das Hausgrundstück

Die Menschen zäunten als nächstes ihr Land ein, um Fremde und Feinde abzuhalten. In alten Zeiten wurden zum Schutz der Bewohner um ein Dorf oder eine Stadt herum hohe Mauern errichtet. Die zehntausend Kilometer lange *Chinesische Mauer* ist ein weiteres Beispiel für eine solche Maßnahme. Dieses Schutzbedürfnis für das eigene Land, die Großstadt, die Stadt oder das Dorf führte zu einer weiteren Bewußtseinsebene.

Unansehnliche oder negative Strukturen auf dem Grundstück wie ein sterbender oder toter Baum vor dem Haus können zu Depressionen, Gesundheitsproblemen und Problemen bei der Arbeit führen. So kann sich ein Baum, der in bestimmten Bereichen des Grundstücks gepflanzt wird, auf die Bewohner unterschiedlich auswirken. Manche Feng Shui-Schulen sind der Meinung, daß ein gesunder großer Baum an der richtigen Stelle auf der Südostseite des Hauses den Reichtum und Wohlstand der Bewohner verstärkt.

Ein großes Gebäude mit einer scharfen, spitzen und daher „angreifenden" Form im Zentrum eines Dorfes, einer Stadt oder einer Großstadt, wirkt sich ungünstig auf die Bewohner aus (siehe auch Kapitel 15 und 16).

Die Form des Stadtumrisses

Die Form einer Stadt oder Großstadt, in der wir leben, beeinflußt weitläufig unser Wohlbefinden. Haben Sie sich je gefragt, warum manche Städte und Großstädte lebendiger oder erfolgreicher sind oder aber mehr Probleme haben als andere? Im Feng Shui haben wir oft Erklärungen dafür. So schafft eine ungünstige Stadtform für die Einwohner Probleme.

In Abbildung 3.10 sind die Stadtbewohner im allgemeinen zerstreuter, es fehlt ihnen an Zielen. Diese Stadt dehnt sich sehr unregelmäßig in fünf Richtungen aus und zieht dadurch Energie vom Zentrum ab. Ein Ort sollte sich vom Zentrum her entwickeln und gleichmäßig ausbreiten. Eine gute Stadtplanung ist daher in der Feng Shui-Praxis von großer Bedeutung.

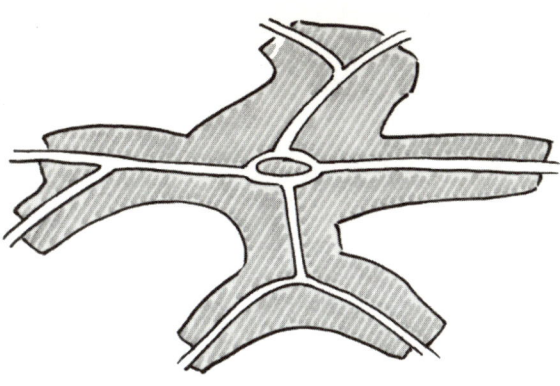

Abbildung 3.10: Stadt mit unregelmäßigem Grundriß.

Der Einfluß unserer unmittelbaren Umgebung

Früher waren die Menschen daran gewöhnt, in Höhlen zu leben, die harmonische, runde und weich verlaufende Strukturen hatten. Alles, was spitz und scharf war wie Zähne, Pfeile, scharfkantige Steine und Metall und den Werkzeugen ähnelte, die verwendet wurden, um Tiere zu töten und zu zerteilen, barg eine potentielle Gefahr in sich und wirkte unharmonisch. Auch in unserer modernen Zeit werden spitze und scharfkantige Gegenstände bewußt und unbewußt als Bedrohung betrachtet. Die scharfen Kanten eines ge-genüberliegenden Schrankes oder einer Wand werden von unserer Psyche als Angriff gewertet, der unser Immunsystem schwächt. Mit Hilfe der angewandten Kinesiologie (siehe Kapitel 10) kann dies getestet und nachgewiesen werden.

Weiterhin ist das Zusammenwirken und die Harmonie der Energien der Fünf Elemente bei Menschen und Gegenständen in einem Raum ein sehr bedeutender Faktor in der Feng Shui-Praxis. Die Prinzipien der Fünf Elemente werden in Kapitel 8 ausführlicher behandelt.

Wir wissen nun, daß unser Haus uns und unser Bewußtsein widerspiegelt. Sehr oft können wir deshalb etwas über den Gesundheitszustand und den Charakter eines Menschen sagen, wenn wir einfach sein Haus und die Einrichtung betrachten.

Des weiteren können wir anhand des Gebäudes und dessen Umgebung sehr präzise voraussagen, welche Lebensspanne die Bewohner haben, ob sie Probleme finanzieller Art oder in der Beziehung haben und wann diese frühestens auftreten.

Im angewandten Feng Shui sorgen wir dafür, daß alle negativen Einflüsse im Haus und seiner Umgebung beseitigt oder ausgeschlossen werden. Mit einer entsprechenden Raumaufteilung und Einrichtung bringen wir Harmonie ins Haus – eine wichtige Grundlage für ein gesundes und erfülltes Leben.

Feng Shui im täglichen Leben

Kapitel 4

Das Qi muß in unserem Körper harmonisch fließen, damit unsere Zellen ausreichend mit Blut und Nährstoffen versorgt werden und Stoffwechsel sowie Zellerneuerung reibungslos ablaufen können.

Wenn das Qi zu einem Körperbereich oder Organ hin zu langsam fließt, treten Schmerzen auf, die auf eine Energieblockade hinweisen. Wenn eine Person unter einer degenerativen Krankheit wie Arthritis leidet, kann sie durch Akupunktur oder die Einnahme von Medikamenten das Problem nur zeitweilig lösen, denn der Körper leidet unter einem allgemeinen Qi-Mangel. Das verursacht Blockaden in den Gelenken und begünstigt Virusattacken auf den Gelenkknorpel – die Ursache für Arthritisschmerzen.

Oft tritt bei Arthritispatienten eine schnellere Besserung ein, wenn sie eine kontinuierliche Bauchatmung oder Qi Gong (die Kunst der Qi-Atmung) praktizieren und dem Körper damit mehr kosmisches Qi und Sauerstoff zuführen.

In vielen chinesischen Krankenhäusern werden zahlreiche Krankheiten mit Qi Gong behandelt.

Meiner Auffassung nach haben die meisten Gesundheitsprobleme ihren Ursprung im Schlafzimmer, am Arbeitsplatz oder in anderen Räumen, in denen sich die Betroffenen lange aufhalten. Bei Arthritis- und Krebspatienten wird meiner Erfahrung nach immer schlechtes Feng Shui im Schlafzimmer festgestellt. Dort ist dann nur wenig kosmisches Qi vorhanden. Daher ist es schwierig, Arthritis und Krebs ausschließlich medizinisch zu behandeln.

Feng Shui-Hilfsmittel unterstützen zusammen mit einer Akupunktur- oder Kräuterbehandlung langfristig jene Menschen, die unter Arthritis leiden oder andere degenerative Krankheiten haben. Auch Menschen mit chronischen Pilzinfektionen wie dem heute weit verbreiteten Candidapilz erholen sich, nachdem das Feng Shui ihrer Häuser verbessert wurde.

Die Energie im Haus

Nach meinen Untersuchungen haben europäische und nordamerikanische Häuser mit einem steilen Satteldach (siehe auch Kapitel 16) im allgemeinen ein kosmisches Qi von unter 50 %. In diesen Ländern ist es meist kühl, und die Fenster bleiben daher häufig geschlossen. Dadurch verlangsamen sich die Luftzirkulation und der Qi-Fluß (siehe Abbildungen 4.1 und 4.2). Das beeinträchtigt die Vitalität der Bewohner.

Abbildung 4.1: Wenn wir uns im Freien aufhalten, sind wir zu 100 % kosmischem Qi und der frischen Luft ausgesetzt.

Abbildung 4.2: Wenn wir in einem geschlossenen Haus wohnen oder arbeiten, werden 70 – 80 % kosmisches Qi und Frischluft blockiert und können nicht eindringen. Im Feng Shui verwenden wir Techniken und Hilfsmittel, um die Bedingungen im Freien zu simulieren, damit mehr Qi und gute Luft in ein Haus einfließen können.

Ein allgemeiner Mangel an kosmischem Qi in Häusern führt oft zu einer verlangsamten Durchblutung und zu Herzproblemen. Das erklärt zum Teil auch, warum Europäer und Nordamerikaner im Vergleich zur Bevölkerung in Südostasien häufiger unter Herzproblemen leiden. In Südostasien sind bei warmem Wetter die Fenster die meiste Zeit im Jahr geöffnet, und es dringt ständig frische Luft und Qi ein. Daher sind die Asiaten im Alltag aktiver und energiegeladener.

Ich habe festgestellt, daß Menschen, die ein sehr hohes Alter erreichen, immer an Orten leben, die frei von geopathischen Störfeldern sind und hohe Energie sowie ein hervorragendes Feng Shui haben.

Feng Shui, Partnerschaft und Familie

Gutes Feng Shui verbessert auch die Harmonie in der Partnerschaft und in der Familie.

Bei meiner früheren Arbeit als Ehe- und Familienberater habe ich festgestellt, daß Disharmonien unter Ehepartnern und Familienmitgliedern auftraten, wenn ein Haus schlechtes Feng Shui und einen Qi-Gehalt von unter 40 % hatte. Die Beziehung zwischen den Partnern und zu den Kindern verschlechterte sich immer mehr, je länger sie in diesen Häusern wohnten.

Wenn bei Erwachsenen die Vitalität zu gering ist, beginnt der Körper auf die Energie in den unteren, für die Fortpflanzung zuständigen Chakren (Gonaden) zurückzugreifen. Auf diese Weise wird die lebenswichtige Fortpflanzungsenergie* ausgelaugt, und die Menschen ermüden. Die Nieren werden erheblich geschwächt, und die Partner verspüren keine sexuelle Anziehung mehr. In einem Haus mit schlechtem Feng Shui geschieht es häufig, daß ein Paar monatelang keinen Sex

---

*Die Traditionelle Chinesische Medizin (TCM) geht davon aus, daß die vitale Fortpflanzungsenergie in den Nieren gespeichert ist.

miteinander hat. Der Mangel an Körperkontakt und Liebe ist bei Beziehungsproblemen ein Schlüsselfaktor.

Sexuelle Aktivität ist die wichtigste Grundlage für eine gute Beziehung. Viel Streß und schlechtes Feng Shui führen dazu, daß die Beziehung immer mehr vernachlässigt wird und oft in einer Trennung oder Scheidung endet.

Bei Kindern führt ein Mangel an kosmischem Qi zu Hyperaktivität, Unruhe, Aggressivität und anderen Verhaltensstörungen. Mangelnde Konzentration und schlechte Schulleistungen sind häufig die Folgen.

Erwachsene, die in einem Haus mit niedriger Energie leben, sind gestreßter, leichter gereizt, schlecht gelaunt und oft depressiv.

Wenn Feng Shui-Maßnahmen durchgeführt werden, geschieht es häufig, daß die Partner wieder sexuell aktiv werden und sich die Paar- und Familienbeziehungen verbessern.

Dazu ein Beispiel aus meiner Praxis: In Kopenhagen hatte ein Paar beschlossen, sich scheiden zu lassen. Ich sagte ihnen, daß die Hauptursache ihrer Probleme das schlechte Feng Shui ihres Hauses sei. Sie waren skeptisch, wollten aber Feng Shui ausprobieren und installierten die entsprechenden Hilfsmittel. Drei Monate später erhielt ich von der Familie einen Dankesbrief, in dem sie berichtete, daß sie wieder glücklich vereint war. Auch die Schulleistungen ihrer Kinder hatten sich enorm verbessert.

Feng Shui, Arbeitsleistung und Wohlstand

Auch das Feng Shui des Arbeitsplatzes ist für unser Wohlbefinden und unsere Arbeitsleistung sehr wichtig. Beschäftigte sind mittags oder nachmittags schon sehr müde, wenn die Arbeitsplätze schlechtes Feng Shui haben. Sie sind auch gestreßter, weniger freundlich und machen mehr Fehler. Ihre allgemeine Leistung liegt unter dem Durchschnitt, und der gesamte Betrieb ist damit nicht so erfolgreich.

Ein Mangel an Qi und Sauerstoff versetzt alle Energiezentren und Chakren unseres Körpers (siehe Abbildung 4.3) in einen Streßzustand. Das verhindert, daß die Energie von unserem untersten Chakra bis in den Kopf aufsteigen kann, unser Kronenchakra aktiviert und so unsere Intuition verstärkt. Das erklärt, warum Menschen, die in Gebäuden mit schlechtem Feng Shui arbeiten, weniger ausgeglichen, weniger intuitiv und weniger erfolgreich im Leben sind.

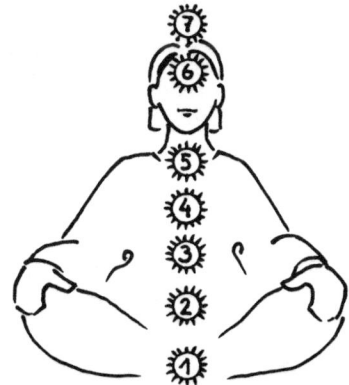

Abbildung 4.3: Die sieben Hauptchakren des Menschen
1 = Wurzelchakra, 2 = Sakralchakra,
3 = Solarplexuschakra, 4 = Herzchakra,
5 = Halschakra, 6 = Drittes Auge, 7 = Scheitelchakra.

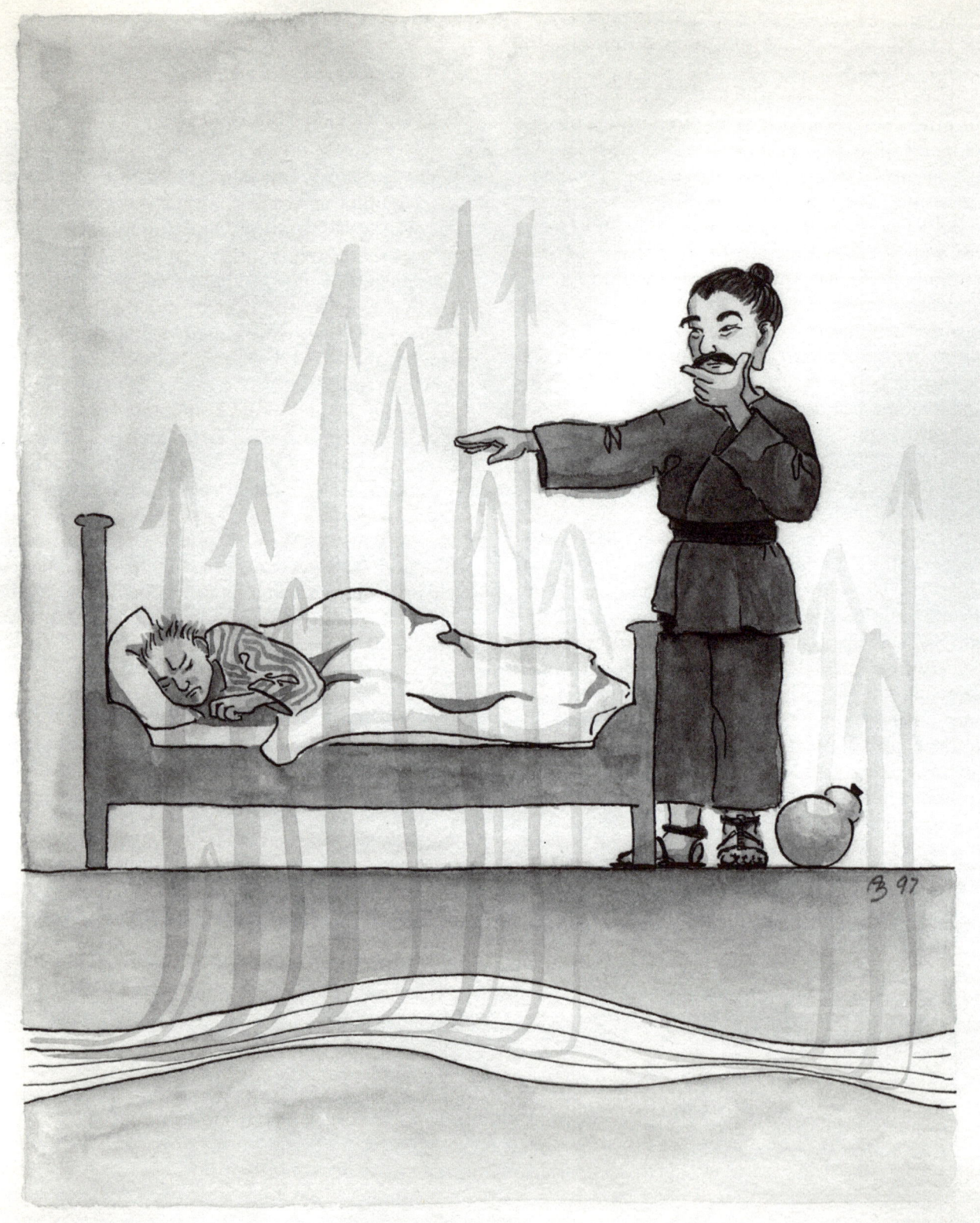

Der Zusammenhang zwischen schlechtem Feng Shui und Krankheiten

Kapitel 5

Auf der Suche nach dem Zusammenhang zwischen Krankheiten und dem Feng Shui von Häusern haben wir folgende interessante Statistik erstellt:

Die Zahlen in *Tabelle 1* sind Durchschnittswerte, die ich in Wohn- und Arbeitsräumen in Europa, Nordamerika, Australien und Neuseeland – alles Länder mit gemäßigter Klimazone – mit speziellen Meßtechniken (siehe auch Kapitel 10) und einer von mir festgelegten Skala zum Qi-Gehalt ermittelt habe. In tropischen Ländern, in denen es wärmer ist und die Räume das Jahr über besser belüftet sind, ist der Pilzgehalt der Luft wesentlich niedriger.

Auf meiner Skala beträgt der Normalwert für den Qi-Gehalt im Freien 100 %. Je nach Umgebung kann dieser Wert niedriger sein oder auch die 100 % übersteigen. Im Regenwald liegt der Wert für das kosmische Qi beispielsweise bei etwa 100 – 120 %. In Großstädten mit hoher Luftverschmutzung kann das kosmische Qi bis unter 60 % absinken.

Die Zahlen in *Tabelle 1* zeigen: wenn ein Raum weniger Qi hat, ist er ein idealer Brutplatz für Pilze und Bakterien. Sehr interessant ist auch folgendes: Sinkt der Qi-Gehalt eines Raumes oder Gebäudes unter 40 % – was sehr schlechtes Feng Shui bedeutet – leiden die meisten Bewohner unter allgemeiner Müdigkeit und müssen oft weit mehr als 7 Stunden täglich schlafen. Je mehr sie schlafen, desto müder werden sie. Wenn jemand länger als drei Jahre in einem Haus mit schlechtem Feng Shui lebt, können Krankheiten wie Herz- und Arterienprobleme, Gelenkbeschwerden und allgemeiner Vitalitätsmangel auftreten. Wenn eine Person dazu noch über einen längeren Zeitraum auf einer Wasseraderkreuzung (siehe auch Abbildungen 5.4 – 5.14) schläft, tritt in über 80 % der Fälle Krebs auf.

Die Tabelle zeigt, daß der Pilzgehalt in der Luft bis zu 60 % und der Gehalt an schädlichen Bakterien bis zu 30 % und mehr beträgt, wenn das kosmische Qi unter 40 % absinkt. Die Menschen, die in dieser vergifteten Umgebung leben, nehmen mit jedem Atemzug schädliche Pilze und Bakterien auf.

Das bestätigt die Vermutung, daß Krebs und Pilzinfektionen in Zusammenhang stehen. Mediziner haben Pilze und mutierte Viren im Blut von Krebspatienten gefunden – ein Phänomen, auf das sie bisher keine Antwort finden. Immer mehr Ärzte in Deutschland und Österreich stimmen zu, daß es einen Zusammenhang zwischen Krebs, geopathischen Störfeldern und elektromagnetischer Strahlung gibt.

Kosmisches Qi im Schlafzimmer/Haus	Pilzgehalt in der Luft		Bakteriengehalt in der Luft		Frische der Luft (Negative Ionisierung)
100		0		0	100
90	2 –	4		0	95
80	4 –	5		0	90
70	5 –	10		0	70
60	10 –	20	2 –	5	60
50	20 –	30	5 –	10	50
40	30 –	40	10 –	20	40
30	40 –	60	20 –	30	30
20	60 –	70	30 –	50	20
10	70 –	80	50 –	60	15
0 (Grab)	über	80	über	60	5

Tabelle 1: Untersuchung zum Qi in Häusern (Gehalt in %)

Bei meinen Beratungen habe ich ebenfalls festgestellt, daß Häuser und Wohnungen mit einem Gehalt an kosmischem Qi von unter 40 % meist starke geopathische Störfelder aufwiesen, die entweder von unterirdischen Wasserläufen oder von Erdverwerfungen unter dem Haus verursacht werden. Menschen, die in diesen kranken Häusern (auch „sick building" genannt) wohnen oder arbeiten – insbesondere diejenigen, die auf diesen Störfeldern sitzen oder schlafen –, leiden verstärkt unter dem „chronischen Müdigkeitssyndrom".

Darüber hinaus können Gewichtsprobleme entstehen, wenn diese Personen ihren Energiemangel durch zu viele Süßigkeiten auszugleichen versuchen.

Hier ein Beispiel (siehe Abbildung 5.1): Wenn ein Raum niedrige Energie hat, können sich die Bewohner im Schlaf nicht richtig erholen und haben keine Lust aufzustehen, da es ihnen an Vitalität mangelt. Es ensteht ein sogenannter „Vampireffekt". Angenommen, das kosmische Qi in einem Raum beträgt etwa 35 %. Eine Person mit hoher Vitalität und Energie von etwa 80 – 100 % legt sich dort schlafen. Wenn sie 7 – 10 Stunden später wieder aufwacht, hat der Raum die Person energetisch „ausgesaugt", und ihr Energiepegel ist ähnlich niedrig wie der des Raumes.

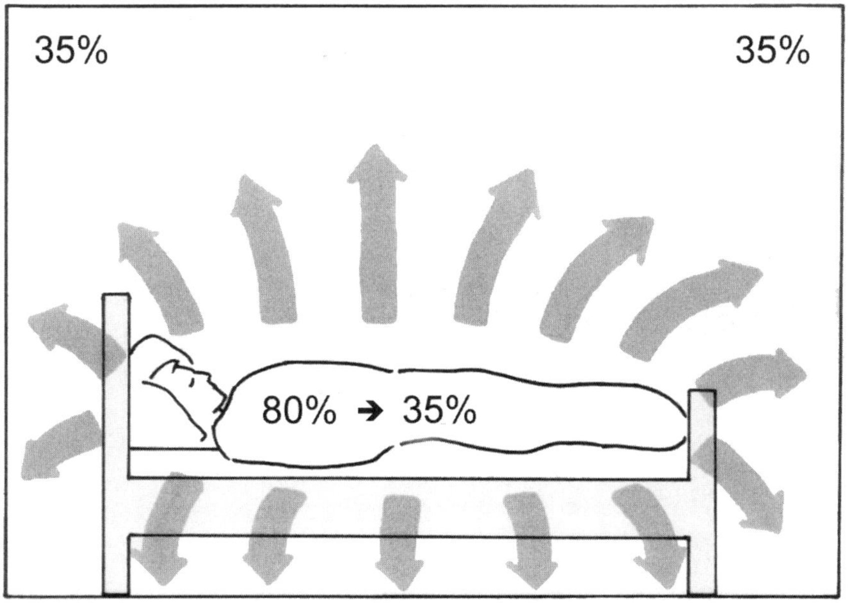

Feng Shui ergänzt die medizinische Behandlung

Aus meiner Sicht als Feng Shui-Experte ist es für die Behandlung von Krebspatienten *unabdingbar*, daß Ärzte und Therapeuten ihren Patienten zusätzlich zur medizinischen Therapie eine Feng Shui-Beratung empfehlen. Viele meiner eigenen Schüler, die als Ärzte und Therapeuten tätig sind, haben Naturheilverfahren mit Feng Shui kombiniert. Die Ergebnisse sind außerordentlich gut.

Ein Arzt aus München, der mein Feng Shui-Seminar besucht hatte, empfahl einer Krebspatientin, nicht mehr im Haus, sondern im Garten in einem Kuppelzelt zu schlafen. Dort könne sie mehr frische Luft atmen und vermehrt kosmisches Qi und Sauerstoff aufnehmen. Kollegen des Arztes schätzten die Lebenserwartung der Frau auf drei Monate. Im Sommer 1993 begann die Frau, in einem Kuppelzelt in ihrem Garten zu schlafen. Nach drei Monaten ging sie zum Röntgen und zur medizinischen Untersuchung ins Krankenhaus und erfuhr, daß ihr Krebs völlig verschwunden war! Das war meiner Einschätzung nach kein Wunder, denn die Hauptursache ihres Gesundheitsproblems war beseitigt, nachdem sie einen besseren Schlafplatz hatte und ihr Körper in einer förderlichen Umgebung heilen konnte. Ausreichend kosmisches Qi, viel Sauerstoff und damit gutes Feng Shui im Freien unterstützten zusammen mit einer medizinischen Behandlung die Heilung.

35% 35%

80% → 35%

Abbildung 5.1: Vampireffekt von Räumen mit niedriger Energie.

Mehr als 80 % der Menschen, die zu mir zur Beratung kamen und unter hohem Blutdruck und schweren Herzproblemen litten, schliefen oder arbeiteten auf geopathischen Störfeldern. Innerhalb von sechs Monaten nach dem Installieren von Feng Shui-Hilfsmitteln senkte sich in fast allen Fällen der Blutdruck, und der Zustand des Herzens verbesserte sich beträchtlich.

Die Gründe dafür gehen Hand in Hand: Wenn der Körper keinen geopathischen Störfeldern mehr ausgesetzt ist und kosmisches Qi und Sauerstoff auf ein gesundes Niveau von 80 – 90 % angehoben werden, verringert sich der „Streß" in den Körperzellen beträchtlich. Der Sauerstoffgehalt im Körper steigt an und die Anzahl der freien Radikale sinkt. Der Körper hat die Möglichkeit, sich selbst zu heilen. Der mit kosmischem Qi und Sauerstoff gesättigte Raum ermöglichte, daß der Körper über die Haut viel Qi aufnehmen konnte. Die Körperzellen regenerierten sich, und Verhärtungen in Arterien und Venen lösten sich auf.

Es ist daher äußerst wichtig, bei der Behandlung von Herzbeschwerden neben der medizinischen Versorgung Feng Shui-Maßnahmen mit einzubeziehen, um den Heilungsprozeß der Patienten zu beschleunigen.

Die Gefahr geopathischer Störfelder

Wenn sich unterirdische Wasserläufe durch das Gestein arbeiten, entsteht Reibung. Diese Reibung verursacht eine Strahlung, die wir als Wasseraderstrahlung bezeichnen. Sie steigt entlang dem Wasserlauf bis über die Erdoberfläche auf und durchdringt dabei Felsen, Holz, Stahl und sogar massive Betonbauten. Manchmal ist dieses Störfeld noch in der 30. Etage meßbar, wobei sich die Strahlung durch die moderne Bauweise (Stahlträger, Rohrleitungen) nach oben hin noch mehr verbreitert und um ein Vielfaches zunehmen kann. Ein solches Störfeld ist durchschnittlich einen Meter breit, obwohl ich auch schon Wasseradern gefunden habe, die 2 – 3 Meter und sogar noch breiter waren.

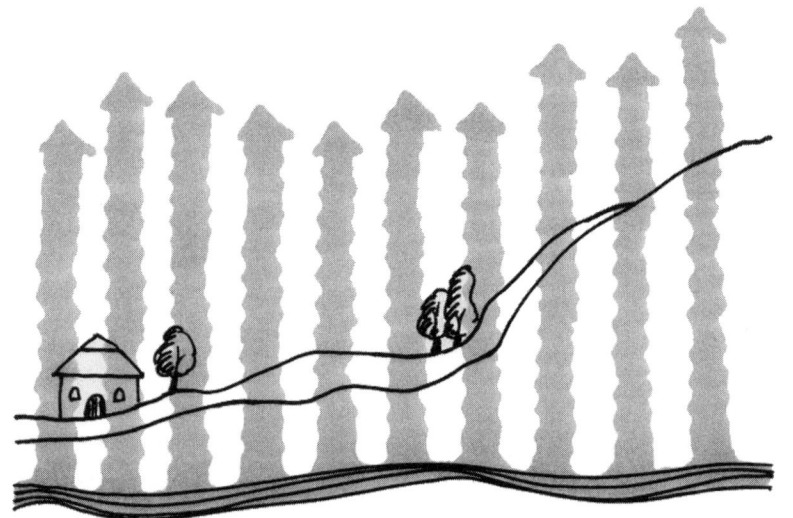

Abbildung 5.2: Strahlung von unterirdischen geopathischen Störfeldern, verursacht durch Wasseradern.

Abbildung 5.3: Die Aura wird von geopathischen Störfeldern „erschüttert".

Sitzt oder schläft jemand auf einem geopathischen Störfeld, so wird der Körper von dieser Strahlung durchdrungen und starken Vibrationen ausgesetzt (siehe Abbildung 5.3). Diese störenden Frequenzen, die weitaus höher sind als die Frequenz der Erdschwingung, mit der wir Menschen vertraut sind, verursachen extremen „Streß" in den Körperzellen. Natürlich reagiert das Immunsystem und „greift an", um den Körper zu schützen. Aufgrund des ständig erhöhten Pulsschlags wird schließlich das Herz belastet und geschwächt. Die betroffene Person verliert schnell an Vitalität und ermüdet leicht. Längeres Schlafen auf einem geopathischen Störfeld verursacht chronische Müdigkeit und degenerative Krankheiten.

Auf einer Kreuzung von geopathischen Störfeldern bildet sich eine Energiespirale, die wie ein Tornado nach oben rast und noch schneller zu gesundheitlichen Schäden führt als eine einfache Wasserader. Der Körperbereich, in dem die Kreuzungslinie verläuft, wird geschwächt und erkrankt.

Die Abbildungen 5.4 bis 5.14 zeigen Beispiele geopathischer Störfelder durch einfache Wasseradern oder Wasseraderkreuzungen. Je nach Konstitution der Person können die in den Beispielen aufgeführten Gesundheitsprobleme entstehen.

Mögliche Beschwerden und Erkrankungen durch geopathische Störfelder

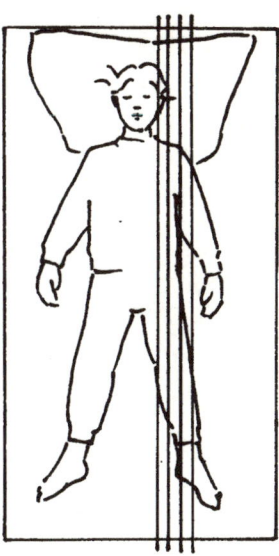

Abbildung 5.4: Einfache Wasserader – Arthritis und Beschwerden in den Extremitäten.

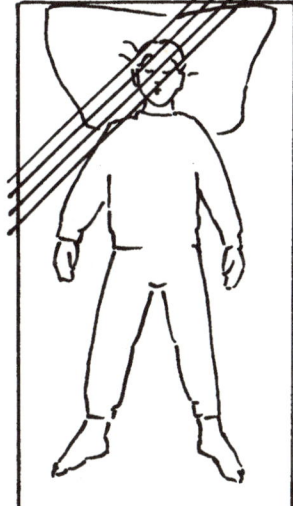

Abbildung 5.5: Einfache Wasserader – Depressionen und Erkrankungen im Kopfbereich.

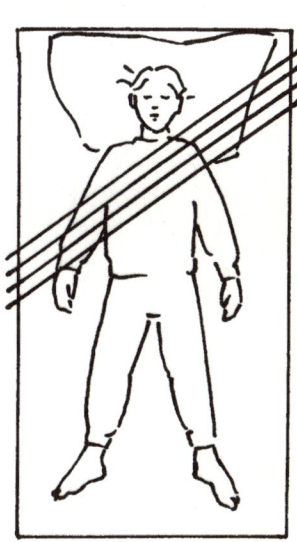

Abbildung 5.6: Einfache Wasserader – Herzbeschwerden und Brusterkrankungen.

Mögliche Beschwerden und Erkrankungen durch geopathische Störfelder

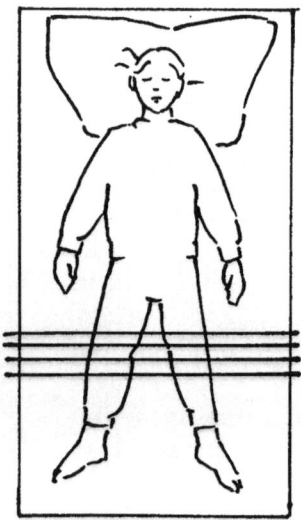

Abbildung 5.7:
Einfache Wasserader –
Beschwerden in den
Knien und im unteren
Beinbereich.

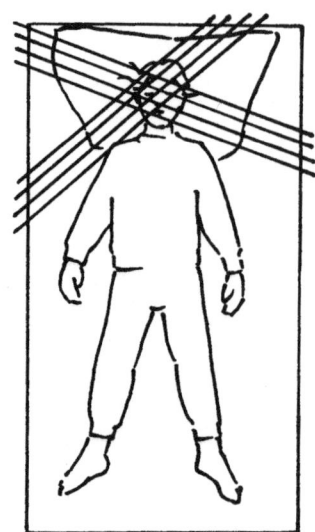

Abbildung 5.8:
Wasseraderkreuzung –
Gehirntumor, Epilepsie.

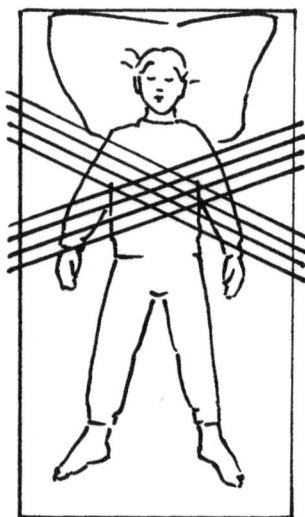

Abbildung 5.9:
Wasseraderkreuzung –
Lungenkrebs.

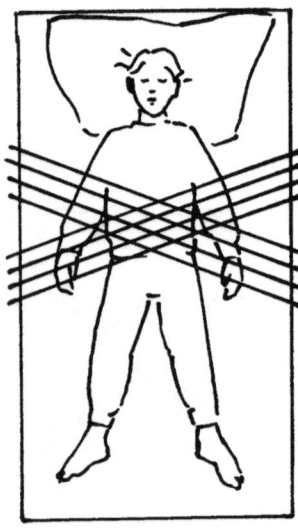

Abbildung 5.10:
Wasseraderkreuzung –
Magen-, Nieren- und
Dickdarmkrebs.

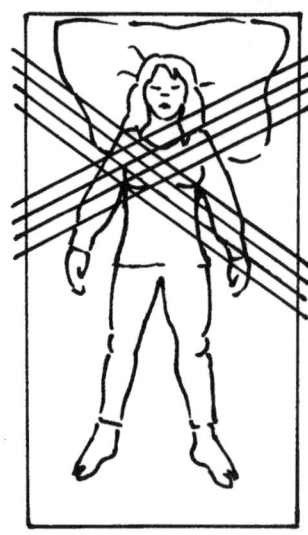

Abbildung 5.11:
Wasseraderkreuzung –
Brustkrebs.

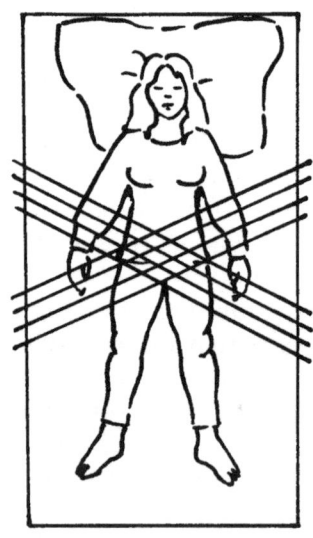

Abbildung 5.12:
Wasseraderkreuzung –
Gebärmutter- und
Darmkrebs.

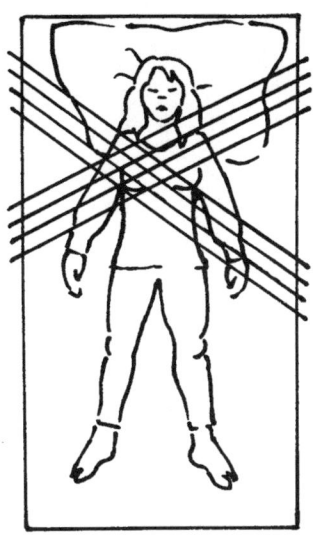

Abbildung 5.13:
Wasseraderkreuzung –
Krebs in den oberen Orga-
nen, Multiple Sklerose,
Herzinfarkt.

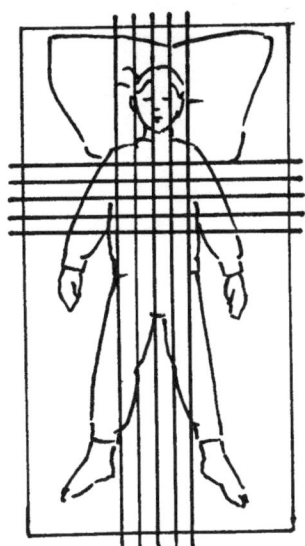

Abbildung 5.14:
Wasseraderkreuzung –
Tödliche Krebserkrankung.

Für meine Messungen der Streßrate von Wasser-adern habe ich eine Skala von 0 bis 50 % festge-legt. Ich habe festgestellt, daß Krebs dann auftre-ten kann, wenn ein Störfeld eine Streßrate von über 5 % hat. Bei einem Streßfaktor von über 20 % kann innerhalb von 3 – 5 Jahren Krebs entstehen. Etwa 5 % der Menschen können geopathische Störfelder unter 10 % tolerieren und erkranken vielleicht nicht an Krebs, haben jedoch degenera-tive Erkrankungen, wenn sie über diesen Störbe-reichen länger schlafen.

In Anhang A sind einige gebräuchliche Kräu-ter und Nahrungsergänzungsmittel aufgeführt, die zu einer schnelleren Regeneration führen, wenn eine Person auf geopathischen Störfeldern gesessen oder geschlafen hat. Bitte fragen Sie Ih-ren Arzt oder Therapeuten, bevor Sie diesen Emp-fehlungen folgen.

Wenn eine Person, die sich auf geopathischen Störfeldern aufhält, aufgrund ihrer starken Kon-stitution nicht ernsthaft erkrankt, kann sich die Wirkung der Störfelder jedoch immer noch auf ihre Arbeitsleistungen auswirken. Beispielsweise zeigen Büroangestellte nicht die besten Leistun-gen und verlieren ihre Intuition für die richtigen

Entscheidungen, wenn sie auf einem solchen Stör-feld sitzen.

Hierzu ein Fallbeispiel: Ein mittelständisches Unternehmen in der Schweiz hatte sechs Jahre lang Verluste gemacht, nachdem es in ein neues modernes Firmengebäude eingezogen war. Ich stellte fest, daß die Hauptursache einige Feng Shui-Probleme waren und daß sechs Mitglieder der Firmenleitung sowie der Geschäftsführer auf geopathischen Störfeldern saßen. Sieben Monate nach Durchführung der Maßnahmen begannen Umsatz und Gewinn der Firma beträchtlich zu steigen, obwohl die Schweiz in dieser Zeit eine Rezession hatte.

Man kann die besten Feng Shui-Hilfsmittel und die besten Mitarbeiter einsetzen – wenn die Fir-menleitung jedoch von geopathischen Störfeldern beeinträchtigt wird, kann sie kaum den Anforde-rungen standhalten.

Das gleiche gilt bei einem perfekt gestalteten Wohnhaus mit den besten Feng Shui-Hilfsmit-teln – sie sind weniger wirksam, wenn man auf einem geopathischen Störfeld sitzt oder schläft. Deshalb müssen die Aspekte der Geomantie eben-falls berücksichtigt werden.

Feng Shui – Mythos, Aberglaube und Wirklichkeit in China

Kapitel 6

Viele Regeln und Praktiken, die von alten Feng Shui-Beratern übernommen wurden, beruhen auf einem lokalen Volksglauben und auf überlieferten sowie eigenen Erfahrungen in bestimmten Gebieten Chinas. Sie sind beispielsweise durch die Untersuchung von Landschaftsformen, Hügelformationen und dem Verlauf von Gewässern entstanden. Einige Feng Shui-Praktiken, die im alten China relevant waren, sind jedoch durch das moderne Bewußtsein des 21. Jahrhunderts überholt. In diesem Kapitel berichte ich über meine Ansichten und Untersuchungen in bezug auf einige weitverbreitete fehlerhafte Feng Shui-Konzepte.

Der Südosten – der Bereich von Wohlstand und Reichtum

In China wurde der Südosten seit Jahrhunderten als wohlhabendes und reiches Gebiet angesehen. Der Südosten weist zur Sonne hin – und viel Sonne verhilft zu reicher Ernte und einen Überfluß an Nahrung, der schon in früheren Zeiten Reichtum bedeutete.

Die köstlichen roten Litschifrüchte waren am nördlichen Kaiserhof sehr begehrt und wurden im Süden in Hülle und Fülle angebaut. Die chinesischen Seeleute segelten Richtung Süden und Südosten zu den Philippinen und nach Indonesien. Sie kamen mit kostbaren Gewürzen und mit Südseeperlen zurück, die sehr geschätzt und als Schmuck am Kaiserhof und bei den reichen Beamten begehrt waren.

Als sich die alte chinesische Zivilisation entlang dem Gelben Fluß und dem Jangtsekiang der Küste näherte, galten die Mündungsgebiete dieser beiden großen Flüsse im Südosten Nordchinas als reich. An der Südostküste Nordchinas entwickelten sich berühmte Großstädte, wie zum Beispiel Schanghai mit heute 15 Millionen Einwohnern. Auch Hongkong liegt im Südosten Chinas und ist in jüngster Zeit zu einem Beispiel unermeßlichen Reichtums geworden. In den letzten tausend Jahren, wie auch heute, versorgen die Provinzen Guangchou und Kanton im Südosten Nordchinas andere Teile des Landes und helfen bei Nahrungsmittelknappheit und Hungersnöten.

Aus diesem Grund wurde der Südosten von alters her als „Wohlstandsbereich" anerkannt und in die Praxis des Acht Trigramm-Feng Shui integriert. Verschiedene Feng Shui-Schulen legten fest, daß sich die „Reichtumsecke" eines Gebäudes im Südosten befindet. Des weiteren wird der Südosten dem Holzelement zugeordnet, das ebenfalls für Wachstum und Fortschritt steht.

Im Gegensatz dazu befinden sich in Deutschland die reichen Industriegebiete im Nordwesten und Westen. In Österreich liegen die wohlhabenderen Teile des Landes im Westen. In den USA sitzt der Reichtum im Nordosten. Dazu gehören die Staaten Michigan und New York sowie die Stadt New York mit der berühmten Wall Street.

Trotzdem wird der Nordosten von Feng Shui-Meistern in China und Asien weiterhin als „Teufelspforte" bezeichnet (siehe nächster Abschnitt). Der Grund liegt auf der Hand: Es hat sich in China nichts geändert – wir können sicher sagen, daß der Südosten hier immer noch der „Wohlstandsbereich" ist, da er Teil des chinesischen Bewußtseins und Glaubens wurde und real existiert. In China und Hongkong wird auch immer der südöstliche Bereich des Gebäudes für Wohlstand und Reichtum aktiviert. Man sollte jedoch vorsichtig sein, wenn man diese Südost-Regel in anderen Teilen der Welt anwendet.

Der Nordosten – die Teufelspforte

Die Dörfer an der Nordostküste Chinas, die Japan gegenüberliegen, wurden jahrhundertelang von japanischen Fischern und den Mandschus geplündert und ausgeraubt. Auch der mongolische Herrscher Dschingis-Khan hatte China vom schwachen Nordosten her angegriffen. Er regierte China von 1271 – 1368 während der Yuan-Dynastie.

Der Gelbe Fluß im Nordosten Chinas trat seit Jahrhunderten über die Ufer und überschwemmte das Land, was zu Hungersnöten führte und Tausende von Menschen das Leben kostete. Die Geschichtsschreibung bezeichnete den Nordosten Chinas als Katastrophengebiet. Daraufhin beschloß der Feng Shui-Experte des Kaiserhofes, den Nordosten „Teufelspforte" zu nennen. Es wurde daher empfohlen, diesen Bereich für die Eingangstür und das Schlafzimmer des Familienoberhaupts zu vermeiden, damit der Familie kein Unheil widerfahre. Wie in den anderen Fällen trifft dieses Prinzip nicht auf alle Länder zu.

Diejenigen, die nicht in China leben, können ruhig schlafen, wenn sich die Haustür oder das Schlafzimmer des Familienoberhaupts im Nordosten befinden!

Der Südwesten – die Hintertür des Teufels

Im Südwesten Chinas liegen die Provinz Xinchiang, Tibet und ein Teil der Wüste Gobi. Diese Gebiete sind trocken, rauh, windig und sandig; das Leben ist dort schwierig. Das Land ist weniger fruchtbar und vorwiegend hügelig; durch jahrtausendelange Erosionen sind kahle Hügel mit geringer Vegetation entstanden. Die Provinz Xinchiang an der Grenze zu Pakistan und die früheren südlichen UdSSR-Staaten Tadschikistan, Kirgisien und Kasachstan wurden in alten Zeiten ständig von Nomadenvölkern wie auch von den Mongolen angegriffen. Darüber hinaus war diese Region äußerst schwer zu regieren, da hier Nomaden und weniger kultivierte Völker lebten. In diese Provinz „am Ende der Welt" schickte man in Ungnade gefallene Mitglieder der Kaiserfamilie und Adelige ins Exil.

Da der Südwesten dem Nordosten gegenüberliegt, haben Feng Shui-Meister den Südwesten als „Hintertür des Teufels" bezeichnet. Den Menschen in China wird geraten, hier nicht ihre Hintertür, das Schlafzimmer des Familienoberhaupts oder andere wichtige Räume einzurichten. So können die Teufel nicht durch die Hintertür hinausgehen oder über sie hereinkommen und Katastrophen auslösen.

Sie brauchen sich darüber keine Sorgen zu machen, wenn Sie außerhalb Chinas leben.

Die „Teufelstür" im Norden und die negative Tür im Westen

Viele Feng Shui-Berater raten davon ab, die Eingangstür nach Norden auszurichten. Sie empfehlen im allgemeinen, daß die Haustür am besten im Süden liegen sollte. Von dort kommt günstiges Wohlstands-Qi herein.

In China ist es sinnvoll, die Tür nach Süden hin auszurichten, denn von dort kommen die wärmeren Südwinde. Ist die Tür nach Norden ausgerichtet, können die kalten Winde aus Sibirien eindringen und zu schweren Gesundheitsproblemen führen.

In tropischen Ländern sowie in Ländern auf der südlichen Halbkugel wie Australien, Südafrika und Südamerika trifft die Regel der Südausrichtung der Haustür wiederum nicht zu. So ist es in diesen Ländern nicht empfehlenswert, die Eingangstür nach Süden hin auszurichten, da die kalten Winde aus der Antarktis die Bewohner, insbesondere während der Wintermonate, stark beeinträchtigen können.

Den Chinesen, die im westlichen Teil des Landes leben, wurde früher geraten, ihre Haustür nicht nach Westen auszurichten. Es hieß, daß bei einer nach Westen ausgerichteten Tür „böse Geister" das Haus kontrollieren und hereinkommen.

Im Westen Chinas gibt es hauptsächlich kahle Berge. Dort liegt auch die Wüste Gobi. Wenn man die Tür nach Westen ausrichtet, kommen viel Staub und Sand ins Haus und verursachen Lungen- und Nebenhöhlenprobleme. Ähnlich ist es bei den Menschen, die in kargen Gegenden im Osten Australiens leben – sie sollten ihre Eingangstür auch nicht nach Westen zur trockenen, staubigen australischen Wüste hin ausrichten.

Beachten Sie bei der Lage Ihrer Eingangstür die Umweltfaktoren der näheren Umgebung. Im Idealfall sollte sich vor dem Haus ein großer, freier Platz befinden, vorzugsweise mit ruhig fließendem Wasser und einem Wald in größerer Entfernung. Weitere Richtlinien zu Eingangs- und Hintertüren finden Sie in Kapitel 17.

Die Farbe Schwarz

Geschichtswissenschaftler gehen davon aus, daß die chinesische Ursprungsbevölkerung nach der großen Sintflut aus Mesopotamien auswanderte. Sie zog an der Südgrenze Rußlands entlang und siedelte sich eine Zeitlang am Schwarzen Meer an. Die Chinesen nannten ihr Königreich „Reich der Mitte" – der Mittelpunkt vieler Zivilisationen.

Die chinesische Zivilisation siedelte sich danach um das Schwarze Meer herum an. Sie begann zu blühen und wuchs schnell. Andere chinesische Siedlungen im Landesinneren waren weniger erfolgreich. Das Wasser des Schwarzen Meeres war dunkel, und aus diesem Grund hielt man die Farbe des Wassers für schwarz und assoziierte sie mit Reichtum. Ebenso ist das Wasser in tiefen Brunnen und chinesischen Flüssen oft trüb und dunkel. Es war daher recht logisch, daß im alten China Schwarz für die Farbe des Wassers stand.

Die Chings aus der Mandschurei eroberten China und herrschten mit extremer Grausamkeit und Gewalt 267 Jahre lang über das Land (1644 – 1911). Viele chinesische Führer und Adelige trauerten, weil China von einem der Schrift unkundigen und brutalen Fremdregime kontrolliert wurde. Sie begannen, schwarze Seidenkleidung als Zeichen der Trauer zu tragen. Es hieß, daß sie erst nach dem Sturz der Ching-Dynastie wieder Blau tragen würden. Als ein Ching-Herrscher die Adeligen und Führer fragte, warum sie alle Schwarz trügen, antworteten sie ihm, daß dies eine Farbe für Führer sei und Respekt vor dem Herrscher bezeuge. Der Ching-Herrscher akzeptierte die Kommentare der chinesischen Führer und verordnete, daß alle obersten Ching-Beamten als Zeichen der Autorität Schwarz tragen sollten. Seitdem wurde Schwarz mit Macht, Geld und Reichtum assoziiert.

Aufgrund dieser Mißverständnisse galt Schwarz als Farbe für Wasser und als Machtsymbol, was auch in der Geschichtsschreibung festgehalten wurde. In China stehen politische Macht und Rang für Autorität, Reichtum und Überfluß.

Schwarz wurde daher bis heute von Feng Shui-Beratern als die Farbe für Reichtum und Wohlstand akzeptiert. Diese Interpretation ist meines Erachtens eine falsche Auslegung.

Bis heute gibt es aber immer noch Feng Shui-Berater, die Unternehmen empfehlen, im Eingangsbereich ein Aquarium mit schwarzen Goldfischen aufzustellen. Diese Maßnahme soll Reichtum und Erfolg anziehen. Wenn man aber schwarze Fische betrachtet, drückt das auf die Stimmung und wirkt schwächend – ein Faktor, der dazu beitragen kann, daß das Personal eher negativ beeinflußt wird und die Firma wenig Erfolg hat.

Schwarz ist eine mystifizierte Farbe, die mit Tod und dem Bösen in Zusammenhang steht. Scharfrichter in Europa trugen beispielsweise immer Schwarz. Diejenigen, die sich mystischen Praktiken verschrieben, waren oft schwarz gekleidet. Hexen wie auch Magier trugen fast immer schwarze Kleidung.

Die sieben Farben des Regenbogens entstehen aus dem Zusammenspiel von Wasser und den lebensspendenden Sonnenstrahlen. Überlagert ergeben diese sieben Farben weiß. Schwarz bedeutet, daß die sieben Regenbogenfarben nicht vorhanden sind. Bei gesunden Menschen sind die Regenbogenfarben in der Aura angelegt. Wenn sie nicht mehr vorhanden sind, stirbt der Mensch.

In Experimenten, die ich durchgeführt habe, wurden gesunde Testpersonen gebeten, einen schwarzen Mantel anzuziehen. Wir stellten fest, daß die Personen beim Tragen des schwarzen Mantels eine niedrige Körperenergie und ein geschwächtes Immunsystem hatten. Beim kinesiologischen Muskeltest reagierten sie schwach. Der schwarze Mantel verhinderte, daß die sieben Hauptchakren und die Körperzellen die sieben Regenbogenfarben absorbieren konnten.

Menschen, die ständig schwarz gekleidet sind, tragen häufig großen Kummer in sich. Dazu kommt ein von ihnen unerkannter innerer Todeswunsch, der durch ein trauriges Ereignis oder durch ein tiefes Gefühl des Unglücklichseins verursacht wurde.

Wenn eine Gruppe von Menschen leidet oder wegen einer nationalen Angelegenheit unglücklich ist, neigt sie dazu, schwarze „Trauerkleidung" zu tragen. Als Nordvietnam beispielsweise ständig von amerikanischen Kriegsflugzeugen bombardiert wurde, trugen mehr und mehr Nordvietnamesen Schwarz. Viele unschuldige Menschen kamen ums Leben, als die amerikanischen Soldaten schwarzgekleidete Vietnamesen mit Vietkongs verwechselten und sie deshalb angriffen.

In den späten 80er Jahren führte der Wohlfahrtsstaat Neuseeland dramatische Reformen durch und kürzte die Sozialhilfe, um das große Staatsdefizit auszugleichen. Die Neuseeländer stellten fest, daß ihr Paradies und damit die verschwenderischen Ausgaben plötzlich ein Ende hatten. Der Übergang von einem Staat, in dem alle Dienstleistungen bezahlt wurden, in einen kapitalistischen Staat war für viele Neuseeländer ein riesiger Schock. Interessanterweise trugen viele Neuseeländer daraufhin Schwarz und drückten so unbewußt ihre innere Trauer aus.

Schwarz ist eine sehr düstere Farbe, die mit Unglücklichsein und Kummer zusammenhängt und daher um jeden Preis vermieden werden sollte – es sei denn, man trauert aufgrund eines Todesfalls. Grau ist nur einen Farbton von Schwarz entfernt und drückt ebenfalls Trauer und Bedrücktheit aus.

Reines klares Wasser glitzert und strahlt blaue Energie aus, wie die Farbe eines klaren blauen Himmels. Wenn der Himmel mit schwarzen Wolken bedeckt ist, wissen wir, daß schlechtes Wetter und Sturm aufkommt.

Wenn es regnet und der Regen (Wasser) mit den gelben Strahlen der Sonne zusammentrifft, verleihen die beiden Farben den Pflanzen und Bäumen die grüne Farbe (blau und gelb gemischt ergeben grün). In Gegenden, in denen es wenig Wasser und viel Sonne gibt, sind die Pflanzen eher gelblich und hellbraun, da die Farbe der Sonnenenergie überwiegt. Wenn Wasser wirklich schwarz wäre, könnte es keine grünen Pflanzen hervorbringen.

Aus diesen Gründen kann Schwarz logischerweise *nicht* als die Farbe für Wasser, Reichtum und Überfluß betrachtet werden.

Vermeiden Sie Schwarz und Grau als Farbe für Kleidung und Möbel – wählen Sie lieber bunte Farben oder Pastelltöne.

Das Prinzip von Yin und Yang

Kapitel 7

Der Ursprung des Feng Shui liegt im Prinzip von Yin und Yang. Auf der Erde und im Universum gibt es von allem, was existiert, ein Gegensatzpaar. Es handelt sich um Polaritäten, bei denen der eine Pol vorwiegend männliche, der andere vorwiegend weibliche Eigenschaften hat. Jedoch enthält das Männliche (Yang) auch weibliche Elemente (Yin) und umgekehrt. Aufgrund der dualen Eigenschaften kann man diese Gegensätze kombinieren, so daß sie eine gemeinsame Einheit bilden. Ein Mann und eine Frau leben zusammen und zeugen Kinder. Ähnlich und im übertragenen Sinne verhält es sich mit den Zeichen Yin und Yang (siehe Abbildung 7.1A – E). Sie sind in einem Kreis miteinander verbunden und „gebären" das Tai-Chi-Symbol. Der Kreis steht dabei für das Universum, das Yang steht für den Himmel und das Yin für die Erde. Alles im Universum kann Yin und Yang zugeordnet werden.

Yin- und Yangkräfte der Natur

*Abbildung 7.1A :
Yin-Materie.*

*Abbildung 7.1B:
Yang-Materie.*

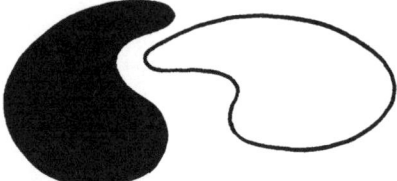

*Abbildung 7.1C: Yin- und
Yang-Materie ziehen sich
gegenseitig an.*

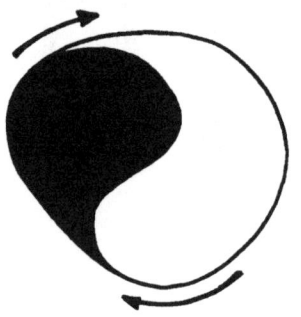

*Abbildung 7.1D: Yang-
Materie umfängt die Yin-
Materie und dreht sich im
Uhrzeigersinn.*

*Abbildung 7.1E: Das moderne Tai Chi-
Symbol bildet sich.*

Yin	Yang
schwarz	weiß
dunkel	hell
weiblich	männlich
Mond	Sonne
passiv	aktiv
rund	spitz
flach	tief
Berg	Tal
rückwärts	vorwärts
kalt	heiß
beruhigend	anregend
Nacht	Tag
erster Stock	Erdgeschoß
Rückseite des Hauses	Hausvorderseite
rechte Hausseite	linke Hausseite
Entspannungsraum	Aktivitätenraum
Schlafzimmer	Arbeitsraum

Yin- und Yang-Faktoren beim Menschen und im Feng Shui

Um Feng Shui zu verstehen und anzuwenden, müssen wir als erstes die Yin- und Yang-Reaktionen unseres Körpers auf unsere äußere Umgebung verstehen.

Unsere Körperzellen und Organe sind gesund, wenn ihre Yin- und Yang-Polarität im Gleichgewicht ist (A). Wenn in einem Organ ein Yang-Überschuß (B) und somit zu viel innere Hitze besteht, erkrankt es. Dieses Phänomen könnte beispielsweise durch ein Zuviel an Yang-Nahrung wie scharfes Essen, Gegrilltes im Sommer, durch heißen Wind und zuviel Sonne bedingt sein. Auf gleiche Weise kann zum Beispiel durch zu star-

ken kalten Wind oder durch eine Unterkühlung ein Yin-Überschuß (C) entstehen, wenn der Körper auf die großen Temperaturunterschiede nicht schnell genug reagieren und Yin und Yang ausgleichen kann.

Auch wenn wir in einem Haus oder einer Wohnung leben, müssen wir uns vor extremen Einflüssen in unserer Umgebung schützen. Wenn zum Beispiel täglich ein zu starker kalter Wind auf das Haus bläst, müssen wir Feng Shui-Maßnahmen anwenden, damit wir und unsere Familie gesund bleiben.

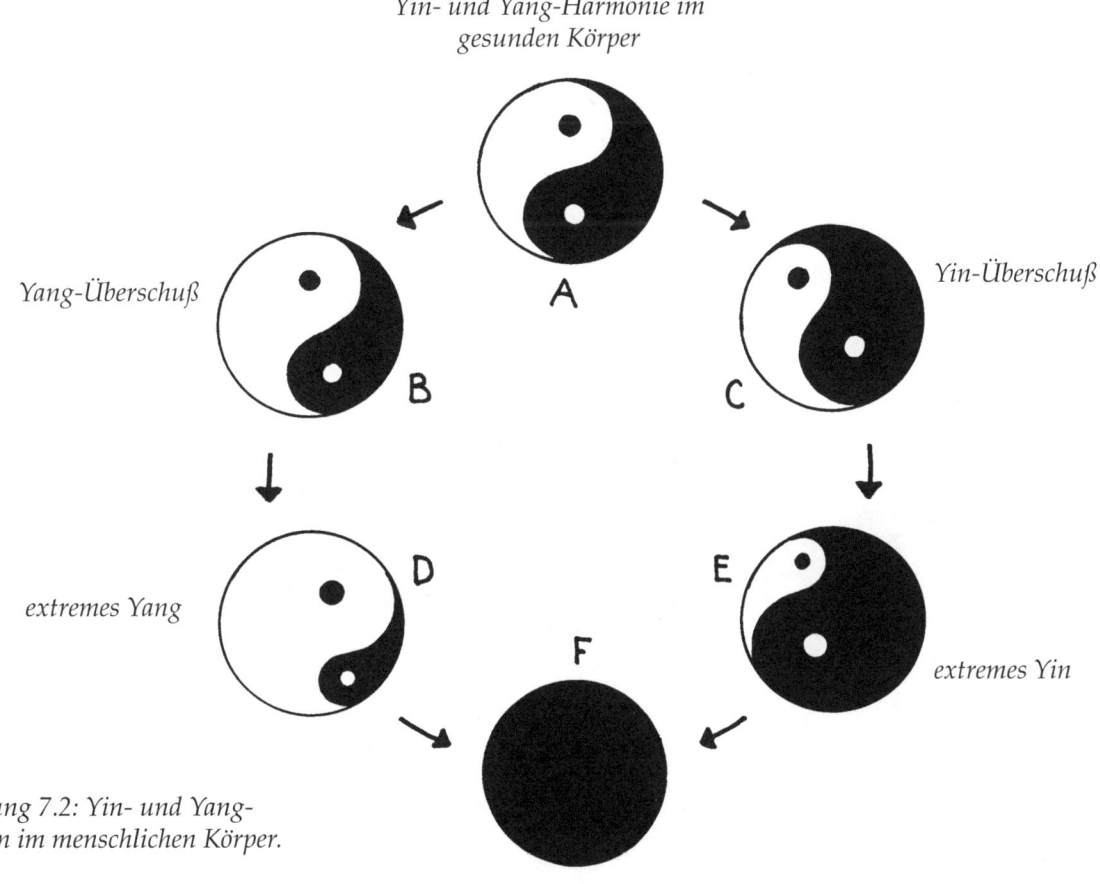

Yin- und Yang-Harmonie im
gesunden Körper

Yang-Überschuß

Yin-Überschuß

extremes Yang

extremes Yin

Tod

Abbildung 7.2: Yin- und Yang-
Faktoren im menschlichen Körper.

Die Landschafts-formation der Vier Tiere

Im Feng Shui untersuchen wir die Umgebung, wählen einen guten Platz aus und nutzen die besten Ressourcen vor Ort. Wenn wir unser Haus bauen oder unsere Wohnung zum Leben und Arbeiten einrichten, sollte die Harmonie und das Gleichgewicht von Yin und Yang unbedingt gewährleistet sein.

Das Prinzip von Yin und Yang bildet auch die Grundlage für die Anwendung des Landschafts-Feng Shui der Vier Tiere. Ein Grundstück oder ein Stück Land mit der *Formation der Vier Tiere* wird als bester Feng Shui-Platz betrachtet. Diese Orte sind selten zu finden. Wer an einem solchen Platz lebt, ist erfolgreicher und wohlhabender. Traditionelle Chinesen suchen oft nach einer Grabstätte für nahestehende Verwandte, die nach den gleichen Kriterien gestaltet ist. Sie möchten damit sicherstellen, daß die zukünftigen Generationen weiterhin erfolgreich sind. Mein Urgroß-vater reiste um 1870 in einem kleinen Segelboot von Südchina aus einige Tausend Kilometer weit, um in Borneo (Ost-Malaysia) nach einem solchen Platz für die Familie zu suchen.

Bei der Formation der Vier Tiere (Abbildungen 7.3 bis 7.7) steht der Drache für das mächtigste Yang-Tier. Dort fließt und entsteht das kraftvolle Erd-Qi. Er findet sich in Gestalt von hohen und langen Berg- oder Hügelketten (Abbildung 7.4), hohen Gebäuden oder hochgewachsenen Bäu-men (Abbildung 7.5 und 7.6). Eine Straße mit lebhaftem Verkehr kann auch als Drache gelten, repräsentiert ihn aber nicht so gut wie ein Hügel oder Berg (Abbildung 7.7).

Zusammen mit dem Drachen bildet der Tiger (Yin) ein Paar. Er sitzt dem Drachen gegenüber und wartet ruhig auf seine Beute. Auf der Tiger-seite fließen die verbrauchte, abgestandene und schmutzige Luft und Energie ab (der Tiger reprä-sentiert in diesem Fall negative Energie). Im prak-tischen Feng Shui steht der Tiger für niedrige, ausgedehnte Hügel, niedrige Bäume oder Gebäude. Eine Straße auf der Tigerseite, auf der sich der Verkehr vom Haus wegbewegt und die ver-brauchte Energie mitnimmt, ist ebenfalls ein akzeptables Merkmal für einen guten Bauplatz.

Die Schildkröte steht für Ruhe und eine feste Rückendeckung. Sie hat daher Yin-Charakter. Die Schildkröte wird durch hohe Hügel, Gebäude oder hohe Bäume dargestellt. Sie verhindern, daß das günstige Qi abfließt und lenken es zum Haus zurück.

Abbildung 7.3:
Die Formation der Vier Tiere.

56

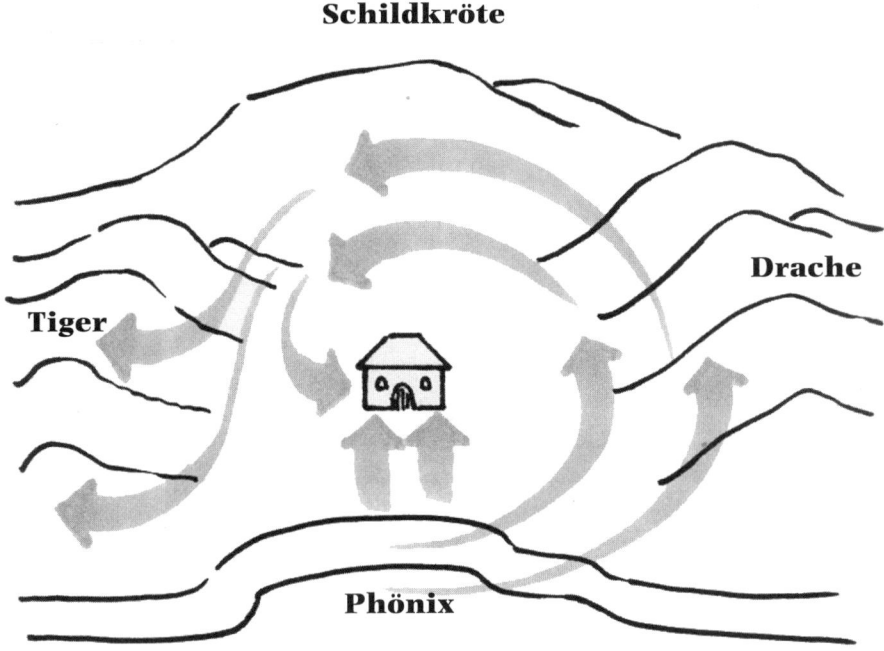

Schildkröte

Drache

Tiger

Phönix

Abbildung 7.4: Die Formation der Vier Tiere auf eine tatsächliche Landschaft übertragen.

Gegenüber von der Schildkröte befindet sich der Phönix (Yang), der hoch oben fliegt und ununterbrochen in Bewegung ist. Der Phönix, der alles aus der Vogelperspektive betrachtet, steht für einen offenen und freien Platz vor dem Haus, auf den reichlich Qi einfließt. Dort sollte sich idealerweise bewegtes Wasser befinden – zum Beispiel ein ruhig fließender Bach, ein Fluß oder ein Springbrunnen. Auf der Vorderseite sollte es keine Hindernisse geben, so daß das Gebäude deutlich zu sehen ist.

Den Tieren ist in diesem Fall keine feste Himmelsrichtung zugeordnet. Ihre Positionen ergeben sich durch die Lage der Eingangstür. Wenn wir mit dem Rücken zur Tür stehen und nach draußen schauen, befindet sich der Drache auf unserer linken Seite, die Schildkröte hinter uns, der Tiger auf unserer rechten Seite und der Phönix vor uns.

Die Formation der Vier Tiere, die im Feng Shui für Wohlstand und Reichtum steht, hat die Form eines Hufeisens. Bei den Europäern ist das Hufeisen ein Symbol für Glück und Schutz.

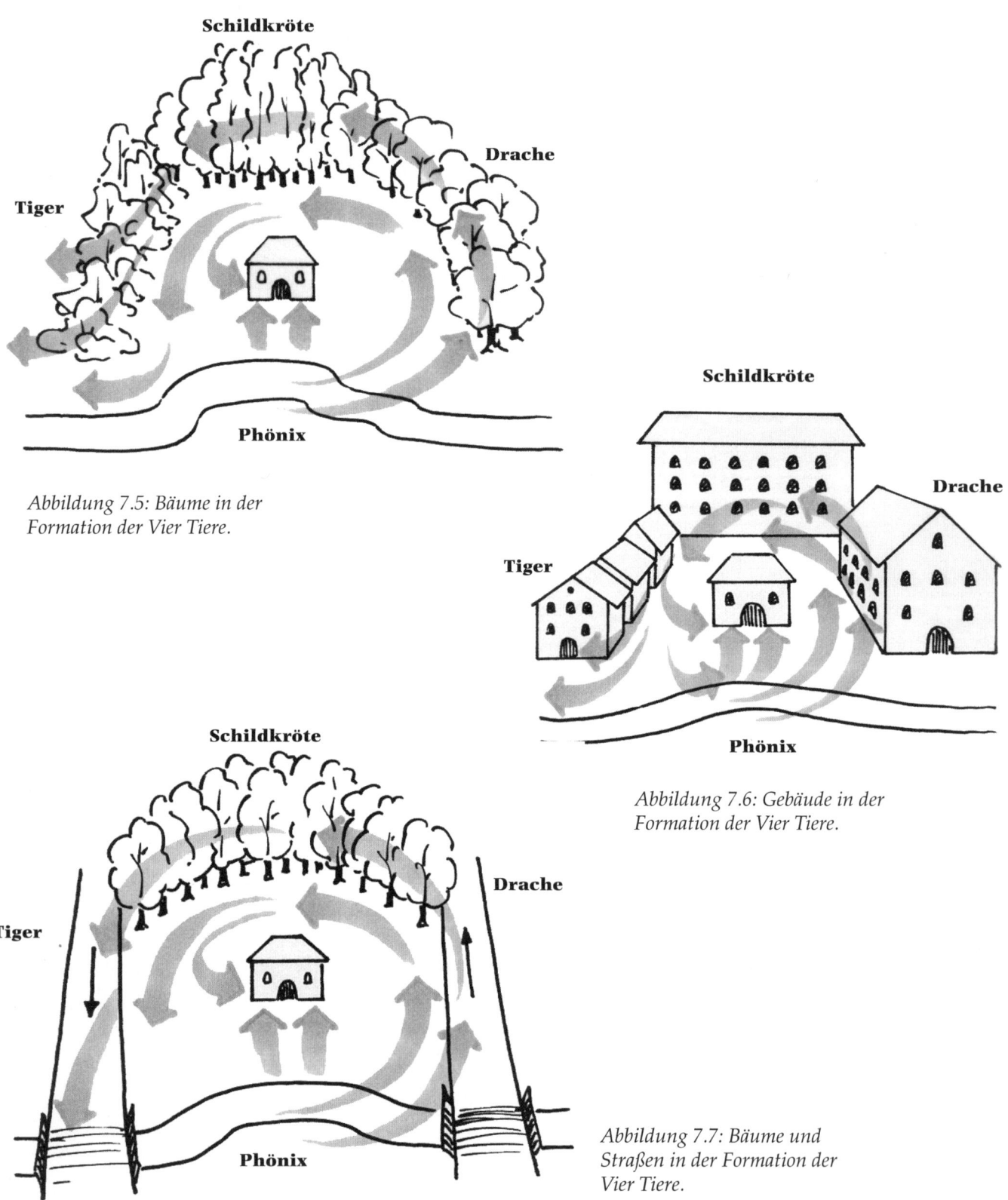

Schildkröte

Drache

Tiger

Phönix

Abbildung 7.5: Bäume in der Formation der Vier Tiere.

Schildkröte

Drache

Tiger

Phönix

Abbildung 7.6: Gebäude in der Formation der Vier Tiere.

Schildkröte

Drache

Tiger

Phönix

Abbildung 7.7: Bäume und Straßen in der Formation der Vier Tiere.

Das Yin und Yang
des Hauses

Eine Hausfront kann in Yin und Yang unterteilt werden (siehe Abbildung 7.8). Die Drachenseite links (Yang) steht für die männlichen Bewohner. Die Tigerseite rechts (Yin) repräsentiert die Frauen. Diese Zuordnung entspricht der Formation der Vier Tiere. Wenn sich die Haustür auf der Drachenseite befindet, sind die Männer im Haus dominanter. Das gleiche Prinzip gilt für die Haustür auf der Tigerseite. Eine Haustür in der Mitte ist dagegen neutral (siehe auch Kapitel 16).

Für die verschiedenen Bereiche in Haus und Wohnung gibt es ebenfalls eine Yin- oder Yang-Zuordnung, damit die einzelnen Räume, die wiederum eine Yin- oder Yangqualität haben, harmonisch angeordnet werden können (Abbildung 7.9).

Hier einige grundlegende Prinzipien:

Die Vorderseite ist der Bereich für Aktivitäten und Yang zugeordnet, während die Rückseite eines Hauses den Ruhebereich und Yin darstellt.

Alle Räume mit Yang-Aktivitäten, wie Wohnzimmer, Fernsehzimmer, Eßzimmer, Küche und Spielzimmer, sollten sich vorzugsweise im Yang-Bereich befinden. Die Schlafzimmer, Räume zum Lernen oder Meditieren, Abstellräume und Toilette sollten sich im hinteren Bereich befinden. Toilette und Abstellraum legt man vorzugsweise in den Tigerbereich.

Ein Haus mit zwei Stockwerken wird wiederum in einen Yangbereich (Aktivräume) im Erdgeschoß und einen Yinbereich (Ruheräume) im ersten Obergeschoß unterteilt. Dort sollten sich die Schlafzimmer befinden (Abbildung 7.10).

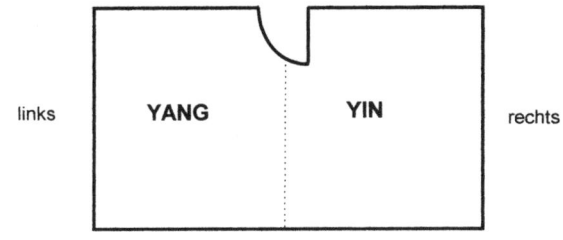

Abbildung 7.8: Yin-/Yang-Einteilung für die Hausfront.

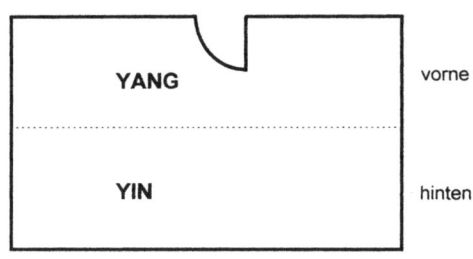

Abbildung 7.9: Yin-/Yang-Einteilung für die Räume.

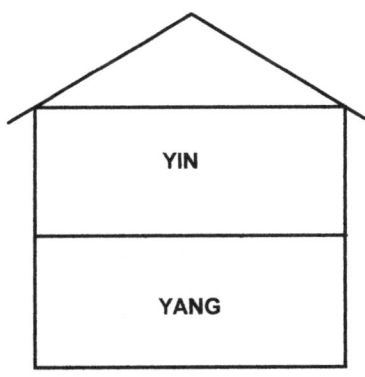

Abbildung 7.10: Yin-/Yang-Einteilung für die Stockwerke.

Die Energien
der Fünf Elemente

Kapitel 8

Der Fütterungs- oder Entstehungszyklus

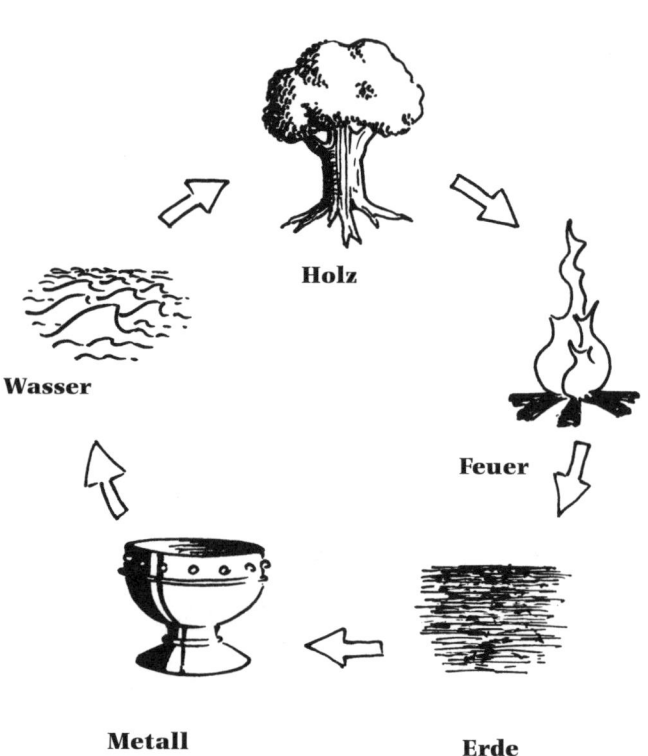

Abbildung 8.1: Aus Holz entsteht Feuer, aus Feuer entsteht Erde, in der Erde findet man Metalle, Metall wird flüssig wie Wasser, Wassser nährt das Holz.

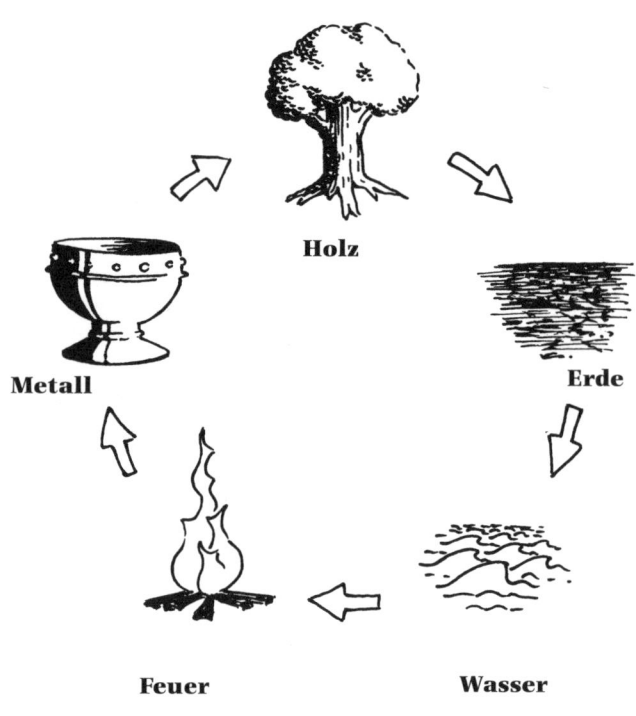

Abbildung 8.2: Holz bricht die Erde auf, Erde saugt das Wasser auf, Wasser löscht das Feuer, Feuer schmilzt Metall, Metall schneidet Holz.

Die Grundidee der Fünf Elemente ist etwa 3 000 Jahre alt. Die Chinesen stellten nach langen Forschungen und Beobachtungen fest, daß alles, was auf diesem Planeten Erde und in diesem Universum existiert, jeweils einem der Fünf Elemente zugeordnet werden kann.

Die Griechen, Ägypter und Inder unterscheiden wiederum zwischen den elementaren Energien Feuer, Erde, Luft und Wasser.

Im Feng Shui untersuchen wir, wie die Elemente miteinander in Wechselwirkung stehen, wie sie auf den Menschen wirken und wie man sie als Abhilfe einsetzen kann.

Alle Fünf Elemente haben ihre speziellen Energien, Eigenschaften und Verhaltensweisen, die wir im Anschluß eingehender betrachten.

Hier ein Beispiel zum Kontrollzyklus: durch Experimente haben wir herausgefunden, daß eine Person, die nach ihrem Geburtsjahr zum Feuerelement gehört, beim kinesiologischen Muskeltest schwach reagiert, wenn sie in einem Raum nur einen Meter von einem Springbrunnen entfernt steht, der das Wasserelement repräsentiert. Manche Feuerelement-Menschen reagieren sensibel auf die starke Wirkung eines Springbrunnens, der sogar drei Meter entfernt steht.

Im Feng Shui empfehlen wir daher einer Person, die zum Feuerelement gehört, in einem kleinen Raum kein Hilfsmittel, das zum Wasserelement gehört.

Ähnlich unwohl fühlt sich eine Person, die zum Erdelement gehört, wenn sie in einem geschlossenen Raum neben einer großen Pflanze sitzt, da das Element Holz (Pflanze) das Element Erde schwächt.

Diese Phänomene nach dem Prinzip der Fünf Elemente erklären sich durch den Kontrollzyklus (Abbildung 8.2): Wasser löscht Feuer, und Holz bricht die Erde auf.

Im Freien wird eine Feuerelement-Person jedoch von Springbrunnen, Wasserfällen oder großen Wasserbecken nicht beeinträchtigt. In diesem Fall ist die Person ein Teil der natürlichen Umgebung, die nicht durch einen Raum oder ein Haus begrenzt ist. Gleichermaßen steht eine Feuerelement-Person auch nicht mit dem Wasser-

element in Konflikt, wenn sie badet, da keine trennende Kleidung vorhanden ist.

Beim Erdelement gilt das gleiche Prinzip – im Freien wird eine Erdelement-Person vom Holzelement nicht beeinträchtigt, da sie selbst und die Bäume und Pflanzen ein Bestandteil der natürlichen Umgebung sind. Der Elementekonflikt tritt nur in geschlossenen Räumen auf.

Unterschied zwischen den Elementen in der chinesischen und der westlichen Astrologie

Welcher Unterschied besteht zwischen den Elementen der westlichen Astrologie und den Elementen der chinesischen Astrologie?

Eine Person kann beispielsweise nach der westlichen Astrologie zu einem Feuerzeichen gehören und in der chinesischen Astrologie dem Geburtsjahr nach dem Wasserelement zugeordnet sein. Wie verhalten sich diese Elemente zueinander?

Hier kommt es darauf an, wie schnell die jeweiligen Elemente die Gesundheit und das Verhalten eines Menschen beeinflussen.

Durch Experimente habe ich festgestellt, daß die Zuordnung zu den chinesischen Fünf Elementen anzeigt, wie der physische Körper des Menschen auf seine unmittelbare Umgebung reagiert. Wenn das chinesische Geburtsjahr einer Person zum Beispiel dem Feuerelement zugeordnet ist, sollte sie die unmittelbare Nähe des Wasserelements in geschlossenen Räumen meiden. Gehört die Person aber nach der westlichen Astrologie zum Feuerelement, wird sie von der Nähe des Wasserelements nicht beeinträchtigt.

Die Eigenschaften der Elemente der westlichen Astrologie werden aus einer größeren Entfernung durch Planetenbewegungen übertragen und wirken deshalb langsamer auf uns ein. Die Energien der chinesischen Fünf Elemente haben also in diesem Zusammenhang für uns Vorrang, da sie in der unmittelbaren Umgebung sofort auf uns wirken.

Berücksichtigen sollten wir jedoch beide Elementezuordnungen, da sie über die Konstitution unseres Körpers und über unser Verhalten Auskunft geben. Das Element Ihres Geburtsjahrs nach dem chinesischen Kalender können Sie in Kapitel 17, Tabelle 5 nachschlagen.

Das Element des Geburtsjahrs und das Element des Trigramms in der chinesischen Astrologie

Eine Person hat im Feng Shui mehrere Elementezuordnungen – dazu gehören unter anderem das Element ihres Geburtsjahres und das Element ihres Trigramms. Dieses wird nach dem *Feng Shui-System der Acht Trigramme* ermittelt. Im Rahmen dieses Buches sei nur soviel gesagt:

Das Geburtsjahreselement steht für den physischen Körper und für die Aura. Beide stehen in direkter Wechselwirkung mit der unmittelbaren Umgebung.

Das Element des Trigramms ist mit den Elementen der westlichen Astrologie vergleichbar, es wirkt langsamer als das Geburtsjahreselement.

Oft wird die Frage gestellt, ob man sich bei der Farbwahl auch nach dem Trigrammelement richten sollen. Gemäß der Ergebnisse kinesiologischer Muskeltests spielt das Trigrammelement eine weniger wichtige Rolle. Im Idealfall harmoniert die gewählte Farbe mit den Elementen des Geburtsjahres und des Trigramms.

Das Holzelement

Das *Holzelement* steht für eine Energie, die sich in alle Richtungen ausdehnt – wie ein Baum, der im Frühjahr bei Regen austreibt und sprießt (Abbildung 8.3A). Es steht auch für Wachstum und schnelle Entwicklung sowie für die Farbe Grün. Eine Person, die zum Holzelement gehört, ist energiegeladen und aktiv. Sie sucht nach Wachstum und ist fortschrittlich eingestellt.

Das Holzelement benötigt eine beträchtliche Menge an Wasserenergie (blau) und Sonnenstrahlen (gelb), die sein schnelles Wachstum und seine Ausdehnung erleichtern. Die Kombination von Blau (Wasser) und Gelb (Sonnenstrahlen) ergibt das Grün im Holz. Im Fütterungszyklus der Fünf Elemente (Abb. 8.1) entsteht aus Wasser das Holz. Sein Feind ist die harte, starre und sich zusammenziehende Energie des Metallelements.

Die sich ausdehnende Energie des Holzes bricht die Erdenergie auf und zerstört sie langsam. Die grüne Farbe des Holzes stärkt das Herzchakra, das mit dem Kreislauf und Immunsystem verbunden ist. Die Holzelementform ist zylindrisch, lang und schmal.

Abbildung 8.3A: Die Farbe des Holzelements ist Grün. Bewegungen des Holzelements: Ausdehnung und Wachstum in alle Richtungen.

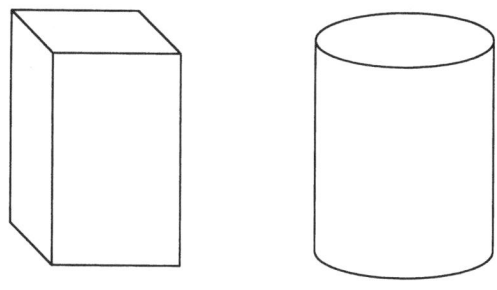

Abbildung 8.3B: Formen des Holzelements.

Das Feuerelement

Das *Feuerelement* wird durch das Holz im Fütterungs- oder Entstehungszyklus genährt und erzeugt eine starke Hitze. Während es brennt, steigt die Energie nach oben (Abbildung 8.4A). Alle Gegenstände oder Materialien, die rot, violett, purpur, rosa oder rotbraun sind, sowie Formen, die wie die Pyramide oder andere spitze Gegenstände eine Aufwärtsbewegung der Energie bewirken, gehören zum Feuerelement.

Eine Person, die zum Feuerelement gehört, braust im allgemeinen leicht auf, sie ist energiegeladen und impulsiv. Ihre Charaktereigenschaften sind impulsiv, extrovertiert und leidenschaftlich. Sie verfügt über Führungsqualitäten. Rot aktiviert die Energie des Basischakras, das mit den Fortpflanzungs- und Geschlechtsorganen verbunden ist.

Die Formen des Feuerelements sind scharf und spitz, wodurch die Energie nach oben steigt.

Abbildung 8.4A: Bewegungen des Feuerelements: Drückt nach oben. Die Farben des Feuers sind Rot, Lila, Violett, Rosa und Rotbraun.

Abbildung 8.3C: Die sich ausdehnende Holzenergie bricht mit ihren Wurzeln die Erdenergie auf und schwächt diese.

Abbildung 8.4B: Formen des Feuerelements.

Feuer kann durch Wasser zerstört werden, da jenes eine sich verdichtende, kühlende Energie hat, die nach unten gerichtet ist. Viel Wasser zerstört das Feuer, ein wenig Wasser und viel Feuer erzeugen jedoch Dampf und sind eine Quelle neuer und kraftvoller Energie. So wurden die alten Dampfloks und Dampfschiffe von Wasserdampf angetrieben. Daher ist es nicht immer negativ, wenn Feuer- und Wasserenergie aufeinandertreffen.

Das Erdelement

Das Feuer erreicht seinen Höhepunkt und erlischt. Übrig bleibt Asche, die zu Erde wird.

Die Energie des *Erdelements* bewegt sich horizontal hin und her, zieht sich zurück und absorbiert (Abbildung 8.5A). Wir können dieses Phänomen in der Landschaft um uns herum betrachten. Aus flachem Land entstehen durch unterirdische Bewegungen Hügel, Berge und Täler. Die Erde absorbiert und saugt Wasser auf, kann jedoch von der Holzenergie verletzt werden, die sich wie die Wurzeln eines Baumes schnell nach innen und außen bewegt und die Form der Erde zerstört.

Das Erdelement wird durch flache Gegenstände dargestellt (Abbildung 8.5 B und 8.5C) und hat die Farben Braun, Orange, Gelb und Beige. Gegenstände, die diesem Element zugeordnet sind, tragen diese Farben oder bestehen aus diesem Element. Beispielsweise: Keramikvasen, Ziegel, Steine, Erde, verschiedene Arten von Ton und Lehm.

Eine Person des Erdelements ist im allgemeinen sehr „bodenverhaftet" und bewegt sich mit Vorsicht.

Abbildung 8.5A: Bewegungen des Erdelements: Horizontal, dehnt sich aus und zieht sich zusammen. Erdfarben: Braun, Gelb, Orange und Beige.

Abbildung 8.5B: Runde Form – der Planet Erde.

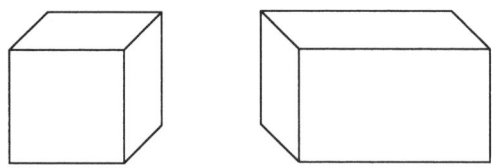

Abbildung 8.5C: Formen des Erdelements: Quadrat oder Rechteck mit glatten Oberflächen.

Das Metallelement

Die ständigen Bewegungen und Reaktionen in der Erde ermöglichen die Bildung von Metall. Die Metallenergie neigt dazu, sich zusammenzuziehen, zu verfestigen und sich nach innen zu bewegen (Abbildung 8.6A).

Das *Metallelement* hat von allen Fünf Elementen die massivste Energie. Es steht für Härte, Starrsinn und Steifheit in Form und Reaktion. Eine Person des Metallelements hat oft ähnliche Eigenschaften. Des weiteren verleiht dieses Element Disziplin, Stärke und Stabilität.

Die Hitze der Feuerenergie schmilzt das Metall schon nach kurzer Zeit, so daß es flüssig wird. Die Feuerenergie ist der größte Feind des Metalls.

Andererseits zerdrückt, erstickt und „schneidet" die nach innen gerichtete Metallenergie das sich ausdehnende Holz (den Baum).

Alle runden und halbrunden Formen (Abbildung 8.6B), die im Inneren die Energie halten, werden dem Metallelement zugeordnet. Die Farben für Metall sind Gold und Silber. Neben Violett gilt Gold außerdem als Farbe des Kronenchakras. Weiß wird oft als Farbe für das Metallelement verwendet, da Weiß der Farbe von Silber nahekommt. Die Farbe Weiß enthält alle sieben Spektralfarben – die Farben des Regenbogens – und wird daher auch als neutrale Farbe betrachtet.

Abbildung 8.6A: Bewegungen des Metallelements: nach innen gerichtet (entgegengesetzt zur Holzenergie). Metallfarben: Gold, Silber, Weiß

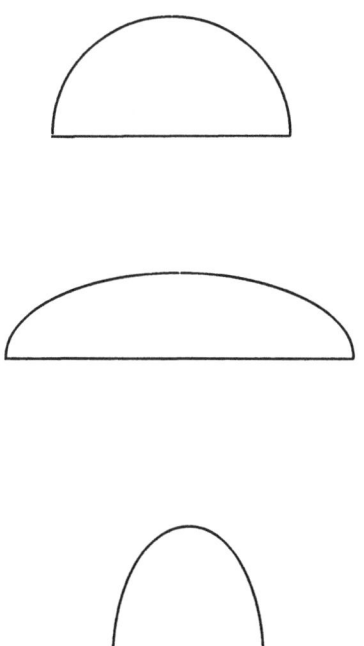

Abbildung 8.6B Formen des Metallelements.

Das Wasserelement

Die Energie des *Wasserelements* ist in der Feng Shui-Praxis am bedeutungsvollsten und wird mit Reichtum und Wohlstand gleichgesetzt. Wasser hat für chinesische Bauern eine lebenswichtige Bedeutung. Wenn viel Wasser vorhanden ist, kann man Reis anbauen und auch Fische fangen oder züchten – beides gehört zu den Grundnahrungsmitteln der Chinesen. Die Wasserenergie zieht kosmisches Qi und daher Sauerstoff an, die beide Schlüsselfaktoren im Feng Shui sind. Die Wasserenergie wird von Wasserfällen, Springbrunnen, Aquarien, Schwimmbädern, Teichen und Seen oder von Fotos und gemalten Bildern mit diesen Motiven repräsentiert.

Die Wasserenergie bewegt sich nach unten und zu den Seiten hin und füllt alle Löcher und Hohlräume aus (Abbildung 8.7A). Sie steht der aufsteigenden Feuerenergie gegenüber (Abbildung 8.7C). Zwischen Erde und Wasser besteht der größte Konflikt, da die Erde die Wasserenergie aufsaugt und schwächt. Die Wasserenergie schwächt wiederum das Metall durch Korrosion.

Die Wasserenergie wird durch gewellte und stufige Formen dargestellt. Die Farbe für Wasser ist Blau. Fälschlicherweise wird oft Schwarz als Farbe für Wasser verwendet (siehe auch Kapitel 6). Schwarz ist ein Symbol für Trauer, Autorität und Tod. Viele chinesische Restaurants auf der ganzen Welt sind unter anderem dadurch bankrott gegangen, weil sie ganz in Schwarz eingerichtet waren. Die Besitzer gingen fälschlicherweise davon aus, daß dadurch Wohlstand und Erfolg verstärkt würden.

Die blaue Farbe des Wassers stärkt das Halschakra, das mit Autorität, den Atmungsorganen, der Schilddrüse und Nebenschilddrüsen zusammenhängt. Die Farbe Blau wirkt beruhigend und antibakteriell, sie ist auch gut geeignet, um Schmerzen zu lindern.

Wenn nur eine kleine Menge Wasser vorhanden ist und auf ein großes Feuer trifft, breitet sich eine große Menge Dampf aus – eine positive Energie, die man zur Energieversorgung verwenden kann. In diesem Fall sind ein „kleines Wasser" und ein „großes Feuer" nach dem Prinzip der Fünf Elemente positiv. Im Gegensatz dazu würde eine große Wasserenergie eine kleine Feuerenergie zerstören.

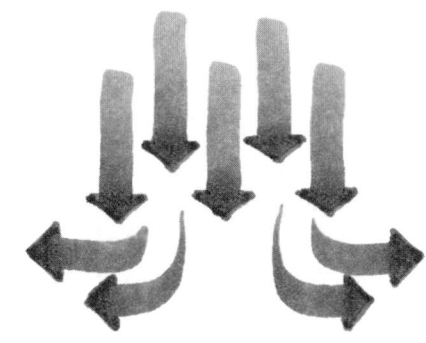

Abbildung 8.7A: Bewegung des Wasserelements: nach unten und zur Seite hin. Wasserfarbe: Blau.

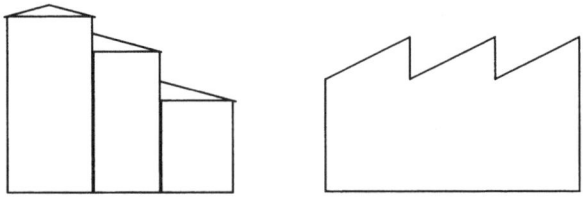

Abbildung 8.7B: Formen des Wasserelements.

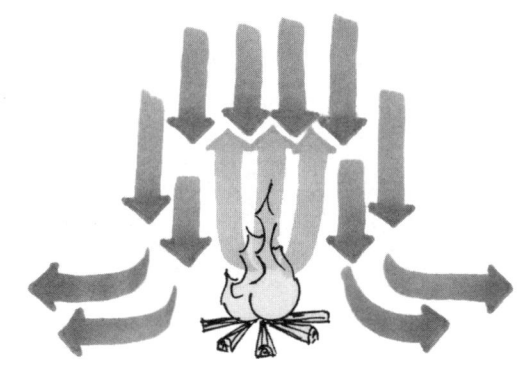

Abbildung 8.7C: Die kraftvollen abwärtsgerichteten Bewegungen des Wassers zerstören die nach oben steigende heiße Feuerenergie.

Die Anwendung des Prinzips der Fünf Elemente

Jetzt sind Sie mit dem Prinzip der Fünf Elemente vertraut und können dieses anwenden, wenn Sie die Farben für Ihre Räume auswählen.

Als erstes stellen Sie Ihr Geburtsjahreselement anhand der Tabelle 5 in Kapitel 17 fest.

Harmonische Farben

Achten sie bei der Farbwahl darauf, daß Sie von Farben umgeben sind, die mit dem Element Ihres Geburtsjahres harmonieren und es stärken.

Die Farbe Weiß ist in diesem Fall neutral und kann mit allen anderen Farben kombiniert werden.

Sie haben einerseits die Möglichkeit, Elemente aus dem Fütterungszyklus verwenden. Das Element, das im Fütterungszyklus vor einem anderen auftritt (zum Beispiel Wasser vor Holz), ist wie eine Mutter (Wasser), die das nachfolgende Element (Holz) hervorbringt und nährt.

Farbbeispiele im Fütterungszyklus: Aus Holz entsteht Feuer (Grün–Rot), aus Feuer entsteht Erde (Rot–Braun), in der Erde findet man Metalle (Braun–Gold), Metall unterstützt Wasser (Gold–Blau), Wasser nährt das Holz (Blau–Grün).

Andererseits können Sie auch Farben verwenden, die ihrem Geburtsjahreselement entsprechen (Wasser-Blau) und es damit verstärken.

Eine Person, die zum Erdelement gehört, hat beispielsweise folgende Möglichkeiten: Sie wählt die Farben ihres Elements wie Beige oder Gelb. Gestärkt wird sie auch durch das Feuerelement, das im Fütterungszyklus das Erdelement hervorbringt. Die Wände und Teppiche können daher auch in einem hellen Rot gehalten werden.

Günstige Farben für die einzelnen Elemente

Holzelement: Grün, Blau
Feuerelement: Rot, Grün
Erdelement: Braun, Beige, Gelb, Orange, Rot
Metallelement: Gold, Silber, Braun, Beige, Gelb, Orange
Wasserelement: Blau, Gold, Silber

Farbkonflikte

Wir sollten Farben vermeiden, die nach dem Zerstörungszyklus mit unserem Geburtsjahreselement in Konflikt stehen. Blau wirkt beruhigend und ist günstig für hyperaktive Kinder. Wenn ein Kind ein blaues Zimmer hat, ist jedoch darauf zu achten, daß es nicht zum Feuerelement gehört. Das Kind könnte aufgrund des Elementekonflikts sonst nervös und aggressiv werden.

Wenn Farben verwendet werden, die zu miteinander in Konflikt stehenden Elementen gehören, sollten sie nicht unmittelbar nebeneinander verwendet werden. Es kann eine weitere unterstützende und harmonisierende Farbe aus dem Fütterungszyklus zwischen diesen beiden Farben liegen, die dafür sorgt, daß der Konflikt abgemildert und die Energie nicht ausgelaugt wird.

Haben Sie einen Teppich in einer Farbe, die nicht mit Ihrem Geburtsjahreselement harmoniert, können Sie einen kleinen Teppich in einer Farbe, die für Sie stärkend wirkt, unter den Stuhl oder das Bett legen und sich so vor dem Konflikt schützen.

Beispiel: Eine Person des Metallelements fühlt sich nicht wohl, wenn ein großer roter Teppich im Raum liegt (Feuer schmilzt Metall). Sie kann mit einem kleinen beigefarbenen Teppich Abhilfe schaffen (Erde nährt Metall).

Ungünstige Farben für die einzelnen Elemente

Holzelement: Gold, Silber
Feuerelement: Blau
Erdelement: Grün
Metallelement: Rot
Wasserelement: Braun

Feng Shui-Maße und Numerologie

Kapitel 9

Die Maße der Natur

Die Entwicklung der Natur, wie sie bei Pflanzen und Tieren beobachtet werden kann, läuft nach bestimmten harmonischen Grundmustern und innerhalb natürlicher, harmonischer Maße ab.

Pflanzen existieren zum Beispiel in Übereinstimmung mit einer bestimmten Matrix, die sich in einer bestimmten Anzahl von Blütenblättern zeigt. Interessanterweise beträgt die Anzahl der Blütenblätter 3, 5, 8, 13, 21, 34, 55 oder 89. Diese Zahlenfolge erhält man, indem jeweils die beiden letzten Zahlen miteinander addiert werden:

$$3 + 5 = 8$$
$$5 + 8 = 13$$
$$8 + 13 = 21$$
$$13 + 21 = 34$$
$$21 + 34 = 55$$
$$34 + 55 = 89$$

Die Ringelblume hat beispielsweise 13 Blütenblätter, Gänseblümchen haben je nach Art 34, 55 und 89 Blütenblätter.

Die günstigen Maße der Natur sind als „Magische Feng Shui-Maße" bekannt. Es wird vermutet, daß diese Maße auch die idealen, harmonischen DNS-Matrixmaße des Menschen darstellen.

Die Anwendung des Feng Shui-Lineals

Die Verwendung der Feng Shui-Maße wurde zum ersten Mal in der Geschichte während der Sung-Dynastie (960 – 1128 v. Chr.) erwähnt. Der kaiserliche Schreiner verwendete diese Maße bei Möbeln, Fenstern und Türen für den Kaiserpalast.

Die speziellen Markierungen auf dem Feng Shui-Lineal legten die günstigen und ungünstigen Maße für zwei Arten von Gebäuden fest, nämlich für Yang-Häuser (Wohnhäuser für die Lebenden) und Yin-Häuser (Häuser für die Toten, das heißt Särge und Grabstätten). Auf einem Feng Shui-Lineal oder -Maßband sind die Markierungen in der oberen Zeile für Yang-Gebäude bestimmt.

Wenden wir uns nun den Markierungen und Dimensionen für Yang-Gebäude zu.

Für Yang-Gebäude gibt es auf dem Feng Shui-Lineal acht Abschnitte, von denen vier günstig und vier ungünstig sind.

Das Lineal mißt 16,91 Zoll oder 42,96 cm und ist in acht Abschnitte unterteilt (die Quersumme von 42,96 ergibt $4 + 2 + 9 + 6 = 21 = 3$, was „lebendig" und „weiterleben" bedeutet). Die einzelnen Abschnitte sind in vier gleiche Unterabschnitte von je 0,525 Zoll oder 1,34 cm Länge geteilt und haben jeweils eine ganz spezifische Bedeutung (siehe Tabelle „Die Haupt- und Unterabschnitte mit ihrer Bedeutung").

Der erste Abschnitt heißt *Chai* (Reichtum), der vierte Abschnitt *Yi* (Nobel), der fünfte Abschnitt *Kwan* (Macht der Beamten) und der achte Abschnitt *Pen* (Kapital).

Die ungünstigen Maße befinden sich im zweiten, dritten, sechsten und siebten Abschnitt des Lineals. Diese Abschnitte heißen *Ping* (Krankheit), *Li* (Trennung), *Chieh* (Katastrophe) und *Hai* (Schaden und Verletzung).

Anmerkung: Beim Messen von großen Abschnitten sind die Angaben in Zentimeter genauer als das alte kaiserliche Maßsystem.

Nach dem achten Abschnitt wiederholen sich die oben angegebenen Maßeinheiten. Beim Messen von Gegenständen, die länger sind als das Lineal, legt man dieses fortlaufend in seiner vollen Länge an das Objekt an, bis das Ende den betreffenden Wert auf dem Lineal anzeigt. Einfacher und präziser wird das Maßnehmen, wenn man ein spezielles Feng Shui-Maßband verwendet, das eine Länge von 5 m hat. Sie können sich aber auch selber ein Lineal aus Papier anfertigen oder ein einfaches Maßband entsprechend markieren.

Die Haupt- und Unterabschnitte mit ihrer Bedeutung

Abschnitt	Maße in cm	Chinesische Bezeichnung	Bedeutung	Positiv/Negativ
1	0,00 – 5,37	Chai	Reichtum	Positiv
2	5,38 – 10,74	Ping	Krankheit	Negativ
3	10,75 – 16,11	Li	Trennung	Negativ
4	16,12 – 21,48	Yi	Großmut	Positiv
5	21,49 – 26,85	Kuan	Macht der Behörden	Positiv
6	26,86 – 32,22	Chieh	Katastrophe	Negativ
7	32,23 – 37,59	Hai	Schaden und Verletzung	Negativ
8	37,60 – 42,96	Pen	Kapital	Positiv

Bedeutung der Unterabschnitte

Abschnitt 1 – Reichtum
- a. Reichtum kommt, Glück mit Geld
- b. Schatzkiste, ein mit Juwelen gefüllter Tresor
- c. Sechs Harmonien und sechs Arten von Glück
- d. Großer Reichtum, Glück und Wohlstand

Abschnitt 2 – Krankheit
- a. Verlust des Vermögens, Geld verschwindet
- b. Schlechte Erfahrungen mit den Behörden
- c. Unglück, Gefängnis droht
- d. Waise, Witwe oder Witwer

Abschnitt 3 – Trennung
- a. Reichtum wird verwehrt, ständiges Unglück
- b. Geldverlust, Geld wird einem abgenommen
- c. Betrug
- d. Vollständiger Verlust

Abschnitt 4 – Großmut
- a. Reiche Nachkommenschaft, Kindersegen
- b. Profitables Einkommen
- c. Talentierte Nachkommen
- d. Viel Glück und Wohlstand

Abschnitt 5 – Macht der Behörden
- a. Lebensmittelreichtum
- b. Besonderes Glück bei Nebeneinkommen und Lotterie
- c. Verbessertes Einkommen
- d. Wohlstand, Macht und große Ehre für die Familie

Abschnitt 6 – Katastrophe
- a. Tod und Abreise
- b. Verlust von Nachkommen, Verlust des Lebensunterhalts
- c. Zwang, das Haus der Vorfahren zu verlassen, Vertreibung von dem Wohnort oder aus dem Büro
- d. Großer Verlust von Geld und Wohlstand

Abschnitt 7 – Schaden und Verletzung
- a. Unglück und Katastrophen
- b. Möglicher Tod
- c. Anfälligkeit für Krankheiten, Gesundheitsprobleme
- d. Gerichtsprozesse und Streitigkeiten, Skandale

Abschnitt 8 – Kapital
- a. Reichtum kommt, viel Geld fließt herein
- b. Viele berufliche Beförderungen oder hohes Einkommen
- c. Viel Schmuck und Reichtum
- d. Alles wird zu Gold, großer Wohlstand und viel Glück

Die menschliche Art zu sehen

Haben Sie sich je gefragt, warum Ihnen ein Bild oder eine Person besonders gefällt? Das kann unter anderem mit den jeweiligen Maßen zusammenhängen.

Auf den ersten Blick sehen wir die Umrisse eines Bildes oder einer Person.

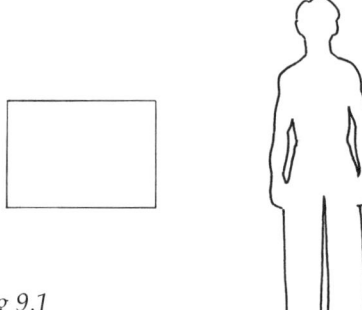

Abbildung 9.1

Als nächstes konzentrieren wir unseren Blick auf die auffallendsten Merkmale einer Person oder eines Bildes.

Abbildung 9.2

Falls Sie feststellen, daß Ihre Körpermaße in einen ungünstigen Bereich fallen, können sie das über höhere Absätze, einen Hut oder Ihre Frisur ausgleichen. Probieren Sie einfach einmal aus, ob Sie sich mit dieser neuen Körpergröße wohler fühlen oder leichter einen Partner finden.

Im Feng Shui achtet man jedoch vor allem auf Maße von Türen, Fenstern, Betten und anderen Möbeln.

Das Messen von Türen, Fenstern und Möbeln

Die Maße von Formen und Gegenständen, die wir sehen, beeinflussen uns unmittelbar, entweder positiv oder negativ. Diese Formen oder Objekte sind Symbole, die sich ständig in unserem Blickfeld befinden und unsere Psyche und unser mentales Gleichgewicht dementsprechend beeinflussen. Zum Beispiel wenn wir vor einem Fenster stehen und die Sprossenunterteilungen betrachten oder an einem Tisch zum Arbeiten oder Essen sitzen. Befinden wir vor einem Fenster mit ungünstigen Maßen, schwächt uns das. Wenn wir an einem Tisch mit ungünstigen Maßen arbeiten, wirkt sich das ungünstig auf unsere Konzentration aus, und wir machen eher Fehler. Wenn wir zum Essen an einem Tisch mit ungünstigen Maßen sitzen, kann das zu ständigen Verdauungsproblemen führen.

Fenster

Bei einem Fenster werden drei Maße genommen: Rahmen, Scheiben und die Stocköffnung.

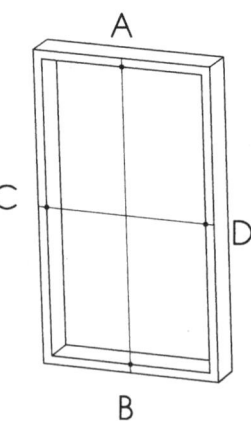

Abbildung 9.3A: Wenn sich ein Fenster ganz nach außen öffnen läßt, wird die tatsächliche Öffnung im Rahmen gemessen. Man mißt die Strecke A—B sowie C—D.

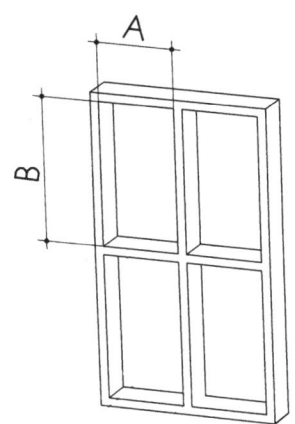

Abbildung 9.3B: Bei
einem geschlossenen
Fenster messen wir die
gesamte Scheibe
beziehungsweise bei
Fenstersprossen jede
einzelne Scheibe und
zwar die Breite A und die
Höhe B.

Abhilfe bei ungünstigen Fenstermaßen

Die Breite eines Fensters beträgt bespielsweise
49 cm (siehe Abbildung 9.3E) und fällt unter den
Hauptabschnitt Ping (Krankheit) und den Unterabschnitt „Verlust von Reichtum". Die Höhe
beträgt 115 cm und fällt unter den Hauptabschnitt
Chieh (Katastrophe) und den Unterabschnitt
„Verlust von Nachkommen" .

Wenn Sie ungünstige Fenstermaße feststellen,
müssen Sie nicht alle Fenster im Haus austau-
schen. Denken Sie daran – oft lassen sich die
besten Lösungen einfach und mühelos umsetzen.

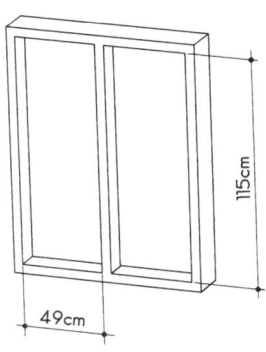

Abbildung 9.3E: Fenster
mit ungünstigen
Maßen.

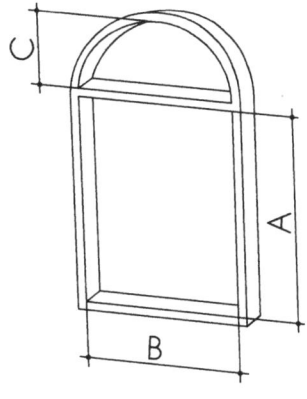

Abbildung 9.3C: Bei einem
Bogenfenster ohne Sprossen
mißt man die Höhe A und die
Breite B sowie den höchsten
Punkt des Bogens C.

Wenn wir in unserem Beispiel zwei Streifen eines
1 cm breiten farbigen Klebebandes auf der Breit-
seite anbringen, reduzieren wir damit die Fensterfläche auf 48 cm. Dieses Maß steht unter dem
Hauptabschnitt Chai (Reichtum) und dem Unterabschnitt „Glück kommt". Wenn wir die Höhe
mit Hilfe eines 1,5 cm breiten Klebebands verändern, das oben und unten angebracht wird, reduzieren wir das Maß der Fensterfläche um 3 cm
und liegen damit im Hauptabschnitt Kuan (Macht
und Reichtum), der Unterabschnitt steht für
„reich und großmütig".

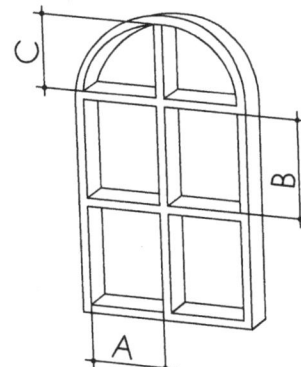

Abbildung 9.3D: Bei einem
unterteilten Fenster mißt
man die Höhe B und die
Breite A in allen vier
Öffnungen sowie die
Strecke C.

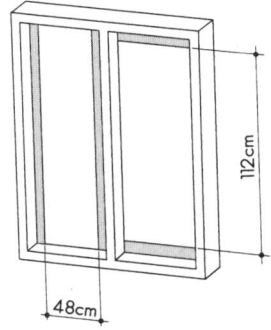

Abbildung 9.3F: Abhilfe bei
ungünstigen Fenstermaßen -
Korrektur mit Klebestreifen.

Tische

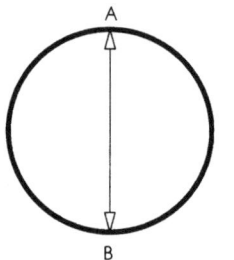

Abbildung 9.4 A: Bei runden Tischen oder Gegenständen wird der Durchmesser (von A nach B) gemessen.

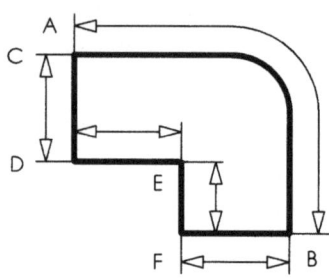

Abbildung 9.4E: Messen Sie die Strecken A—B, C—D, D—E, E—F und F—B.

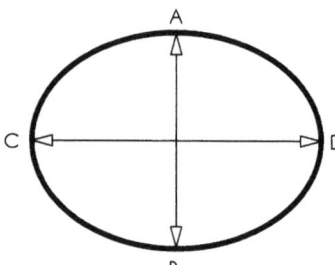

Abbildung 9.4B: Bei ovalen Tischen wird jeweils die weiteste Entfernung gemessen: von A nach B und von C nach D.

Abbildung 9.4F: Bei einer Tischplatte, die nur auf einer Seite abgerundet ist, wird der weiteste Abstand A—B gemessen.

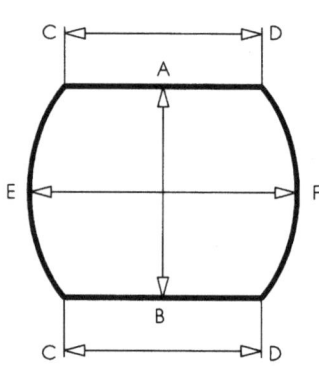

Abbildung 9.4C: Tisch mit abgerundeten Ecken: Gemessen werden die Strecken A—B, C—D und E—F.

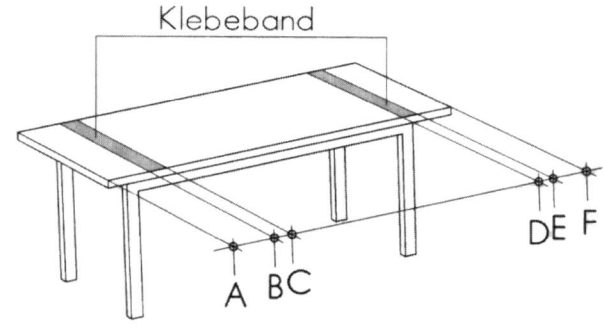

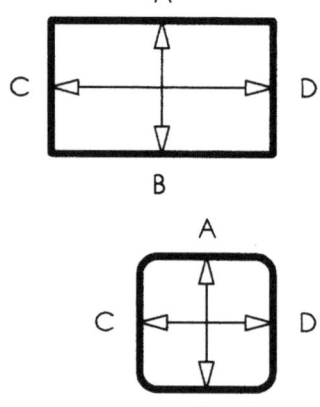

Abbildung 9.4D: Quadratische und rechteckige Tische werden in der Länge und Breite gemessen – von A nach B und von C nach D.

Abbildung 9.4G: Bei einem Tisch mit ungünstigen Maßen klebt man entsprechende Abschnitte mit Klebeband ab, um damit Segmente zu erzeugen, die günstige Maße haben. Auf diesem Bild werden auf dem Tisch zwei Klebebänder angebracht. Jetzt wird nicht mehr die Gesamtlänge gemessen, sondern die Abschnitte A—B, B—C, C—D, D—E und E—F.

Einige günstige Tischmaße:

Länge	Breite	Höhe
88 cm	65 cm	69 cm
112 cm	69 cm	81 cm
132 cm	82 cm	
155 cm	89 cm	
193 cm	89 cm	
198 cm	89 cm	
215 cm	107 cm	

Anmerkung: Normalerweise ist die Höhe bei Tischen nicht so wichtig, sie sollte so abgestimmt werden, daß die Person bequem am Tisch sitzen kann. Jede Länge kann mit jeder Höhe und Breite kombiniert werden.

Türen

Unsere Türen stellen den Mund dar. Die Maße einer Türöffnung sind ein Symbol für das Qi, das in ein Haus oder eine Wohnung hineinfließt. Wenn die Feng Shui-Maße ungünstig sind, strahlt das Türsymbol eine negative Energie auf die Personen ab, die durch die Tür gehen.

Meine Frau und ich haben in mehr als dreißig Ländern mit Hilfe kinesiologischer Tests Experimente zur Auswirkung von Türmaßen durchgeführt. Wir stellten fest, daß nicht nur die Chinesen, sondern bisher auch Menschen aller anderen Nationalitäten von Feng Shui-Maßen beeinflußt werden. Wenn die Maße der Türöffnungen nicht mit den positiv wirkenden Feng Shui-Maßen übereinstimmten, fand in den Körperschaltkreisen der Testpersonen eine Art von Kurzschluß statt, und das Immunsystem wurde geschwächt. Es war, als ob ihr Körper unter der Attacke unsichtbarer Kräfte gestanden hätte.

Eine Tür mit ungünstigen Maßen kann dazu führen, daß das Immunsystem einer Person 30 Minuten und sogar bis zu einigen Stunden lang geschwächt ist, nachdem sie durch eine Tür gegangen ist. Ich habe festgestellt, daß plötzliche Stimmungsschwankungen in vielen Fällen den ungünstigen Feng Shui-Maßen von Türöffnungen zuzuschreiben waren.

Als ich für eine Firma eine Feng Shui-Beratung durchgeführt hatte, setzte sie fast alle empfohlenen Feng Shui-Maßnahmen um, und das Geschäft begann zu blühen. Trotzdem harmonierten die Mitarbeiter nicht. Das Firmengebäude hatte fünf Türen, die vom Personal am häufigsten benutzt wurden. Diese Türen hatten ungünstige Maße, die Höhe stand für Disharmonie, und es gab tatsächlich viel Streit unter dem Personal. Ich hatte ursprünglich vorgeschlagen, sämtliche Türmaße zu ändern, diese Empfehlung war jedoch 1 ½ Jahre lang übersehen worden. Nachdem alle Türmaße in günstige Maße geändert wurden – insbesondere die Höhe (192 cm bedeutet „viel Glück und Wohlstand") – verschwanden die Rivalitäten zwischen den Mitarbeitern.

Wenn eine Tür ein ungünstiges Maß hat, muß sie nicht unbedingt ausgetauscht werden. Am einfachsten und kostengünstigsten ist es, wenn sie mit Hilfe von Holz- oder Plexiglasleisten so verkleinert wird, daß die neu entstandene Öffnung günstige Maße hat.

Wie man Türen mißt

Die Feng Shui-Maße einer Tür werden durch die Innenmaße des Türrahmens bestimmt. Die meisten Türöffnungen sind kleiner als die eigentliche Tür.

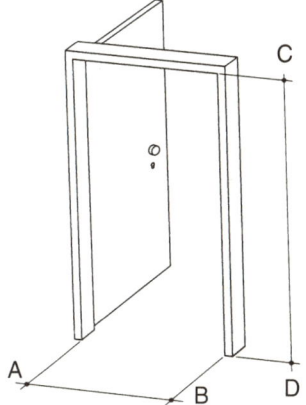

Abbildung 9.5A: Wir messen die Strecken A—B und C—D.

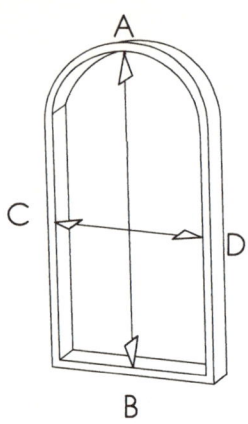

Abbildung 9.5B: Wir messen A—B, und dann C—D.

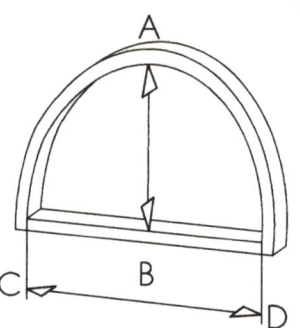

Abbildung 9.5E: Wir messen A—B und C—D. Türbögen werden oben am höchsten Punkt A—B gemessen, danach wird die Breite C—D gemessen.

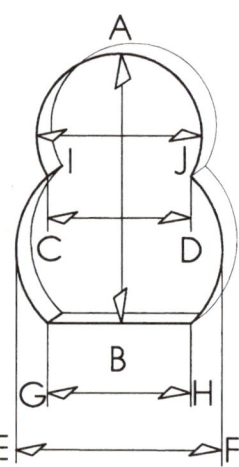

Abbildung 9.5C: Messen Sie die Strecken A—B, I—J, C—D, E—F und G—H.

Einige günstige Türmaße

Höhe	Breite
193 cm	63 cm
198 cm	69 cm
210 cm	82 cm
218 cm	89 cm
236 cm	107 cm
	112 cm
	132 cm
	150 cm
	172 cm
	175 cm

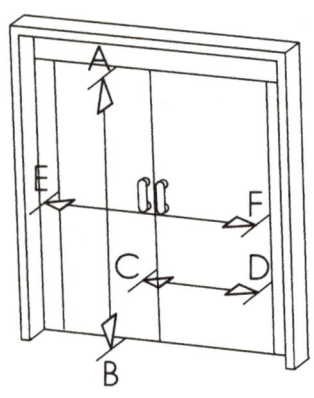

Abbildung 9.5D: Bei einer Flügeltür messen wir jede Seite, zum Beispiel A—B und C—D und danach beide Türen E—F zusammen. Wenn nur ein Flügel geöffnet ist, dann ist das Maß dieser Öffnung am wichtigsten. Es ist jedoch optimal, wenn alle Maße günstig sind.

Betten

Die richtigen Bettmaße sind äußerst wichtig, denn wir verbringen etwa ein Drittel unseres Lebens im Bett. Wenn die Bettmaße ungünstig sind, kann sich das negativ auf Schlaf und Träume auswirken. Häufig haben die Betten in Europa und Amerika Maße, die mit Feng Shui-Sargmaßen vergleichbar sind. Man stelle sich einen Menschen vor, der in einem Sarg schläft! Die menschliche Psyche steht in diesem Fall unter enormem Streß.

Die wichtigsten Bettmaße sind die innerhalb des Rahmens, in der die Matratze liegt (Abbildung 9.6), und die Breite des Bettes. Dann werden die Gesamtmaße des Bettes inklusive der Außenmaße (C—D) festgestellt. Die Höhe des Bettes kann am ehesten vernachlässigt werden.

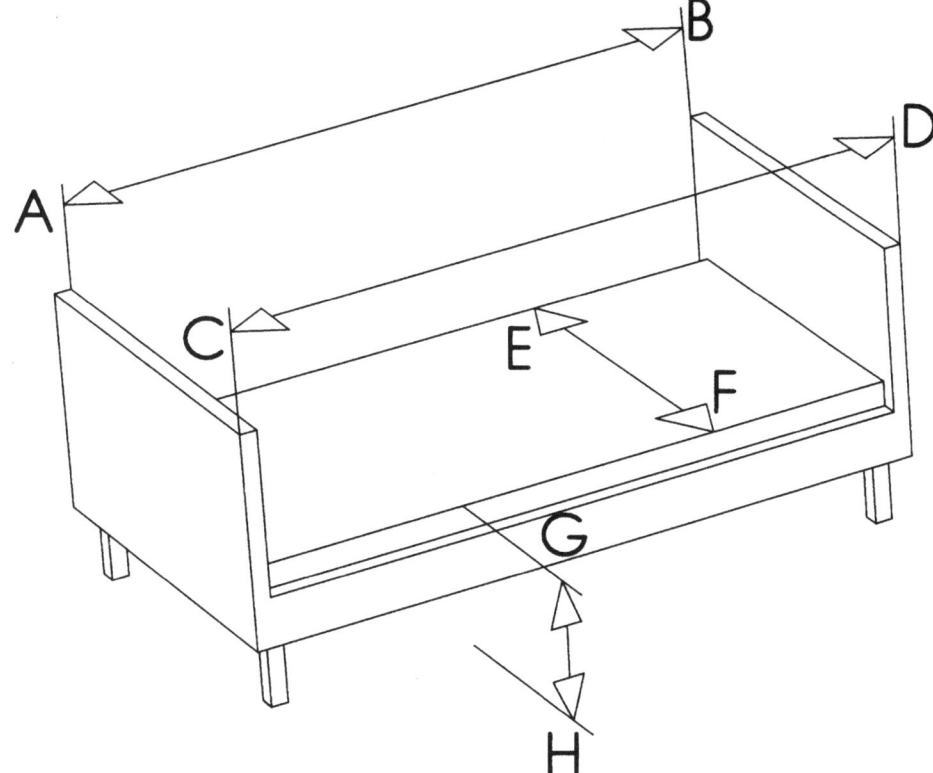

Abbildung 9.6: Möglichst alle Bettmaße sollten günstige Feng Shui-Maße haben.

Die besten Bettmaße (in cm) sind in der folgenden Tabelle zu finden. Sie können natürlich auch jedes andere günstige Maß für Länge, Breite und Höhe frei wählen.

Bei bereits vorhandenen Betten können Sie als Abhilfe innen am Rahmen schmale Leisten befestigen, damit das Bett zumindest günstige Innenmaße bekommt.

Maße in cm	Einzelbett		Doppelbett		Kinderbett		
Innenmaß Bettkasten in der Länge (A–B)	198 210	– 219	198 210	– 219	103 125	– –	112 132
Gesamtlänge des Betts (C–D)	210 232	– 236	210 232	– 236	107 128	– –	112 134
Innenmaß Bettkasten in der Breite (E–F)	82 103	– 90 – 112	167 189	– 176 – 198	60 80	– –	69 90
Höhe des Betts mit Matratze (G–H)	38 60	– 48 – 69	38 60	– 48 – 69	22 38	– –	25 48

Tabelle 2: Günstige Bettmaße.

Europäische Maße

Die chinesischen Feng Shui-Maße wurden aus komplexen mathematischen Berechnungen auf der Basis der natürlichen Harmonie-Matrix abgeleitet. Sie unterscheiden sich jedoch von dem westlichen Wahrnehmungsgesetz der „Guten Gestalt" oder dem „Goldenen Schnitt".

Viele Schüler in Europa haben mich gefragt, ob es zwischen den europäischen und den chinesischen Maßen einen Zusammenhang gibt. Sie führten hierzu Experimente mit Hilfe der angewandten Kinesiologie durch und stellten fest, daß das nicht der Fall ist und daß die europäischen Maße nicht unbedingt günstig sind.

Nehmen wir das DIN-A4-Papierformat als Beispiel. Es stellt eine ungünstige Form dar. Die Länge von A4 (29,7 cm) bedeutet im Feng Shui „Verlust von Nachkommen". Glücklicherweise ist die Breite von 21 cm günstig. Sie bedeutet „viel Glück und Wohlstand". Dieses positive Maß kann aber die negative Länge nicht neutralisieren. Wenn die Länge auf 26,5 cm geändert wird, bedeutet sie im Hauptabschnitt „reich und nobel" und im Unterabschnitt „Wohlstand und Macht". Diese Höhe würde das DIN-A4-Format, das wir in Europa verwenden, glückbringender machen. Vielleicht ist die Zeit gekommen, das DIN-A4-Format auf ein harmonischeres Maß zu verkürzen.

Tabelle 3: Chinesische Zahlen

Numerologie im Alltag der Chinesen

Wenn die Chinesen Zahlen verwenden, werden sie von der Wirkung dieser Zahlen beeinflußt – egal, ob die Zahl schriftlich festgehalten oder im chinesischen Dialekt gesprochen wird. Es können chinesische wie auch arabische Zahlen verwendet werden. Hierzu einige Beispiele:

Chines. Zahl	Arabische Zahl	Chinesische Zahl (Dialekt)	Bedeutung
一	1	Yii (Mandarin) Yat (Kanton-Dialekt)	Regen täglich
二	2	Er (Mandarin) Yee (Kanton-Dialekt)	Ohr einfach
三	3	Sheng (Mandarin) Sang (Kanton-Dialekt)	lebendig lebendig
四	4	Sher (Mandarin) Sei (Kanton-Dialekt)	Tod Tod
五	5	Wu (Mandarin) Ngg (Kanton-Dialekt)	Nichts Vollendung
六	6	Lieu (Mandarin) Luk (Kanton-Dialekt)	Bewegung rollen/grün
七	7	Cheh (Mandarin) Shat (Kanton-Dialekt)	weitermachen sicher
八	8	Faat (Mandarin) Pat (Kanton-Dialekt)	blühen und gedeihen blühen und gedeihen
九	9	Jeu (Mandarin) Kau (Kanton-Dialekt)	lang/Langlebigkeit lang/Langlebigkeit
十	10	Ssher (Mandarin) Sap (Kanton-Dialekt)	Felsen/stark sicher

Wenn eine Zahl im Mandarin-Dialekt (von 1,3 Milliarden Chinesen gesprochen) oder im Kanton-Dialekt (von ca. 400 Millionen Chinesen gesprochen) eine ähnliche Bedeutung hat, wird ihre Bedeutung verstärkt. Das gilt insbesondere bei den Zahlen 3, 4, 6, 7, 8, 9 und 10.

Einige besondere Bedeutungen von Zahlen:

1

ist eine spirituelle Zahl und bedeutet „mit Gott" oder „mit sich selbst". Es ist eine Zahl, die für Einsamkeit steht und manchmal mit autoritärer Herrschaft in Verbindung gebracht wird.

2

ist 2 x 1 – eine positive Zahl. Die Chinesen mögen alles paarweise. Die Zahl 2 ist Symbol für Einheit und gegenseitiges Vertrauen. Eine gute Zahl, die auch „einfach" bedeutet.

3

mit drei Strichen oder drei Personen kann Vater, Mutter und ein Kind bedeuten und steht für Nachkommenschaft. 3 ist eine positive Zahl und bedeutet „lebendig".

4

ist eine negative Zahl. Das chinesische Schriftzeichen für 4 ist ein Rechteck, das zwei Gegenstände oder Personen enthält. Das heißt, daß ein Paar ohne Kinder keine Nachfahren hat.

Meine Frau und ich haben hierzu Tests und Experimente mit Menschen von mehr als 30 Nationalitäten gemacht. Wenn eine Person gebeten wurde, „vier" in ihrer Muttersprache zu sagen, schrumpfte das elektromagnetische Feld des Körpers sofort, und alle Gelenke ihres Körpers reagierten aufgrund des beeinträchtigten Immunsystems schwach.

Hier einige Zahlenkombinationen, die bei den Asiaten eine ungünstige Bedeutung haben:

24 – es ist leicht zu sterben
74 – es ist sicher zu sterben
744 – es ist sehr sicher zu sterben

Um die negative Wirkung der Vier und deren Zahlenkombinationen zu vermeiden, setzt man einen Kreis um die Zahl. Noch wirkungsvoller ist ein roter Kreis. Die Farbe Rot steht für das Feuer, das alles Negative verbrennt.

Bei meinen Beratungen habe ich auch folgendes festgestellt: wenn in der Geschäftswelt am Anfang oder am Ende einer Telefonnummer eine 4 erscheint, zum Beispiel 46 53 24 oder 43 26 14, dann kann das Unternehmen Kunden verlieren. Folgendes Experiment wurde in Neuseeland, Singapur, Australien und Deutschland durchgeführt: es standen zwei Telefonnummern zur Wahl – an erster Stelle stand die 42 13 74 darunter stand die 60 18 15. Die Kunden verwendeten die zweite positive Telefonnummer ohne 4 häufiger. Nummern, die mit 4 beginnen oder auf 4 enden, werden von vielen intuitiven Menschen vermieden. Wenn eine Bereichsnummer mit 44 beginnt, wirkt sich das langfristig nachteilig auf die Geschäfte aus.

Beginnt eine Telefonnummer mit 4, kann die Negativwirkung verringert werden, wenn am Ende eine 8 steht. Beispiel: 43 65 78.

Seien sie aber unbesorgt, wenn in Ihrem Geburtsdatum eine 4 vorkommt. Wenn man anhand des Geburtsdatums das Schicksal einer Person berechnen will, müssen die vollständigen Daten wie Geburtszeit, -tag, -monat und -jahr verwendet werden.

5

steht für die Energien der Fünf Elemente, zu denen alles in diesem Universum zugeordnet ist. Diese Zahl kann bei der Feng Shui-Praxis der Acht Trigramme den mittleren neutralen Bereich bezeichnen. Einige Feng Shui-Schulen mögen die Zahl 5 nicht, da sie die Zahl 5 mit Leere und insofern mit bösen Geistern gleichsetzen. Tatsächlich ist diese Zahl neutral, sie repräsentiert alle Aspekte von Dingen, die wir ohne negative Wirkung benutzen können.

trägt im chinesischen Kanton-Dialekt die Bedeutung „weiterrollen". Ein Sprichwort sagt, daß „ein rollender Stein kein Moos ansammelt" und damit keinen Reichtum. Manche abergläubische Chinesen mögen die Zahl 6 nicht, weil sie von der Aussprache her auch „grün" bedeutet. Hier gibt es das Bild des Partners, der „einen grünen Hut trägt", das heißt untreu ist. Die 6 ist andererseits auch positiv, denn sie gilt als spirituelle Zahl.

7

ist eine heilige Zahl, die von den Chinesen bevorzugt wird. Für die Chinesen bedeutet 7 „sehr sicher", was Gutes oder Schlechtes bedeuten kann, je nachdem, welche Zahl auf die 7 folgt. 74 bedeutet „sicherer Tod", 78 bedeutet jedoch „sicher reich" und 789 „sicher reich für immer". Auch im Westen ist die 7 eine bedeutsame Zahl. So ruhte Gott am siebten Tag, nachdem er alles erschaffen hatte.

8

ist das Symbol der Unendlichkeit. Man kann die 8 unendlich lange nachfahren und findet kein Ende. Seit 5.000 Jahren haben die Taoisten der Zahl 8 Harmonie und Wohlstand zugeschrieben. Sie ist das Symbol des kommenden Wassermann-Zeitalters und steht auch für Einheit, Frieden und Lebensfreude. Eine sehr positive Zahl. Das Wassermann-Zeitalter beginnt im Jahr 2008. Zu dieser Zeit wird der Einfluß der Frauen immer größer werden und die „Männergesellschaft" nach und nach ablösen. Dieser Prozeß hat bereits eingesetzt, wir sehen immer mehr Frauen in Schlüsselpositionen, beispielsweise als Premierministerin, Parlamentspräsidentin oder in leitender Position in Unternehmen.

Wenn ein Haus einen unvollständigen Grundriß hat, empfiehlt das *Qi-Mag International Feng Shui Institute* als Abhilfe eine Doppelacht (88), um das Problem auszugleichen und zu harmonisieren. Dieses praktische Symbol funktioniert wirklich, und jeder kann es ausprobieren. Hängen Sie

eine Doppelacht (88) vorzugsweise in der Farbe ihres persönlichen Geburtselements (zum Beispiel rot, grün oder blau) an die Wand gegenüber Ihrem Eingang oder im Flur auf, so daß Sie sie sehen können, wenn Sie hereinkommen.

Die besten Feng Shui-Maße für die Doppelacht: jeder Kreis hat einen Durchmesser von 21 cm, jede 8 ist damit insgesamt 42 cm hoch (siehe Abb. 9.7).

Die 8 in anderen Größen funktioniert ebenfalls, am besten sind jedoch die genannten Maße 21 x 42 cm.

Der Stadtbezirk San Gabriel Valley in Los Angeles, in dem zum Großteil Chinesen leben, ist einer der reichsten in den USA. Viele chinesische und andere asiatische Bewohner schreiben ihren Reichtum unter anderem der glückbringenden Bezirksvorwahl 818 zu. Im Chinesischen klingt 818 wie „reicher und reicher". Viele Familien sind aufgrund der Vorwahl in diesen Bezirk gezogen.

1996 gab die Telefongesellschaft Pacific Bell bekannt, daß sie die Vorwahlnummer in 616 umändern wollte. Viele waren darüber verärgert, denn 616 klingt auf Chinesisch wie „es rollt immer weiter" und „nichts kommt am Ende dabei heraus". Die Zahl bedeutet also mangelnder Wohlstand – vergleichbar mit dem Bild des rollenden Steins, der kein „Moos" ansammelt. Viele Bewohner und sogar die Behörden klagten deshalb gegen die Telefongesellschaft.

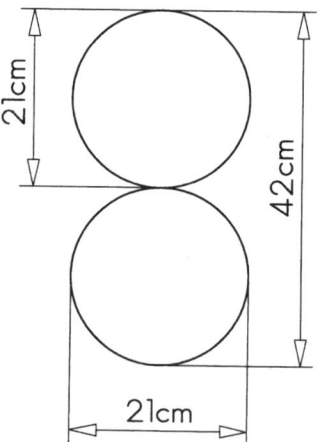

Abbildung 9.7: Günstige Maße für die Acht.

9

ist die Zahl für Langlebigkeit oder etwas, das immer wiederkehrt. 99999 steht für die Unendlichkeit. Bei den Chinesen ist diese Zahl aufgrund der Bedeutung „Langlebigkeit" sehr beliebt.

10

steht für Vollendung. 10 ist 2 x 5 oder 5 x 2 und damit eine günstige Zahl.

11

hat als Quersumme 2 und steht daher für Harmonie und Partnerschaft.

12

hat die Quersumme 3, was „lebendig" bedeutet und für die Chinesen wie auch für die westliche Welt („alle guten Dinge sind drei") positiv ist. Jesus Christus wählte 12 Jünger, um seine Lehren weiterzuverbreiten, damit sie für immer lebendig blieben.

13

hat die Quersumme 4, die wie schon erwähnt eine Unglückszahl ist. Sie kann wie die 4 mit einem roten Kreis neutralisiert werden. Diejenigen, die jedoch an einem 13. Geburtstag haben, sind meiner Erfahrung nach im allgemeinen sehr spirituell und höchst intuitiv.

Techniken zur Messung des Feng Shui

Kapitel 10

Die Geomanten in Europa verwenden Pendel, Ruten und Stäbe, um unterirdische Wasserläufe, schädliche Erdstrahlen und Erdgitter wie Hartmann- und Currylinien festzustellen. Die Pendeltechnik ist mindestens 5 000 Jahre alt und wurde von den Arabern entwickelt, die Wasser in der Wüste suchten.

Pendel und Wünschelrute können als Meßgeräte für alle möglichen Dinge im Alltagsleben verwendet werden. Man kann aber auch Feng Shui-Probleme damit prüfen und dann bestimmen, welche Hilfsmittel angemessen sind und in welcher Anzahl sie verwendet werden sollen. Um diese Techniken zu lernen, benötigen wir jedoch etwas Zeit, denn man muß mit der richtigen Vorgehensweise vertraut sein, um korrekte Ergebnisse zu erhalten. In diesem Buch beschränke ich mich auf die Technik der angewandten Kinesiologie, die für den Leser viel einfacher durchzuführen ist als andere Verfahren.

Die angewandte Kinesiologie wurde zuerst von zwei Ärzten, Dr. George Goodheart (USA) und Dr. John Diamond (Australien) entdeckt. Sie ist auch als Muskelbiofeedback-Test bekannt.

Die Technik beruht auf der Reaktion des menschlichen Immunsystems und der Meridiane. Diese „elektrischen Schaltkreise", in denen das Qi fließt, sind vielen Lesern sicherlich aus der Akupunktur bekannt. Eine Person, die mit negativen und positiven Bedingungen oder Emotionen konfrontiert ist, reagiert entsprechend unterschiedlich. Das kann man anhand eines Muskeltests feststellen. Dieser läßt sich folgendermaßen erklären:

Wenn eine Person mit positiven Umweltbedingungen und entsprechenden Emotionen konfrontiert wird, ist ihr Immunsystem stark, und die Energie kann in den Meridianen im Körper fließen. Unter diesen günstigen Umständen sind alle elektrischen Schaltkreise im Körper „geschlossen", und die Muskeln und Gelenke im Körper arbeiten im Einklang und sind stark. Wir können an jedem gestreckten Arm oder Bein den Muskeltest durchführen. Selbst unter extremem Druck reagiert die Person stark, wenn ein positiver Gedanke oder eine positive Situation vorhanden ist.

Ist die Person mit etwas Negativem konfrontiert, wird das Immunsystem sofort schwach. Gleichzeitig pulsieren auch alle Meridiane schwächer, insbesondere das Zentralgefäß auf der Körpervorderseite und das Gouverneursgefäß, das in der Mitte des Rückens verläuft. Damit verlieren alle Muskeln, Bänder und Gelenke im Körper ihre Kraft. Wenn beispielsweise der Delta-Muskel, der Oberarm und Schulter verbindet, getestet wird, stellen wir fest, daß der Muskel geschwächt ist – der Arm läßt sich mit Leichtigkeit nach unten drücken.

Der Lügendetektor arbeitet nach einem ähnlichen Prinzip. Wenn eine Person lügt, wird ihr Immunsystem schwach und bewirkt eine Veränderung in den elektrischen Schaltkreisen, die von dem Gerät aufgezeichnet wird.

Die Immunreaktion des Menschen auf seine Umwelt ist sein Überlebensmechanismus. Als sich der Mensch noch in seinem primitiven Entwicklungsstadium befand, reagierte er beim Anblick eines großen, wilden Tieres mit Angst. Der Energiefluß in allen Schaltkreisen seines Körpers verlangsamte sich. Dadurch, daß seine Muskeln und Bänder geschwächt waren, konnte der Mensch nicht flüchten, sondern mußte sich verstecken, um sicher zu sein. Wären seine Muskeln und Bänder stark gewesen, wäre er wohl fortgerannt, aber mit Sicherheit von dem Tier eingeholt und verletzt oder getötet worden.

Wenn wir dieses Bewußtsein verstehen, können wir mit der angewandten Kinesiologie arbeiten und damit alles, was uns im Alltagsleben beeinträchtigt, überprüfen und eine Antwort finden. Die angewandte Kinesiologie ist eine wissenschaftlich anerkannte neurobiologische Methode, die im Westen auch von vielen Ärzten, Heilpraktikern und Therapeuten eingesetzt wird. Sie testen beispielsweise aus, welches Medikament für die Behandlung am besten geeignet ist. Durch diese gezielte Medikamentenwahl können Nebenwirkungen und ein „Ausprobieren" von vornherein vermieden werden.

Zahnärzte testen anhand des Muskeltests aus, ob beim Patienten eine Amalgam- oder Quecksilbervergiftung vorliegt. Man kann auch feststellen, welches Füllmaterial für den Patienten am besten geeignet ist.

Ernährungsberater testen mit dieser Methode Mangelzustände und die beste Nährstoffversorgung aus.

In der Feng Shui-Praxis nutzen wir die angewandte Kinesiologie, um festzustellen, in welchem Maße Probleme vorliegen und welche Abhilfen man dem Kunden empfehlen kann. Sie können zum Beispiel testen,

• ob ein Schlaf- oder Arbeitsplatz von geopathischen Störfeldern und anderen schädlichen Strahlen betroffen ist,
• welches die optimale Hausausrichtung für eine Familie ist,
• welches Feng Shui-Hilfsmittel und welche Größe am besten geeignet ist und wo sich der beste Standort dafür befindet,
• ob es für die Familie harmonisch ist, weiterhin in einem bestimmten Haus zu leben,
• welcher Zeitpunkt für Einzug oder Baubeginn am günstigsten ist,
• ob sich Geister im Haus befinden,
• ob die Person oder Familie mit der Stadt in Harmonie ist.

Es gibt unendlich viele Testmöglichkeiten, um Antworten auf schwierige Feng Shui-Fragen und andere Alltagsprobleme zu ermitteln. Im Anschluß finden Sie die Beschreibung, wie man den Kinesiologietest richtig durchführt, um zu korrekten Ergebnissen zu gelangen. Auch hier gilt: Übung macht den Meister! Je mehr wir mit dieser Technik vertraut sind, desto besser werden wir auch von unserer Intuition gelenkt, um den Test richtig durchzuführen.

Wie Sie mit der Technik der angewandten Kinesiologie arbeiten

Die angewandte Kinesiologie kann von jedem eingesetzt werden, Alter und Bildung spielen keine Rolle. Es ist auch nicht wichtig, ob die Person an diese Technik wirklich glaubt – sie funktioniert dennoch. Fünf Faktoren sind für das richtige Testen wichtig:

1. Die testende Person und die Testperson müssen eine neutrale Haltung einnehmen. Sie sollten keine vorgefaßte Meinung haben, die das Ergebnis beeinflussen könnte. Wenn eine der Personen zum Beispiel stark daran glaubt, daß das Ergebnis negativ ist, dann reagiert die Testperson auch negativ. Der Testende und die Testperson können nämlich das Ergebnis mental beeinflussen.
2. Die Testperson muß zum Zeitpunkt des Tests genügend Wasser getrunken haben, damit die elektrischen Schaltkreise des Körpers richtig funktionieren können.
3. Die Testperson muß emotional ausgeglichen sein und darf nicht auf einem geopathischen Störfeld stehen, das durch Wasseradern verursacht ist. Sie sollte sich auch nicht in einem elektromagnetischen Strahlungsfeld aufhalten und ca. 1,5 Meter Abstand von elektrischen Geräten, Steckdosen oder Schaltern halten.
4. Die Testperson muß zur Kooperation bereit sein, damit der Test durchgeführt werden kann.
5. Der Test muß insgesamt korrekt durchgeführt werden.

Der Ablauf des Muskeltests

1. Die Testperson legt alle Metall- und Schmuckgegenstände wie Uhren, Ringe und Ketten ab, um Störungen im elektromagnetischen Feld des Körpers zu vermeiden.
2. Die Testperson trinkt ein Glas kühles oder lauwarmes Wasser. Sie sollte entspannt sein.
3. Die Testperson atmet ganz normal und legt die Zunge an den Gaumen hinter die Schneidezähne, damit die Meridiane im oberen und unteren Körperbereich geschlossen sind.
4. Beide – sowohl die Testperson als auch derjenige, der den Muskeltest durchführt, sollten in einer guten Stimmung sein und mental eine neutrale Haltung einnehmen. Negative Gedanken und vorgefaßte Meinungen bezüglich des Testergebnisses sollten sie vermeiden.
5. Die Testperson sollte bequeme Kleidung tragen, bequem stehen können und nicht vom Licht geblendet sein.
6. Die Testperson reibt mit Daumen und Zeigefinger der einen Hand mindestens sechsmal den Ober- und Unterlippenbereich und gleichzeitig mit der anderen Hand mindestens sechsmal den Bauchnabelbereich (Alarmpunkte des Zentral- und Gouverneurmeridians).

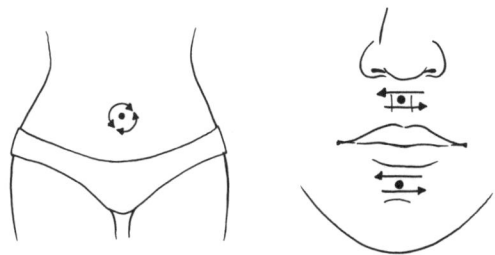

Abbildung 10.1A: Punkte, die vor dem Kinesiologietest gerieben werden.

Als nächstes werden wieder der Bauchnabel und dann die Nierenpunkte (Niere 27) unterhalb des Schlüsselbeins kurz massiert.

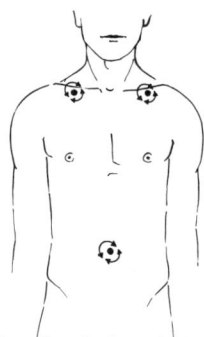

Abbildung 10.1B: Bauchnabel und Nierenpunkte.

Dann werden Nabel und Steißbein gleichzeitig mindestens sechsmal kreisförmig gerieben, um die Schaltkreise im unteren Körperbereich zu verbinden.

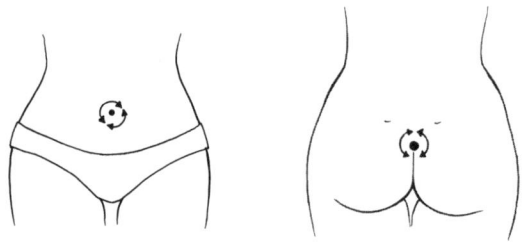

Abbildung 10.1C: Nabelbereich und Steißbeinpunkt.

Massieren Sie jeden Bereich ganz kurz jeweils mit der rechten und der linken Hand. Dann die Hände wechseln und nochmals massieren.

7. Die Testperson atmet mindestens sechsmal tief und langsam hinunter in die Füße, um alle Schaltkreise im Körper zu verbinden und den Körper zu erden.

8. Die Testperson streckt den linken (oder rechten) Arm schulterhoch aus. Wenn der Testende kleiner ist, kann der Arm auch etwas niedriger gehalten werden.

9. Die testende Person legt (wenn der rechte Arm getestet wird) ihre rechte Hand auf die linke Schulter der Testperson und ihre linke Hand auf deren rechten Unterarm oberhalb des Handgelenks (siehe Abbildung 10.2).

Abbildung 10.2: Ausgangsposition zum Testen.

10. Die testende Person sagt nun „Halten", um anzuzeigen, daß sie den Test nun durchführt. Die Testperson streckt ihren Arm aus und hält die Position, wenn auf ihren Arm Druck ausgeübt wird. Läßt sich der Arm der Testperson leicht nach unten drücken, so ist die Reaktion „negativ" oder bedeutet „nein".

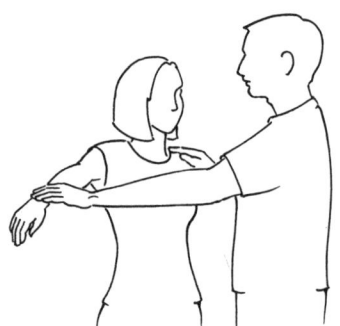

Abbildung 10.3A: Der Arm läßt sich leicht nach unten drücken – die Person „testet schwach".

Testet der Armmuskel stark, so bedeutet diese Reaktion „positiv" oder „ja".

Abbildung 10.3B: Der Arm läßt sich kaum nach unten drücken – die Person „testet stark".

11. Als erstes stellt man fest, ob die Testperson im Gleichgewicht ist, indem man die „positive" und „negative" Reaktion testet.

12. Die testende Person denkt an einen positiven Aspekt der Testperson (zum Beispiel: „Du bist eine nette, fröhliche Person"). Dann sagt sie „Halten", gibt der Testperson einige Sekunden Zeit, um zu reagieren, und übt auf den ausgestreckten linken Arm der Testperson einen leichten Druck aus. Dieser sollte stark bleiben. Wenn der Arm heruntergedrückt werden kann und die Testperson damit schwach reagiert, dann ist sie nicht ausgeglichen und nicht bereit für den Test. Möglicherweise steht sie auch über einem geopathischen Störfeld. Dann testet man an einer anderen Stelle. Wenn sie immer noch schwach reagiert, führt man die Punkte 4 bis 12 nochmals durch.

13. Die testende Person denkt an einen negativen Aspekt der Testperson, sagt wieder „Halten", gibt der Testperson einige Sekunden Zeit und drückt leicht auf ihren linken Arm. Die Testperson sollte schwach reagieren. Das Ergebnis zeigt, daß sie im Gleichgewicht ist.

14. Wenn die Testperson bei der positiven Aussage stark und bei der negativen schwach reagiert, ist sie ausgeglichen, und es können kinesiologische Muskeltests durchgeführt werden.

Ein Beispiel aus der Praxis

Wir wollen testen, ob die Ausrichtung der Haustür für die Testperson harmonisch ist.

1. Die testende Person stellt entweder laut oder still für sich die Frage (das zweite ist vorzuziehen, da die Testperson so nicht beeinflußt wird), ob die Ausrichtung der Haustür für die Testperson harmonisch ist. Nach der Vorwarnung „Halten" und einigen Sekunden Pause wird Druck auf den ausgestreckten linken Arm ausgeübt. Wenn der Arm gehalten werden kann, ist die Antwort ja. Reagiert der Muskel schwach und läßt sich der Arm nach unten drücken, ist die Antwort nein. Wenn der Test negativ ausfällt, ist die Ausrichtung der Haustür mit der Testperson nicht in Harmonie.

2. Als nächstes kann man mit Hilfe von Fragen, die mit „Ja" oder „Nein" beantwortet werden, testen,
   a. ob und – wenn ja – welche Abhilfen verwendet werden können. Wenn das nicht der Fall ist,
   b. an welcher Stelle und in welcher Himmelsrichtung die Haustür gesetzt werden sollte.

Wenn das Haus von einem Paar bewohnt wird, ist es am besten, den Test auch beim Lebenspartner durchzuführen. So kann man sicherstellen, daß die Haustür für beide günstig ausgerichtet ist. Alternativ kann man auch nur einen der Partner testen und stellt beispielsweise die Testfrage: „Ist Süden die günstigste Türausrichtung für Dich und Deinen Partner?"

Es ist immer besser, die Testfragen mental zu stellen, denn eine Person kann aus verschiedenen Gründen beeinflußt sein. Durch diese vorgefaßte Meinung kann das Testergebnis bewußt oder unbewußt verfälscht werden.

Die Technik der angewandten Kinesiologie ist leicht zu erlernen und anzuwenden. Dadurch wird die Feng Shui-Praxis viel einfacher, und beim professionellen Feng Shui kann genauer gearbeitet werden. Anstatt nur sagen zu können, daß das Feng Shui Ihres Hauses „gut" ist, kann man nun den Berater fragen „wie gut"?

Beispiel für eine Testfrage: Wieviel Prozent Qi hatte das Haus vor den Feng Shui-Maßnahmen und wieviel Prozent hat es jetzt? Die Antwort könnte beispielsweise lauten: Zuvor betrug die Qi-Energie 40 %, nach Umsetzung der empfohlenen Maßnahmen 80 %.

Positive und negative Aspekte von Umweltfaktoren

Kapitel 11

Jedesmal, wenn der Mensch neue Erfindungen macht, Technologien entwickelt oder ein Gebäude mit einem ultramodernen Design errichtet, werden sehr selten die Auswirkungen auf Menschen, Tiere und auf die gesamte Umwelt berücksichtigt.

Wenn beispielsweise einer der zahlreichen Sendemasten des Mobilfunks in einem Wohnort steht, wirkt sich das auf die körperliche und geistige Gesundheit der Bewohner aus. Die entstehenden Mikro- und Radiowellen beeinflussen das menschliche Gehirn und die Psyche. Diese Gefahren der Technik sind in der Praxis des Feng Shui sehr wichtige Faktoren, die berücksichtigt werden müssen. Was bringt es uns, wenn wir ein Haus perfekt nach Feng Shui gebaut haben und die unmittelbare Umgebung kein gesundes und harmonisches Wohnen unterstützt? Solche negativen Faktoren in Häusern werden in der Feng Shui-Praxis festgestellt und dann diese Gebäude entweder gemieden oder die negativen Energien mit Hilfsmitteln ausgeglichen.

Im folgenden beschreibe ich zwanzig verschiedene Umweltfaktoren, die ich bei meiner Arbeit am häufigsten antreffe. Diese Liste soll dabei helfen, ihre Energien genauer zu untersuchen und sich die Folgen bewußt zu machen.

Oft wird die Frage gestellt, welchen Stellenwert diese Energien im Feng Shui haben. Zuerst müssen die lebensbedrohlichen Energien berücksichtigt werden. Es folgen gesundheitsgefährdende Energien, die sich auf die Psyche, die Emotionen und auf das mentale und körperliche Gleichgewicht des Menschen auswirken.

Wenn eine Umgebung die gesundheitlichen Anforderungen nicht erfüllt, sind wir dadurch mehr oder weniger gestreßt und können im Leben nicht so erfolgreich sein, wie wir es uns wünschen. Jede der angeführten Energien hat je nach Quantität, Qualität und Schwingung eine positive oder negative Wirkung auf den Menschen.

Keine Energie in diesem Universum ist ausschließlich positiv oder negativ! Es hängt immer davon ab, wie sie genutzt wird.

Die häufigsten Umweltfaktoren und ihre positiven und negativen Aspekte

Wenn wir eine Beratung durchführen, untersuchen wir diese Faktoren meist in der Reihenfolge, in der sie uns begegnen.

1. Lärm, Geräusche und Musik
2. Gerüche
3. Erdstrahlen und kosmische Strahlung
4. Wind
5. Wasser
6. Staub und Umweltgifte
7. Formen und Symbole
8. Das Prinzip von Yin und Yang
9. Astrologische und kosmische Einflüsse
10. Die Energien der Fünf Elemente
11. Farben
12. Beleuchtung
13. Radioaktive Strahlung
14. Radio- und Mikrowellenstrahlung
15. Elektromagnetische Strahlung
16. Shia Qi und Shah Qi
17. Pflanzen und Bäume
18. Zu starke Raumenergie
19. Computer, Fernsehgerät und Mikrowelle

1. Lärm, Geräusche und Musik

Positiv: Sanftes Wasserplätschern, melodisches Vogelgezwitscher, leises Summen von Insekten, sanfte harmonische oder klassische Musik sind angenehm für das Ohr, wirken entspannend und unterstützen Heilungsprozesse im Körper.

Positive Klänge werden von vielen Therapeuten zu Heilzwecken wie auch zur Krebsbehandlung eingesetzt. Sanfte, harmonische Musik kann eine Person in einen tiefen Entspannungszustand versetzen, somit Selbstheilungsprozesse anregen und die Intuition verstärken.

Negativ: Im Gegensatz zur klassischen Musik beeinträchtigt laute Popmusik das Gehör und die Nieren. Das wiederum führt zu Gesundheitsproblemen, mangelnder Ausgeglichenheit und damit zu einer verkürzten Lebensspanne. Popmusiker leiden auch häufiger an Depressionen. Weitere sich negativ auswirkende Geräusche sind das Summen mancher Insekten, Telefonklingeln, Bau- und Maschinenlärm, Vibrationsgeräusche, starker Verkehr, Flugzeuglärm, lautes Kindergeschrei, vorbeifahrende Züge, Lärm von Lastwagen, Schwertransportern und Sprengungen.

Diese lauten, durchdringenden und unangenehmen Geräusche verursachen vielerlei Beschwerden, die durch Lärmbelästigung entstehen können, wie Gereiztheit, Angst, Depressionen, Gehör-, Herz- und Nierenprobleme.

In der Feng Shui-Praxis vermeiden wir Lärm und negative Geräusche. Viele Länder haben Standards für die Lärmbelastung festgesetzt. Eine Abhilfe bei Lärm ist das Spielen ganz leiser, sanfter Musik (siehe Abbildung 11.1).

Lärm   *sanfte, leise Musik*

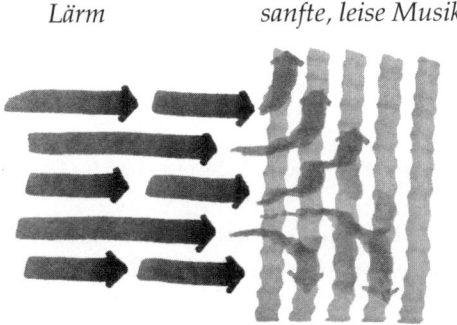

Abbildung 11.1: Die sanften Musikwellen wirken Lärm und lauten Geräuschen entgegen.

2. Gerüche

Positiv: Süßer Blumenduft, natürliches Parfüm, frische Frühlingsbrisen, der Duft frisch zubereiteter Speisen, reifer Früchte etc.

Der gute Geruch von Blüten und Pflanzen ist erfrischend und regt die Energie und das Gemüt an. Der Duft, der zum Beispiel eine Bäckerei oder ein Restaurant umgibt, fördert den Appetit.

Negativ: Abwasser, Schwefel oder Ammoniak, Autoabgase, Jauche, verfaultes Fleisch, stinkender Kompost oder Müll.

Der schlechte Geruch von sich zersetzenden Stoffen oder Abwässern stammt von gesundheitsschädlichen Bakterien. Wenn wir etwas Unangenehmes riechen, neigen wir dazu, sehr flach zu atmen. Dadurch verringert sich die Zufuhr von Frischluft und Qi. Das verursacht wiederum Herz-, Lungen-, Nebenhöhlen- und allgemeine Gesundheitsprobleme.

In der Feng Shui-Praxis suchen wir nach Häusern, in denen es viel frische Luft und keine unangenehmen Gerüche gibt. Vermeiden Sie, wenn möglich, die Nähe einer Kläranlage oder einer Fabrik mit starker Geruchsbelastung. Eine Abhilfe bei ständig schlechten Gerüchen sind einige Tropfen wohlriechendes Aromaöl in der Duftlampe.

3. Erdstrahlen und kosmische Strahlung

Positiv: Die meisten alten Kirchen sind an Plätzen gebaut, die eine sehr hohe Erdenergie haben. Normalerweise beträgt der Qi-Gehalt dort zwischen 100 % und 200 %.

Diese hohe Erdenergie kann unter anderem durch unterirdische Bergkristall- oder Amethystvorkommen entstehen und ist im allgemeinen sehr positiv.

Die heilige Stadt Lourdes in Südfrankreich hat beispielsweise eine Energie von 150 – 200 %. Ich schätze, daß das Quellwasser, das in der Nähe der Marienstatue in der Grotte entspringt, eine Energie von über 300 % hat. Es ist weltbekannt für seine Heilwirkung. In Japan wurde festgestellt, daß dieses Wasser, ähnlich wie Ginseng, eine sehr hohe Germaniumkonzentration besitzt und die Sauerstoffaufnahme im Körper unterstützt.

Geopathische Störfelder mit einem schwachen Streßfaktor von weniger als 2 %, die durch Wasseradern entstehen, wirken ebenfalls anregend und verstärken die elektrischen Energieströme im menschlichen Körper.

Negativ: Je nach Mineralien, Gesteinsarten und Wasservorkommen entstehen unterschiedliche Erdstrahlen.

Die gefährlichste Strahlung aus dem Boden ist die von Wasseradern. Sie verursachen starke geopathische Störfelder und sind gesundheitsschädlich, wenn der Streßfaktor über 3 % beträgt. Diese Wasseradern sind normalerweise zwischen 1 und 1,5 Meter breit. Geopathische Störfelder gehören mit zu den Hauptursachen für Krebs, chronische Gesundheitsprobleme und degenerative Erkrankungen.

Schädlich sind auch manche Strahlungen, die vom Erdnetzgitter ausgehen und von oben auf uns einwirken. Hier finden wir beispielsweise Kreuzungspunkte im Curry- oder Hartmanngitter. Sie können zu Gesundheits- sowie Schlafproblemen führen. Diese Kreuzungspunkte sind nicht sehr groß, daher kann man ihnen relativ leicht ausweichen. Bedenklich sind jedoch Benkerlinien, die in bestimmten Abständen auf dem Hartmanngitter zu finden sind. Sie sind ca. 70 cm breit und ähneln in ihrer Intensität und Auswirkung den Wasseradern.

Einige Erdstrahlen sind von ihrer Energie her sehr negativ, da sie durch verrottende Pflanzenteile in Sümpfen und Mooren entstehen. Bestimmte radioaktive Bodenschätze wie Uran erzeugen für den Menschen gefährliche radioaktive Strahlen. Gebiete mit großen Uranvorkommen sind zum Wohnen ungeeignet.

Im Feng Shui werden negative Erdstrahlen und Störfelder identifiziert. Wir vermeiden oder neutralisieren diese Bereiche, damit die Hausbewohner davon nicht beeinträchtigt werden. Wir stellen auch Strahlentypen wie Hartmann- oder Currylinien fest und empfehlen, in bestimmten Berei-

chen nicht zu schlafen oder zu arbeiten. Die besten Feng Shui-Hilfsmittel oder ein Haus mit einem „guten Design" nützen nur wenig, wenn die Bewohner diesen äußerst gefährlichen Strahlen ausgesetzt sind.

4. Wind

Positiv: Eine sanfte, kühle Brise wirkt erfrischend und anregend, da sie uns Frischluft, Qi und Sauerstoff zuführt. Die Blätter von Bäumen und Pflanzen sollten sich nicht mehr als etwa 1 cm hin- und herbewegen. Diese Art von Wind reinigt unsere Aura (das elektromagnetische Feld unseres Körpers) und wirkt auf uns weder beängstigend noch störend.

Negativ: Sehr kalte, sehr heiße oder starke Winde sind negativ. Wir sprechen von starkem Wind, wenn sich Blätter und Zweige von Bäumen mindestens 6 cm hin und her bewegen.

Kalte und heiße Winde verursachen normalerweise Erkältungen, Grippe und Atemwegserkrankungen. Sie führen zu Unausgeglichenheit, Unruhezuständen und bewirken Falten und Augenprobleme. Wenn das Meer zum Surfen geeignet ist, weist das darauf hin, daß hier häufig ein starker Wind weht. Ein solcher Ort ist zum Wohnen auf Dauer ungeeignet.

In der Feng Shui-Praxis vermeiden wir Orte, an denen ständig ein kalter oder heißer Wind weht, oder wir entwerfen Häuser mit speziellem Windschutz wie Zäunen oder hohen Mauern.

5. Wasser

Positiv: Langsam fließendes Wasser, das innerhalb von etwa 6 – 8 Sekunden nicht mehr als einen Meter zurücklegt und durch Felsen und Steine verlangsamt wird, hat eine erfrischende und anregende Wirkung. Wasser, das sich an Steinen bricht und Wirbel bildet oder schäumt, erzeugt elektromagnetische Strahlen, die kosmisches Qi und Sauerstoff anziehen. Sanfte Wasserfälle, kleine Wildbäche und Springbrunnen haben ebenfalls eine sehr positive Wirkung. Schäumendes Wasser ist stark negativ ionisiert, frisch und besitzt einen außergewöhnlich hohen Qi-Gehalt. Der Hauptfaktor im Feng Shui ist das Qi, das unter anderem von Wasser angezogen wird. In der chinesischen Kultur wird das Wasser mit Überfluß und Reichtum in Verbindung gebracht, da es Qi und Sauerstoff anzieht und beim Anbau von Nahrungsmitteln essentiell ist.

Negativ: Schnellfließendes Wasser in der Nähe der Hausvorderseite oder Hausrückseite sowie Wohnen in der Nähe von großen Wasserfällen. Ein Haus, auf das ein Fluß mit starker Strömung zufließt. Diese Arten von kräftig fließendem Wasser erzeugen zuviel Yin-Energie und Qi, wobei das starke Qi überwältigend und erstickend wirkt. Ebenfalls gesundheitsschädlich sind stehende Gewässer, in denen sich Fäulnisbakterien bilden.

6. Staub und Umweltgifte

Negativ: Staub und Umweltgifte haben natürlich keinerlei günstige Wirkung auf den Menschen. Oft ist der feine Staub in der Luft gar nicht sichtbar und wird vom Wind viele Kilometer weit getragen, was insbesondere zu Atemwegserkrankungen führen kann.
Pflanzenschutzmittel, Haushaltsreiniger und Autoabgase sind für den Menschen sehr schädlich. Untersuchungen haben ergeben, daß Menschen, die weniger als 100 Meter von belebten Autobahnen und Straßen entfernt leben, eher an der Alzheimer-Krankheit erkranken, da ihr Gehirn höhere Konzentrationen von Blei und Aluminium durch die Autoabgase enthält.

Wir sollten möglichst nicht in der Nähe von stauberzeugenden Fabriken, Autobahnen und Hauptstraßen wohnen. Ein Wohnhaus sollte mindestens 300 – 500 Meter von großen Hauptstraßen entfernt sein. Steinbrüche, Baustellen, Zementwerke und andere staub- oder abgaserzeugende Industrien sollten mindestens 5 km von menschlichen Siedlungen entfernt sein.

7. Formen und Symbole

Positiv: Abgerundete Ecken an Wänden und Möbeln sowie gerundete und kuppelförmige Hausdächer sind positiv. Menschen und Tiere fühlen sich aufgrund ihrer Evolution mehr in Harmonie mit runden Formen. Im Gegensatz dazu werden scharfkantige oder spitze Formen von ihnen als lebensbedrohlich oder als Angriff auf Körper und Psyche angesehen. Positive Symbole sind zum Beispiel die einfache Acht, die Doppelacht, das Om-Symbol, die Herzform mit gerundeter Spitze, der Ankh (ägyptisches Symbol des Lebens), das Hufeisen, Langlebigkeitssymbole wie zum Beispiel die Schildkröte, Blumen, das Bild eines lächelnden Menschen sowie Wohlstands- und Liebessymbole der unterschiedlichen Kulturen.
Die Eiform ist ein positives Symbol für Fruchtbarkeit und Potenz, das heutzutage jedoch nicht mehr so häufig verwendet wird.

Der Kreis steht für das Universum, für Harmonie und Schutz und ist ein kraftvolles positives Symbol. Er sollte nie durchbrochen sein, denn das würde symbolisch für die Zerstörung des Universums stehen. Der Halbkreis ist ebenfalls positiv, wenn die Linien nicht durchbrochen sind.

Negativ: Alle spitzen Formen und Symbole in unserer unmittelbaren Umgebung werden als „Angriff" gewertet und wirken negativ auf den Menschen. Formen wie spitze Dachgiebel, Satteldächer oder pyramidenförmigem Dächer, scharfe Ecken und Kanten von Wänden, Möbeln oder Dächern sowie spitz geformte Dekorationsgegenstände oder Türornamente sind negativ.
Abhilfen: Die Spitze abrunden oder eine Scheibe oder Kugel auf die Spitze setzen. Scharfe Kanten von Wänden und Möbeln können mit Hilfe von Bändern, künstlichen Ranken, Pflanzen oder Leisten abgedeckt und damit neutralisiert werden.

Fenstersprossen

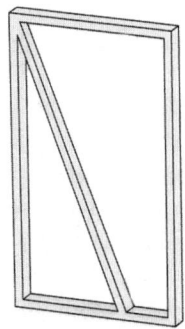

Abbildung 11.2A:
Unharmonische
Fenstersprossengestaltung.

Abbildung 11.2B:
Beispiel für harmonische
Sprossenanordnung.

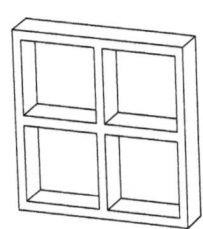

Abbildung 11.2C:
Beispiel für harmonische
symetrische Sprossen-
anordnung.

Neutralisierung scharfer Ecken und Kanten

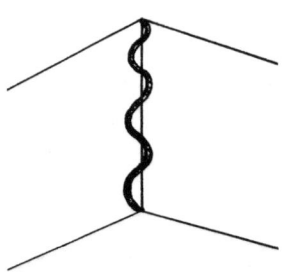

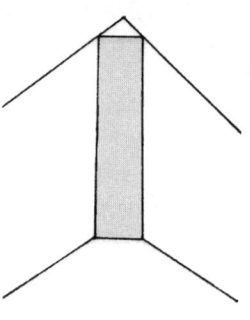

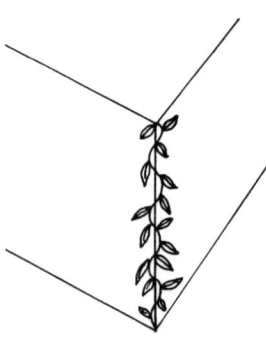

Abbildung 11.3: Neutralisierung scharfer Ecken und
Kanten durch Bänder, Leisten, künstliche Ranken.
Es kann auch ein Eckschrank aufgestellt werden.

8. Das Prinzip von Yin und Yang

Das Design eines Hauses oder einer Wohnung sollte mit dem Prinzip von Yin und Yang übereinstimmen, ansonsten sind die Hausbewohner nicht in innerer Harmonie und können Gesundheitsprobleme bekommen. Weitere Einzelheiten zu diesem Thema wurden bereits in Kapitel 7 beschrieben.

9. Astrologische und kosmische Einflüsse

Vorhersage- und Bestimmungssysteme wie die Prinzipien des Ost-West-Systems der Acht Trigramme, das System der Fliegenden Sterne und die magischen Lo'Shu-Zahlen werden in meinem geplanten Buch über Trigramm-Feng Shui ausführlich behandelt.

In einem Haus oder einer Wohnung gibt es Bereiche, die für den Bewohner mehr oder weniger harmonisch sind. Mit Hilfe des Systems der Acht Trigramme und der Fliegenden Sterne können wir die Problembereiche in einem Haus identifizieren und für jeden Bewohner den günstigsten Platz feststellen.

10. Die Energien der Fünf Elemente

Wir werden tagtäglich durch die Energien der Fünf Elemente positiv oder negativ beeinflußt. Genauere Beschreibungen hierzu finden Sie in Kapitel 8.

11. Farben

Farben stehen in engem Zusammenhang mit den Prinzipien der Fünf Elemente und beeinflussen uns im täglichen Leben. Therapeuten setzen daher auch Farben bei ihrer Behandlung ein.
Positiv:
- Rot (Feuerelement) gehört zu den positiven Farben und steht für Freude, Glück und Vitalität. Manche Menschen mögen allerdings kein Rot, da es auf sie zu anregend oder aggressiv wirkt.
- Grün (Holzelement) steht für Wachstum, Verjüngung und Ausdehnung.
- Blau (Wasserelement) steht für Heilung und Vitalität.
- Rosa (Feuerelement) steht für Liebe und Glück und wirkt erheiternd.
- Purpur und Violett (Feuerelement) symbolisieren die spirituelle Weiterentwicklung und aktivieren das Kronenchakra.
- Gelb (Erdelement) regt geistig an; Beige, Hellbraun und Braun stehen ebenfalls für das Erdelement und sind gut zur Erdung und zum Ausgleichen geeignet.
- Weiß enthält alle sieben Regenbogenfarben und deren Farbenergie. Diese Farbe erfrischt und verleiht klare Sicht und Reinheit.

Negativ: Schwarz bedeutet, wie bereits erwähnt, daß die sieben Regenbogenfarben nicht vorhanden sind. Diese Farbe sollte am besten vermieden werden. Grau ist eine Stufe vor Schwarz und ebenfalls ungünstig. Wenn man zuviel Purpur und Violett verwendet oder einen Raum in dieser Farbe streicht, hat das eine destruktive Wirkung und kann geistige Störungen bewirken, da das Kronenchakra überstimuliert wird. In Versuchen wurde festgestellt, daß Tiere in violetten und lila Käfigen erkrankten. Ihre Gesundheit verbesserte sich dagegen in blau gestrichenen Käfigen.

In der Feng Shui-Praxis werden die Farben in Räumen, Häusern oder Wohnungen nach dem Prinzip der Fünf Elemente ausgewählt. Dadurch werden Elementekonflikte verringert oder ganz vermieden. So fühlt sich eine Person, die zum Feuerelement gehört, unwohl und geschwächt, wenn ihr Wohn- oder Arbeitsraum ganz in Blau gehalten ist und damit eine starke Wasserelementbetonung hat. Unterstützt wird sie wiederum durch die Farbe Grün. Weitere Einzelheiten hierzu in Kapitel 8.

12. Beleuchtung

Positiv: Am besten eignet sich das Vollspektrumlicht, das wie das Tageslicht die sieben Regenbogenfarben enthält. Wenn ein Raum mit einer dem Tageslicht ähnlichen Beleuchtung ausgestattet ist, haben die sich dort aufhaltenden Personen weniger Probleme mit Augen, Herz und Gefäßen.

Alle Lampen, die – anders als die meisten Leuchtstofflampen – nicht flimmern, sind im Feng Shui geeignet. Empfehlenswert sind die herkömmlichen klaren Glühlampen.

Negativ: Flimmernde Leuchtstoffröhren, die an beiden Enden Mikrowellenstrahlung abgeben, sind für Augen und Gesundheit schädlich. Zu helles, blendendes Licht wie beispielsweise Halogenlicht ist ebenfalls unangenehm für die Augen. Es trocknet die menschliche Aura aus und verbraucht wertvollen Sauerstoff im Raum.

Zu trübes Licht in einem Raum kann zu einer zu starken Yin-Energie (Dunkelheit) führen und zieht Geister an, was Shah Qi (siehe auch 16.) erzeugt. Menschen, die in einem dunklen oder schwach beleuchteten Raum wohnen oder arbeiten, neigen eher zu Depressionen, Unfällen und Selbstmord.

Reines Kerzenlicht ist ungünstig, da es nicht hell genug ist. Darüber hinaus verbrauchen brennende Kerzen sehr viel Sauerstoff und stellen eine Feuergefahr dar.

In der Feng Shui-Praxis verwenden wir eine harmonische Beleuchtung, um Qi und Sauerstoff in unsere Räume und Häuser zu ziehen. Dunkle oder dämmrige Bereiche in einem Raum sollten beleuchtet werden, um die Yang-Energie (Lichtenergie) zu verstärken. Gute Beleuchtung sollte einen Wohlfühleffekt haben und sich nicht nachteilig auf die Gesundheit auswirken. Unterstützt wird die Wirkung der Lampen auch durch eine entsprechende Farbgebung des Raumes.

13. Radioaktive Strahlung

Es gibt verschiedene Quellen radioaktiver Strahlung. Die erste Gefahrenquelle sind Atomkraftwerke, atomare Wiederaufbereitungsanlagen und Industriezweige, in denen mit Atomenergie gearbeitet wird. Die zweite Strahlungsquelle sind Röntgenapparate und andere Geräte, die mit radioaktiver Energie arbeiten. Die dritte Quelle sind große unterirdische Uranvorkommen, wie zum Beispiel in Nordaustralien.

Es ist empfehlenswert, sich mindestens 10 km von Atomkraftwerken entfernt aufzuhalten. Auch wenn man von der radioaktiven Strahlung nicht direkt betroffen ist, kann der Wind die verstrahlten Partikel viele Kilometer weit tragen. Das kann zu verseuchten Pflanzen und Feldern führen, wenn dort radioaktiv belasteter Regen oder Schnee fällt. Häufig wird behauptet, daß es unschädlich sei, sich in der Nähe von Atomkraftwerken aufzuhalten. Es wurde jedoch festgestellt, daß Menschen, die ein bis zwei Kilometer von einem Atomkraftwerk entfernt wohnten, häufiger erkrankten, insbesondere an Leukämie und anderen Bluterkrankungen sowie Krebs.

Die 1995/96 von der französischen Regierung im Pazifik durchgeführten unterirdischen Nukleartests stellten angeblich nur ein geringes Risiko für Menschen dar. Die radioaktive Verseuchung des Meeres betraf aber beispielsweise auch den Thunfisch und dessen Nahrungskette. Da er große Entfernungen zurücklegt, wird dieser radioaktiv belastete Fisch auch von Menschen in Europa, den USA und Japan verzehrt, die weit entfernt von den Testplätzen leben.

Die radioaktive Strahlung kommt wie alle Energien in zwei Formen vor. Die physische Form kann anhand von Meßinstrumenten festgestellt werden, die feinstoffliche Energie ist zu subtil und kann bisher von Meßinstrumenten nicht wahrgenommen werden. Insbesondere die subtile radioaktive Energie ist äußerst gefährlich für die Gesundheit. Wer durch radioaktive Strahlen belastet ist, sollte einen Homöopathen oder Heilpraktiker konsultieren. Ein Teil der subtilen negativen Strahlung kann auch mit Hilfe einer Bäderkur beseitigt werden (siehe auch Anhang A).

14. Radio- und Mikrowellenstrahlung

Radio- und Mikrowellenstrahlung von Radio- und Fernsehgeräten, Sendestationen und Mobilfunksendern sind potentiell gesundheitsgefährdend. Oft haben wir festgestellt, daß Personen, die sich einen Kilometer von einer solchen Station entfernt befanden, bei einem entsprechenden Kinesiologietest schwach reagierten.

Satellitenschüsseln auf dem Haus gehören heutzutage auf der ganzen Welt zum Alltagsbild. Wir haben Kinesiologietests in einem zweistöckigen Haus durchgeführt, auf dessen Dach eine Satellitenschüssel installiert war. Die Testpersonen standen zuerst im Freien, etwa fünf Meter von der Schüssel entfernt und danach im Erdgeschoß direkt auf Höhe der Schüssel. Hier betrug der Abstand ebenfalls etwa fünf Meter. Bei diesem Abstand reagierten sie jedesmal schwach. Wurde der Abstand weiter vergrößert, reagierte ihr Immunsystem wieder stark. Warum? Wir gehen davon aus, daß durch den „Sogeffekt" der Schüssel ein Vielfaches an Energiefrequenzen aus großer Entfernung angezogen wird. Diese Strahlen treffen nicht ausschließlich direkt auf die Schüssel, sondern sind auch im Umkreis der Schüssel vorhanden. Diejenigen, die zum Beispiel weniger als fünf Meter von einer herkömmlichen Schüssel (Durchmesser bis ca. 1 m) entfernt sind, werden von der großen Energiemenge, die sich auch rings um die Schüssel befindet, „bombardiert" (siehe Abbildung 11.5).

Ein sicherer Abstand zu einer Satellitenschüssel mit einem Durchmesser von etwa einem Meter beträgt etwa 12 Meter, um auch die subtile Strahlung zu vermeiden. Bei größeren Schüsseln sollte der Abstand entsprechend weiter sein. Am besten installiert man die Schüssel möglichst weit vom Haus entfernt im Garten.

Abbildung 11.4: Signale und Frequenzen bewegen sich in Richtung Satellitenschüssel. Durch den starken Sogeffekt treffen diese nicht nur in einem konzentrierten Strahl auf die Schüssel, sondern auch um die Schüssel herum.

15. Elektromagnetische Strahlung

Die gefährlichste elektromagnetische Strahlung geht von Hochspannungsleitungen aus (siehe Abbildung 11.5).

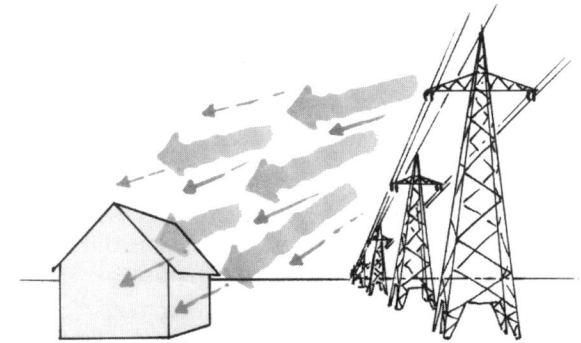

Abbildung 11.5: Hochspannungsleitung am Haus.

Untersuchungen haben ergeben, daß Personen, die im Umkreis von 50 Metern von einer Hochspannungsleitung leben, zu ernsthafteren Gesundheitsproblemen neigen. Sie leiden insbesondere unter chronischer Müdigkeit und Bluterkrankungen wie Leukämie und Krebs. Möglicherweise absorbieren die Wasserkristalle in den Körperzellen die elektrische Strahlung der Hochspannungsmasten. Diese Fremdstrahlung verursacht Energieblockaden im Körper. Diejenigen, die bis zu 100 Meter von einer Hochspannungsleitung entfernt leben, sind einer höheren Strahlenbelastung ausgesetzt.

Personen, die 100 Meter von der Hochspannungsleitung entfernt standen, testeten bei kinesiologischen Tests noch schwach, da die elektromagnetischen Schaltkreise im Körper sowie die Gelenke völlig geschwächt waren. War der Abstand größer als 150 Meter, testeten die Personen wieder stärker.

In manchen Fällen läuft auch folgender Prozeß ab: Die elektromagnetischen Strahlen durchdringen die Luft. Sie interagieren mit den in der Luft vorhandenen Mikroorganismen und Stoffen, und es entstehen für den Menschen belastende Schadstoffe im Umkreis von 200 – 300 Metern der Hochspannungsmasten. Die Anwohner neigen verstärkt zu Allergien, die darauf hinweisen, daß die Luftqualität nicht gut ist. Oft werden die Schadstoffe durch den Wind noch weitergetragen. Ein Sicherheitsabstand von mehr als 500 Metern sollte daher zwischen Häusern und Hochspannungsleitungen eingehalten werden.

Große elektrische Schaltstationen, die eine ganze Stadt oder ein Dorf versorgen sollen, sind sogar noch gesundheitsgefährdender, da die Strahlung wesentlich intensiver ist. Der Abstand zur nächsten Wohnsiedlung sollte 500 – 1 000 Meter betragen. Die Anwohner in solchen Gefahrenbereichen sollten ihrer Gesundheit zuliebe an einen Ort ziehen, der sicherer ist. Ein erster Hinweis auf intensive elektrische Strahlung ist eine allgemeine Müdigkeit, die verschwindet, wenn man umgezogen ist oder sich vorübergehend an einem anderen Ort länger aufhält, wie beispielsweise im Urlaub.

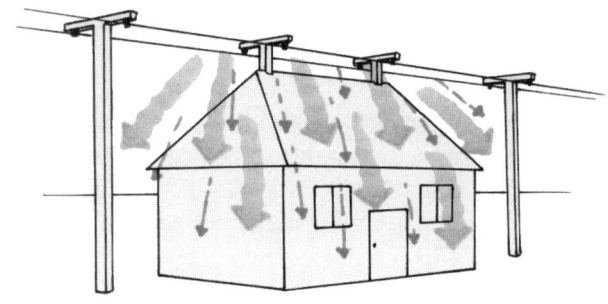

Abbildung 11.6A: Stromleitung auf dem Hausdach, die bis zu 20 Meter weit nach unten strahlt.

Besonders in Europa verlaufen häufig Stromleitungen über den Dächern der Häuser.

Diese Kabel strahlen bis zu 20 Meter weit nach unten ins Haus. Das bedeutet, daß insbesondere die subtile Strahlung ein zweistöckiges Haus völlig durchdringt. Das führt vor allem für die Bewohner im Ober- und Dachgeschoß zu einer extremen Belastung. Häufig klagen sie über Kopfschmerzen, Gedächtnisprobleme, Depressionen und Müdigkeit. Eine Abhilfe, zumindest gegen die subtile elektrische Strahlung, besteht darin, auf Höhe des Stromkabels im Dachstuhl natürlich gewachsene Bergkristalle zu befestigen.

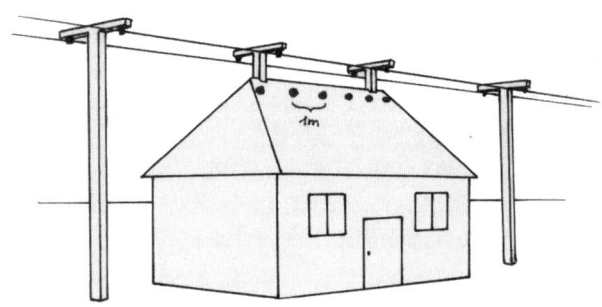

Abbildung 11.6B: Abhilfe: im Inneren des Dachstuhls werden unmittelbar auf Höhe der Leitung Bergkristalle befestigt. Diese sollten die dreifache Daumengröße eines Erwachsenen haben. Auf diese Weise wird die subtile elektrische Strahlung blockiert.

16. Shia Qi und Shah Qi

Shia Qi ist ein Begriff im Feng Shui, der „negative angreifende Energie" bedeutet. Viele Feng Shui-Berater verwenden diesen Begriff ganz allgemein und fassen unter *Shia Qi* alle Arten von negativer Energie zusammen, die den Menschen beeinträchtigen.

Meiner Erfahrung nach hängt Shia Qi jedoch mit der Energie der spirituellen Ebene und mit Geistern zusammen. So ist auf dem Friedhof das Shia Qi sehr stark, da hier zahlreiche Geister umherwandern.

Shah Qi oder „tötendes Qi" ist übermäßig starkes *Shia Qi* und kommt auf Ritualplätzen oder an Orten vor, die verflucht wurden, damit niemand sie betritt. Auch wenn es in einem Haus oder einer Wohnung spukt, sagen wir, daß das Haus *Shah Qi* hat. *Shah Qi* gibt es auch an Orten, wo brutale Morde oder Rituale stattgefunden haben, bei denen Menschen zu Schaden gekommen sind.

Manchmal haben Städte ein sehr hohes *Shah Qi*, weil dort grausame, blutige Kriege stattfanden. Viele deutsche Städte wie zum Beispiel Ulm, Regensburg und Berlin haben aufgrund von früherer Unterdrückung, Folterungen und Morden ein hohes *Shah Qi*.

Andererseits bezeichnen wir aber beispielsweise eine angreifende Zimmerecke nicht als *Shah Qi*, denn wir können sie sehen und ihre negativen Energien mit Abhilfen neutralisieren.

Negative Energie an Orten der Andacht

Menschen, die Probleme und Sorgen haben, gehen häufig an einen Ort der Andacht (Kirche, Moschee, Synagoge, Tempel, Kapelle etc.) und bitten um spirituelle Hilfe. Oft haben diese Menschen eine ungereinigte Aura, in die Geister eindringen können. Geister halten sich gern in der Umgebung von Andachtsstätten auf, in denen auch des öfteren Totenmessen oder vergleichbare Zeremonien stattfinden. Das lockt Geister an, die das Geschehen beobachten und die Seelen der Verstorbenen auf ihrer Ebene willkommen heißen.

Wir haben festgestellt, daß das *Shia Qi* und manchmal auch *Shah Qi* im Umkreis von 50 Metern um einem Andachtsort herum bis zu 90 % betragen kann. 50 – 100 Meter von diesem Ort entfernt nehmen diese negativen Energien langsam bis auf 30 – 40 % ab. Bei einem Abstand von 100 – 150 Metern reduzieren sie sich auf 20 – 30 %. Normalerweise kann man diese Energien bei einem Abstand von 200 Metern vernachlässigen.

Bei großen Andachtsstätten, die von einigen hundert bis tausend Menschen besucht werden, sind diese Negativenergien jedoch so stark, daß sie auch noch im Umkreis von 300 – 500 Metern festzustellen sind.

Insbesondere bei den alten Andachtsstätten, die seit hunderten oder tausenden von Jahren genutzt werden, wurden in früherer Zeit in der unmittelbaren Umgebung auch die Toten bestattet. Damals war es Brauch, die Toten im Umkreis von bis zu 200 Metern vom Andachtsgebäude entfernt zu begraben. Im Laufe der Jahre verschwanden die Grabsteine und Markierungen, und später hatte es den Anschein, als ob das Land nicht genutzt worden wäre. Dennoch sind die Energien der Toten, deren Gebeine dort bestattet wurden, noch vorhanden.

In Häusern, die über Gräbern gebaut wurden, haben die Bewohner häufig Probleme. Es gibt mehr Disharmonie in der Familie, mehr Unfälle und Selbstmorde, die durch *Shah Qi* und *Shia Qi* verursacht werden.

Daher wird empfohlen, daß die „Häuser der Lebenden" – Wohnhäuser also –, mindestens 300 Meter von einem Andachtsort entfernt gebaut werden. Ein guter Sicherheitsabstand beträgt aber 500 Meter.

Wenn man feststellt, daß ein Haus oder eine Wohnung *Shia Qi* oder *Shah Qi* hat, kann man zwei Symbole verwenden, die nach meinen Untersuchungen die Geister zwingen zu verschwinden. Die höchsten Symbole, die nach meinen Untersuchungen von Geistern respektiert werden, sind das *Pa'kua* (Abbildung 11.7) und *Salomons Siegel* (Abbildung 11.8). Beide können als Anhänger getragen werden. Man kann sie auch in einem Zimmer oder im Flur gegenüber der Eingangstür an die Wand hängen, um Geister abzuhalten.

Das Pa'kua und Salomons Siegel wurden zwar ursprünglich von den Chinesen beziehungsweise den Juden „entdeckt", können aber von Menschen aller Hautfarben und Nationalitäten verwendet werden.

Abbildung 11.7: Das chinesische Pa'kua des Früheren Himmels – hier mit dem Yin-Yang-Symbol, das gegen den Urzeigersinn dreht – ist das kraftvollste Schutzsymbol gegen Geister.

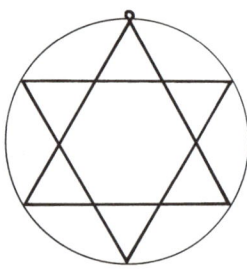

Abbildung 11.8: Salomons Siegel – Jüdisches Symbol mit starker Schutzwirkung.

17. Pflanzen und Bäume

Die positive und negative Wirkung von Pflanzen auf den Menschen wird in Kapitel 22 ausführlich behandelt.

18. Zu starke Raumenergie

Wenn sich der Haupteingang eines Hauses oder einer Wohnung direkt gegenüber einer Zimmertür befindet, wird der Großteil des hereinkommenden kosmischen Qi in diesen Raum gelenkt (siehe Abbildung 11.11). In diesem, für die westliche Bauweise typischen Beispiel, erhält der Raum gegenüber dem Eingang den größten Teil des kosmischen Qi, welches eigentlich für das gesamte Haus oder die Wohnung bestimmt ist. Zuviel kosmisches Qi wirkt erstickend und überwältigend, insbesondere wenn der Raum als Schlafraum genutzt wird. Mögliche Reaktionen sind Hyperaktivität, Gereiztheit und Schlaflosigkeit. Im Gegensatz dazu erhalten die übrigen Räume zuwenig Qi.

Wenn Sie ein Haus oder eine Wohnung kaufen, sollten Sie unbedingt auf die Raumanordnung achten und eine direkte Linie zwischen Eingangs- und Zimmertür vermeiden.

Eine verbreitete Abhilfe besteht darin, ein kleines Windspiel mit massiven Stäben und einer Stablänge von nicht mehr als 20 cm (siehe Abbildung 11.11) direkt unter der Decke, etwa eineinhalb Meter von der Eingangstürlinie entfernt, aufzuhängen, um den starken hereinkommenden Qi-Strom zu streuen. Dadurch kann ein Teil des Qi auch in die übrigen Räume fließen.

Zu hohe Raumenergie kann noch eine andere Ursache haben. So kann man auch zu viele Feng Shui-Hilfsmittel wie zum Beispiel Wasserfallbilder und Flöten verwenden und die Raumenergie damit auf über 150 % ansteigen lassen. Der kosmische Qi-Gehalt in Räumen sollte jedoch nicht mehr als 110 % betragen.

Viele Räume, die ungünstig geschnitten und in dem keine Feng Shui-Hilfsmittel vorhanden sind, haben normalerweise nur eine geringe kosmische Energie. Wenn wir in unseren Räumen die Energie durch Feng Shui-Maßnahmen extrem anheben, wird es schwieriger, sich an den starken Energieabfall zu gewöhnen, wenn wir uns später wieder in Räumen mit niedriger Energie aufhalten müssen.

Hier ein Beispiel für die Wirkung von zuviel Qi-Energie im Raum: Ein Feng Shui-Lernender aus Norddeutschland hatte die kosmische Qi-Energie in seinem Schlafzimmer bis auf 200 % angehoben, um sein Schlafbedürfnis von 8 auf 5 Stunden zu reduzieren. Die Energie war jedoch so hoch, daß er überhaupt nicht mehr schlafen konnte!

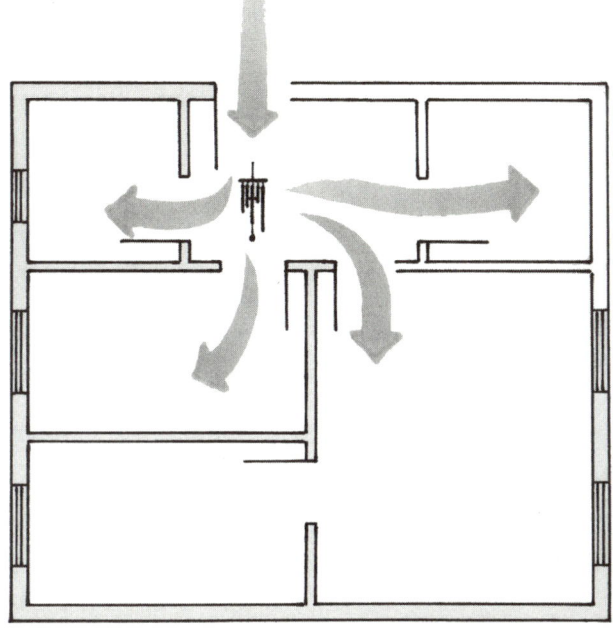

Abbildung 11.9: Das kleine Windspiel im Eingangsbereich streut das eintretende Qi.

19. Computer und Fernsehgeräte

Fernseh- und Computerbildschirme erzeugen sehr viel Elektrosmog, der sich in der Raumluft festsetzt. In Ländern mit kaltem Klima sind die Fenster oft geschlossen, und aufgrund mangelnder Lüftung kann sich der Elektrosmog tagelang in einem Raum halten. Starke Elektrosmogbelastung kann Allergien, Atemwegsbeschwerden und Schwellungen im Gesicht bewirken.

Im Schlafzimmer sollte man normalerweise keinen Computer aufstellen. Wenn das nicht zu vermeiden ist, empfehle ich, vor dem Schlafengehen 10 – 20 Minuten lang zu lüften und gegebenenfalls einen Ventilator einzuschalten, damit der Elektrosmog abziehen kann.

Von elektrischen Geräten gehen Radio-, Mikrowellen- und andere schädliche Strahlen aus, die die menschliche Aura angreifen und eine allgemeine Immunschwäche bewirken. Studien in Kanada und Großbritannien haben ergeben, daß bei Schwangeren, die lange vor dem Computerbildschirm gearbeitet hatten, das Risiko größer war, ein mißgebildetes Kind zu bekommen. Ein guter Schutz gegen die schädliche Strahlung von Computern und Fernsehgeräten ist ein echter Bergkristall (dreifache Daumengröße). Er wird vor den Bildschirm gestellt, um die negativen angreifenden Strahlen zu streuen. Ein natürlich gewachsener Bergkristall mit einer Spitze kann ebenfalls verwendet werden. Die Spitze muß jedoch auf den Bildschirm gerichtet sein.

Starke Strahlung geht auch von der Rückseite eines Fernsehgerätes oder Computers aus. Deshalb sollte zusätzlich ein Bergkristall von obengenannter Größe hinter dem Bildschirm oder dem Fernsehgerät aufgestellt werden, falls sich eine Person weniger als drei Meter davon entfernt aufhält.

Eigentlich sollte niemand direkt hinter einem Bildschirm oder Fernsehgerät sitzen. Bei Messungen wurde festgestellt, daß ein eingeschaltetes Fernsehgerät, das an einer 12 cm dicken Wand stand, durch die Wand hindurch strahlte. Eine Person, die sich im Nebenraum 30 cm entfernt von der Wand hinter dem Fernsehgerät aufhielt, konnte daraufhin die ganze Nacht nicht schlafen. Selbst eine Wand von 20 cm Dicke kann die starke, durchdringende elektromagnetische Strahlung des Fernsehgerätes nicht abhalten. Wir können uns jetzt die Auswirkungen vorstellen, wenn eine Person ungeschützt am Computer-Bildschirm oder weniger als vier Meter von einem Fernseher entfernt sitzt.

„Angreifende" Formen und Strukturen

Kapitel 12

Unser Haus ist mit unserem Körper gleichzusetzen. Alle ungünstigen Formen, die in der Umgebung unseres Hauses vorhanden sind, wirken auf unser Haus und damit auch auf unseren Körper wie ein „Angriff". Dieser kann sich emotional, mental, physisch und spirituell auf uns auswirken.

Zu den negativen Formen gehören scharfkantige, spitze Objekte, ein langer gerader Pfosten oder eine Struktur, die nach oben zeigt und dem Haus oder der Wohnung gegenübersteht. Aufgrund seiner langen Evolutionsgeschichte faßt der Mensch scharfkantige oder spitze Gegenstände und Strukturen als Gefahr auf, da diese früher als Waffen verwendet wurden. Wir haben dieses Bewußtsein von unseren Vorfahren geerbt und werden unbewußt nervös, wenn diese Art von Formen und Strukturen unmittelbar auf uns gerichtet sind. Auch wenn wir die scharfe Kante einer Mauer nicht direkt sehen können oder nicht bewußt wahrnehmen, weiß unser Unterbewußtsein, daß diese Gefahr vorhanden ist. Daher fühlen wir uns unwohl, wenn wir uns an jener Stelle aufhalten, auf die die Kante ausgerichtet ist. Unser Instinkt sagt uns, daß Gefahr droht und wir den Platz wechseln sollten, um die scharfe, an-

105

greifende Kante zu vermeiden. Nachfolgend sind einige verbreitete negative Strukturen beschrieben, die sich außerhalb unseres Hauses befinden können:

Der Dachgiebel „greift" das Nachbarhaus an

In Abbildung 12.1 zeigt der spitze Giebel von Gebäude B direkt auf die Haustür von Gebäude (A). Im Feng Shui repräsentiert die Haustür den Mund der Bewohner. Das bedeutet, daß die gesamte physische und spirituelle Energie sowie alle Bewohner von (B) den „Mund" von Gebäude (A) und daher den Mund der Hausbewohner von (A) angreifen. Wenn das Gebäude (B) größer als (A) ist oder mehr Bewohner hat, dann wirkt der Angriff stärker.

Eine solche aggressive Attacke von (B) verursacht unbewußt Angst und wirkt sich sehr negativ auf die Gesundheit der Bewohner von (A) aus. Die Bewohner von (A) neigen auch zu mehr Verdauungs- und Herzproblemen und haben eher eine verkürzte Lebensspanne. Bei einem äußerst starken Angriff besteht die Gefahr, daß eine Schlüsselperson im Haus (A) nicht lange lebt und eines plötzlichen Todes sterben kann (zum Beispiel durch Herzinfarkt, Gehirnblutung oder Unfall).

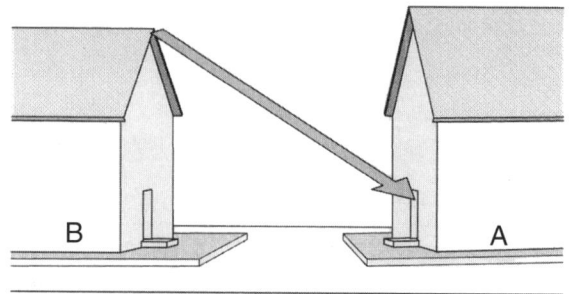

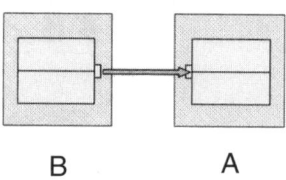

Abbildung 12.1: Direkter Angriff eines spitzen Dachgiebels auf die Haustür.

Die beste Abhilfe gegen die Giebelattacke besteht darin, daß man den Giebel abdeckt und damit den Angriff neutralisiert (siehe Abbildungen 12.2A – C).

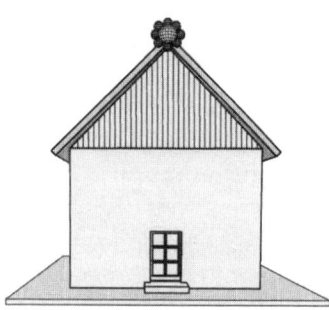

Abbildung 12.2A: Eine Scheibe mit Blütenmuster (eine günstige Zahl sind 8 Blütenblätter) wird am Giebel befestigt.

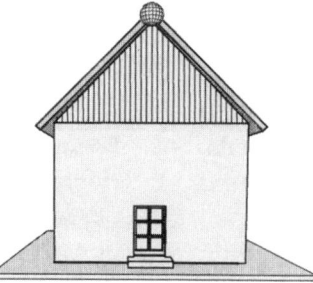

Abbildung 12.2B: Eine Scheibe deckt den Giebel ab.

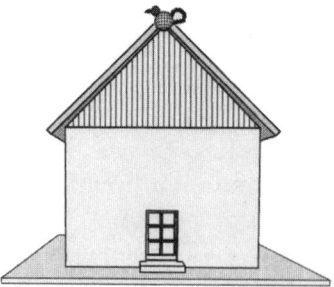

Abbildung 12.2C: Eine Tierform neutralisiert den angreifenden Giebel (häufig bei Bauernhäusern in Süddeutschland oder Österreich zu finden).

Wenn man die Nachbarn nicht dazu bewegen kann, die Giebelspitze, wie oben gezeigt, abzudecken, dann müssen die Bewohner von Haus A mit einer Abhilfe (siehe Abbildung 12.3) arbeiten – oder innerhalb von sechs Monaten ausziehen, da das angreifende negative Qi überwältigend ist.

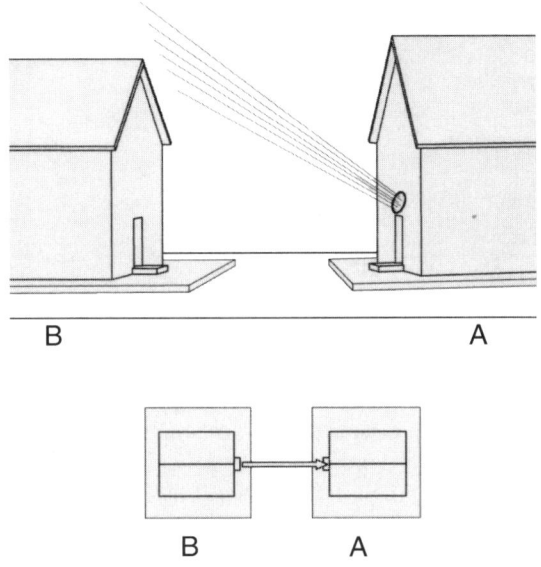

Abbildung 12.3: Spiegelabhilfe bei Dachgiebelangriff.

In Abbildung 12.3 befestigen die Bewohner von (A) einen Konkavspiegel (Vergrößerungsspiegel von ca. 17 – 20 cm Durchmesser) über ihrer Eingangstür. Ganz wichtig: der Spiegel ist auf den Bereich knapp oberhalb des angreifenden Dachgiebels ausgerichtet. Die diagonale Reflexion nach oben macht die angreifenden Energie unschädlich.

Wäre der Spiegel direkt auf das gegenüberliegende Haus ausgerichtet, würde dies wiederum einen Gegenangriff von (A) auf (B) bedeuten, was jedoch zu vermeiden ist.

Wenn ein Konkavspiegel im Freien aufgehängt wird, muß er wöchentlich geputzt werden, ansonsten verliert er seine Wirkung. Bequemer ist es, wenn sich über der Haustür eine Scheibe aus durchsichtigem Glas befindet und der Spiegel dahinter aufgestellt wird. So ist er geschützt und braucht nicht so häufig poliert zu werden.

Viele Feng Shui-Berater schlagen vor, einen Pa'kua-Spiegel (Acht Trigramme-Spiegel, siehe Kapitel 22) zu verwenden, um den Angriff abzuwenden. Ein Pa'kua-Spiegel wird jedoch nur eingesetzt, um die Bewohner vor dem Shah Qi von Geistern zu schützen. Bei einem „physischen" Angriff eines Giebels ist dieser Spiegel nutzlos.

In Abbildung 12.4 greift der spitze Dachgiebel von Gebäude (B) die Vorderseite von (A) an. Die Vorderseite eines Hauses steht für das Gesicht der Bewohner. Es ist so, als ob die Gesichter der Hausbewohner von A attackiert würden. Die Bewohner leiden in diesem Fall möglicherweise unter Krankheiten oder Unfällen im jeweiligen Bereich des Gesichts. Wir empfehlen Abhilfen wie in den Abbildungen 12.2A – C oder die Spiegelabhilfe wie in Abbildung 12.3.

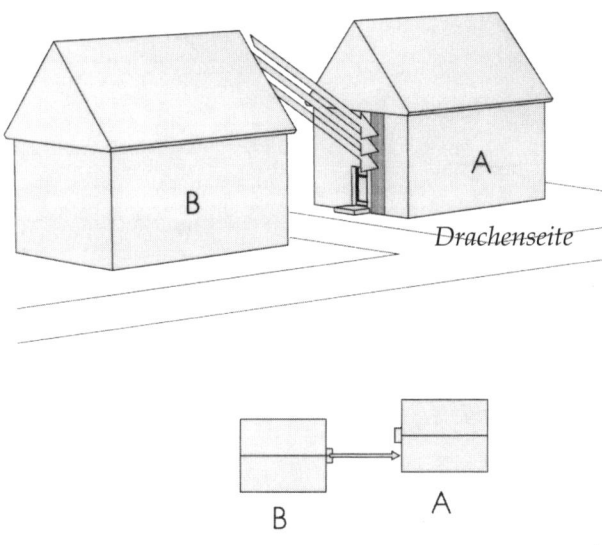

Abbildung 12.4: Dachgiebelangriff seitlich der Tür.

In Abbildung 12.5A greift der spitze Giebel von (B) die linke Seite von (A) an. Die linke Seite wird auch als Drachenseite bezeichnet und hat eine Yang- oder männliche Qualität. Männer in (A) und (B) sind daher eher unfreundlich und streiten sich häufiger. Wenn Gebäude (B) zweistöckig oder höher ist, dann sind die Abhilfen in Abbildung 12.2A – C oder 12.5B zu empfehlen.

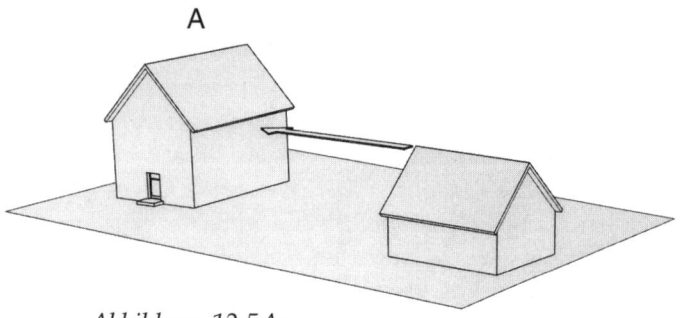

Abbildung 12.5A:
Der Giebel von B „greift" A im Bein- oder Oberschenkelbereich an. Abhilfe: Eine Flechtwand, um den Giebelangriff abzuwehren.

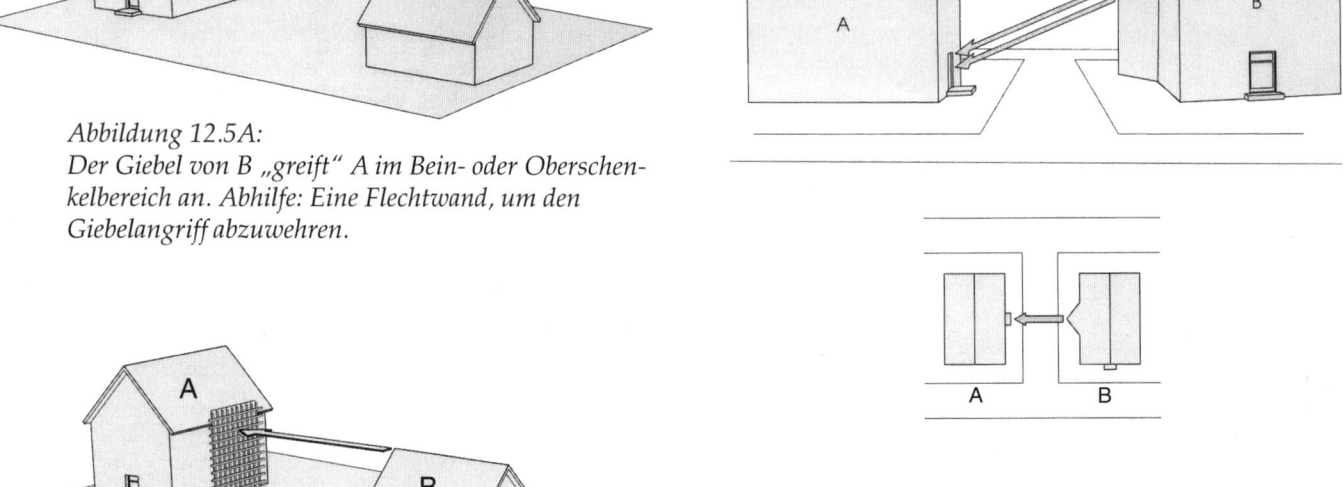

Abbildung 12.5B:
Ein hoher Flechtzaun aus Bambus oder Holz mit Kletterpflanzen, um die angreifenden Energien des Giebels von B abzuwehren.

Abbildung 12.6A: Die spitze Dachkante von Gebäude B greift den Eingang von A an. Die Bewohner von A sind ängstlicher und haben Probleme im Mundbereich.

Seitlicher Angriff des Daches auf das Nachbarhaus

In Abbildung 12.6A greift die scharfe Kante von Gebäude B die Eingangstür von Haus A an. Die scharfe Kante schneidet wie eine Klinge in das Gebäude A. Dieses negative Angriffsmerkmal ist nur halb so gefährlich wie ein angreifender Dachgiebel. Man kann zum Schutz ähnliche Abhilfen wie beim Giebelangriff verwenden. Beim Anbringen des Spiegels ist darauf zu achten, daß er nicht direkt auf den angreifenden „Pfeil" oder auf das Haus, sondern knapp darüber ausgerichtet ist. Wäre der Spiegel direkt auf das Haus ausgerichtet, käme das wiederum einem Gegenangriff gleich.

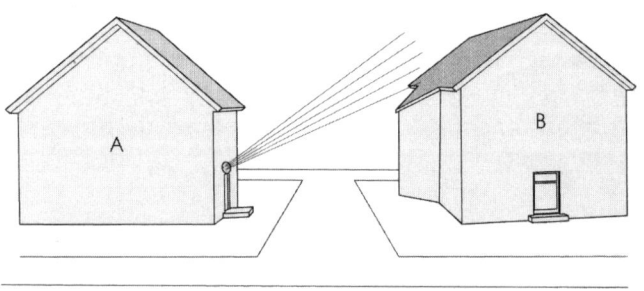

Abbildung 12.6B: Abhilfe: Man stellt einen Konkavspiegel auf, der knapp über den angreifenden Pfeil gerichtet ist. Der Spiegel darf nicht direkt aufs Haus zeigen.

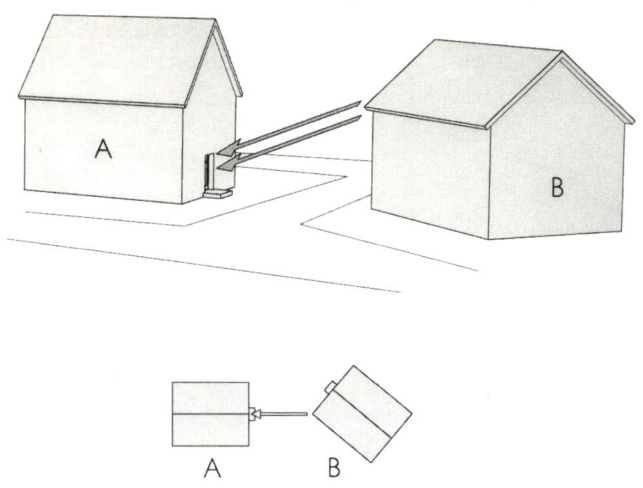

Abbildung 12.7A: Die angreifende Dachkante von Gebäude B verursacht Unbehagen bei den Bewohnern von A.

Grundsätzlich ist der Angriff einer Dachkante im Vergleich zum Giebelangriff nur ein Viertel so stark. Er verursacht jedoch Störungen und Unbehagen. Bei Menschen mit einer schwächeren Konstitution oder bei älteren Menschen kann dieser Angriff eine Schwächung des Immunsystems und damit vermehrt Gesundheitsprobleme verursachen. Wenn die scharfe Kante auf ein Fenster zeigt, haben die Menschen in diesem Raum vermehrt Augenprobleme.

Man verwendet als Abhilfe einen Konkavspiegel (Abbildung 12.3) oder einen Flechtzaun (Abbildung 12.5B). Wenn ein Fenster angegriffen wird, kann auch ein Windspiel oder ein echter Bergkristall (dreifache Daumengröße) in die Mitte des Fensters gehängt werden, um den Angriff abzublocken (siehe Abbildungen 12.7B und 12.7C).

Die genannten „Angriffe" wirken sich nicht nur auf die Gesundheit ungünstig aus. Meiner Erfahrung nach verbessert sich insbesondere bei den seitlichen Angriffen eines Hauses das nachbarschaftliche Verhältnis erheblich, wenn die entsprechenden Abhilfen installiert worden sind.

Abbildung 12.7B: Ein Windspiel in der Mitte des Fensters schirmt gegen die Dachkante ab.

Abbildung 12.7C: Ein echter Bergkristall, der in die Mitte des Fensters gehängt wird, schirmt ebenfalls gegen die Dachkante ab.

„Angriff" von Bäumen auf die Haustür

Viele Häuser sind von Bäumen umgeben. Bäume spenden Schatten, kühlen das Haus und halten starken Wind und Stürme ab. Sie erzeugen frische Luft, die günstig für Mensch und Umwelt ist.

Man sollte jedoch darauf achten, daß die Bäume nicht in direkter Linie zur Haustür oder vor einer Glaswand stehen. Der frei sichtbare gerade Stamm eines Baumes direkt vor dem Eingang käme nämlich einem Angriff auf den Mundbereich aller Hausbewohner gleich (siehe Abbildung 12.8A auf der nächsten Seite).

Abbildung 12.8A: Baum mit sichtbarem, geraden Stamm vor der Tür.

In Abbildung 12.8A greift der Baum mit seiner gesamten Energie das Haus und seine Bewohner an. Das führt insbesondere im Mund- und Herzbereich zu Gesundheitsproblemen. Wenn der Stamm jedoch von Blättern und kleinen Zweigen bedeckt ist (siehe auch Kapitel 23), stellt das keinen Angriff dar. Wenn ein solcher großer Baum breiter ist als die Eingangstür und in direkter Linie weniger als 10 Meter davon entfernt steht, greift er zwar nicht an, blockiert aber gutes Qi. Bäume oder buschige Pflanzen, die in direkter Linie zur Haustür stehen, sollten am besten 50 – 70 Meter weit entfernt stehen, damit sie einfließendes Qi nicht blockieren.

Ein Hauseingang wird auch nicht angegriffen, wenn vor einem geraden Stamm weitere buschige Bäume oder Gehölze stehen und ihn verdekken. Wenn die Bäume im Herbst jedoch die Blätter verlieren, ist der Stamm wieder frei sichtbar und kann dadurch angreifen. Die Stärke des Angriffs hängt jedoch von drei Faktoren ab:

a) Je größer der Baumstamm ist, desto gefährlicher ist er für die Hausbewohner.

b) Ein gerader Stamm ist gefährlicher als ein gebogener. Je stärker ein Stamm oder Ast gekrümmt ist, desto weniger gefährlich ist er.

c) Für den Abstand zwischen Baum und Haus gilt folgendes: Die Angriffswirkung ist innerhalb von 10 Metern am stärksten. Wind, vorbeifahrende Fahrzeuge und andere Umweltbedingungen helfen, die negative Wirkung abzuschwächen. An Tagen, an denen es jedoch windstill ist, wird selbst ein Baumstamm in einer Entfernung von 70 – 100 Metern noch als Angriff betrachtet.

Abhilfen, die die negative Energie eines Baums mit frei sichtbarem Stamm neutralisieren:

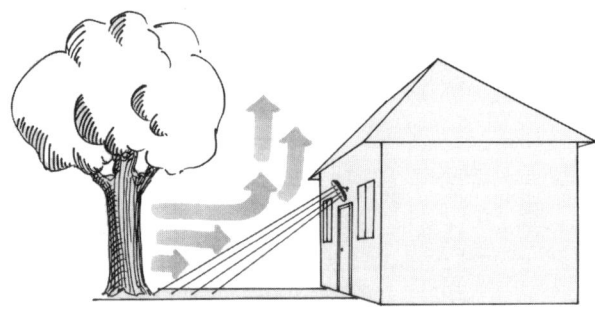

Abbildung 12.8B: Konkavspiegel als Abhilfe.

In Abbildung 12.8B wird ein Konkavspiegel mit einem Durchmesser von 12 – 15 cm über der Eingangstür angebracht. Er zeigt nach unten auf den Boden vor den Baumstamm, um die angreifende Energie zu streuen. Der Konkavspiegel sollte vom Baum aus sichtbar sein und am besten hinter einem Glasfenster über der Tür angebracht sein. So ist er nicht der Witterung ausgesetzt und braucht seltener geputzt zu werden. Ein Feng Shui-Spiegel muß immer sauber sein, damit er wirken kann.

Abbildung 12.8C: Flechtzaun gegen „Baumangriff".

Wenn ein frei sichtbarer Baumstamm 15 – 20 Meter von der Tür entfernt steht, kann man auch einen Flechtzaun errichten, der den Baumstamm verdeckt und damit die Angriffsenergie blockiert (siehe Abbildung 12.8C).

„Angriff" durch Pfosten und Pfähle

Häufig sieht man Laternenpfähle, Strommasten, Bushaltestellenschilder, Verkehrszeichen sowie Hydranten direkt in der Eingangstürlinie. Diese negativen Strukturen vor einer Eingangstür stellen ebenfalls einen Angriff auf den „Mund" des Hauses und dessen Bewohner dar.

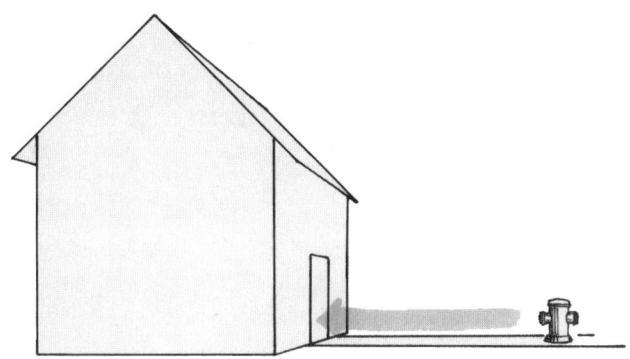

Abbildung 12.9C: Angriff durch einen Hydranten.

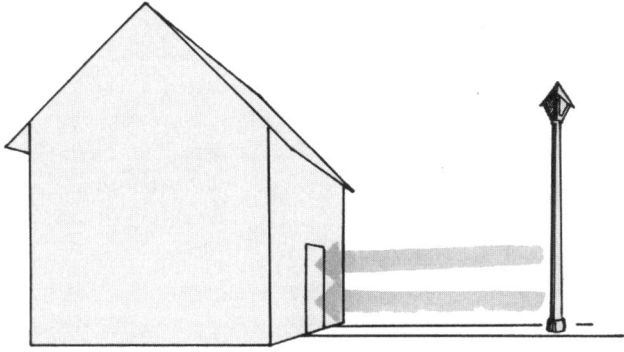

Abbildung 12.9A: Angriff durch einen Laternenpfahl.

„Angriff" von Bäumen und Pfosten auf Fenster und Glaswände

Die Fenster eines Hauses sind mit den Augen eines Menschen zu vergleichen. Gerade Formen wie Pfosten, frei sichtbare gerade Baumstämme oder Äste, die direkt vom Fenster eines Raumes aus zu sehen sind (Abbildungen 12.10A – C) bedeuten einen Angriff auf die Augen der Hausbewohner, insbesondere auf diejenigen, die dieses Zimmer bewohnen. Das kann zu Augen-, Leber- und allgemeinen Gesundheitsproblemen führen. Abhilfen siehe Abbildungen 12.11A – D.

In vielen modernen Gebäuden werden anstelle von festen Mauern Glaswände verwendet, die für eine bessere Aussicht und mehr Licht und Wärme sorgen. Direkt vor den Glasflächen sollten sich keine frei sichtbaren geraden Baumstämme, Lampenpfosten, Fahnenstangen und ähnlich strukturierte Gegenstände befinden. Ein frei sichtbarer Baumstamm beispielsweise würde auch in diesem Fall das Gebäude und dadurch die Bewohner angreifen.

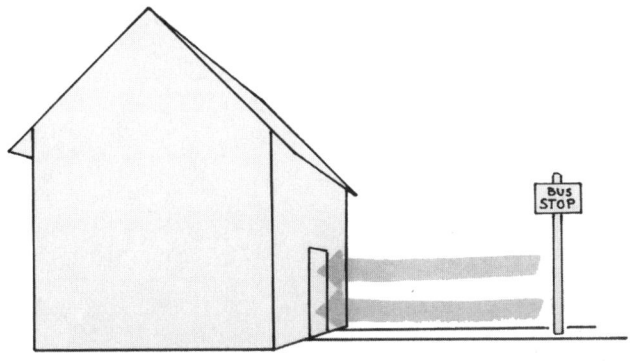

Abbildung 12.9B: Angriff durch ein Haltestellenschild.

Man verwendet die gleiche Abhilfe wie für die in den Abbildungen 12.7A bis 12.9C dargestellten Probleme.

Abhilfen bei den genannten „Angriffen"

Achtung: Geschliffene „Kristalle" aus Glas- oder Bleikristall haben nicht die gewünschte Wirkung.

Abbildung 12.10A: Gerader Baumstamm vor dem Fenster.

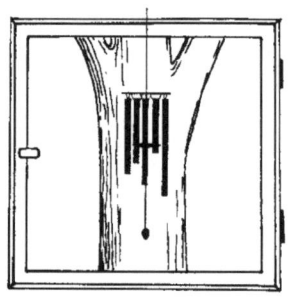

Abbildung 12.11A: Man hängt ein Windspiel auf Höhe des Baumstamms oder in die Mitte des Fensters.

Abbildung 12.10B: Bushaltestellenschild vor dem Fenster.

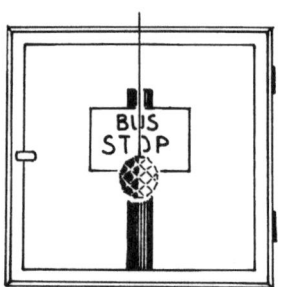

Abbildung 12.11B: Hängen Sie einen Bergkristall mit einem Durchmesser von 3 cm und einer Länge von 4 cm vor den angreifenden Gegenstand oder in die Mitte des Fensters.

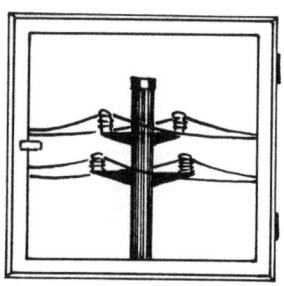

Abbildung 12.10C: Strommast vor dem Fenster.

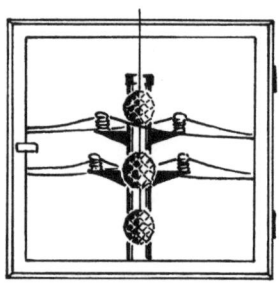

Abbildung 12.11C: Strommast vor dem Fenster. Hängen Sie mehrere Bergkristalle untereinander auf.

Abbildung 12.11D: Man befestigt innen vor der Glaswand einen Konkavspiegel (12 – 15 cm Durchmesser), der direkt auf den Fuß des Strommastes gerichtet ist, um die Angriffsenergie zu streuen.

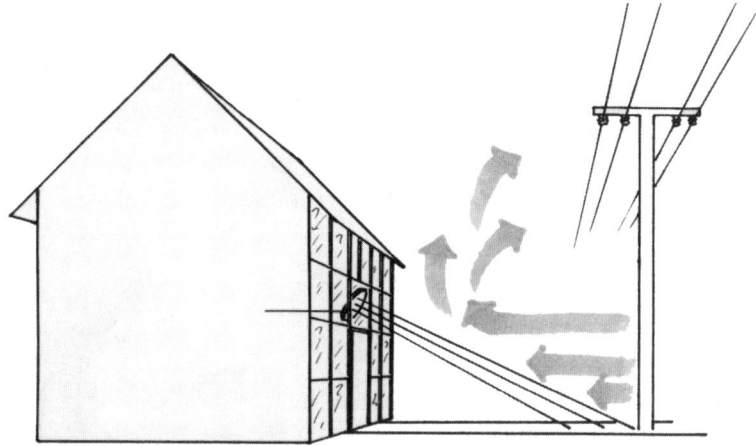

Es gibt noch eine zweite Möglichkeit, den angreifenden Strommast zu entschärfen (siehe Abbildung 12.11D oben).

Wenn ein Baum mit frei sichtbarem Stamm oder lange Pfosten auf der Höhe einer durchgehenden Hauswand stehen, ist das nicht negativ, da die massiven Wände den äußeren Schutzmantel des Hauses darstellen. Glaswände sind transparenter und viel zerbrechlicher als normale Wände. Daher bieten sie keinen Schutz vor den angreifenden Energien von außen – selbst bei vorgezogenem Vorhang.

Die Auswahl von Grundstücken

Kapitel 13

In China sagt man: „Wenn man ein gutes Grundstück auswählt, ist es, als ob man einen guten Mentor trifft." Ein guter Platz verstärkt die harmonische Entwicklung und das Wachstum der Familie und führt zu großem Wohlstand.

Ein Grundstück ist ein Ort, an dem die Familie verwurzelt ist. Hier liegt der Grundstein für ihren Erfolg und den zukünftiger Generationen. Ein nach Feng Shui-Prinzipien schlechter Platz unterwandert und zerstört Wohlstand, Nachkommenschaft und die Gesundheit einer Familie.

Nachfolgend finden Sie einige Richtlinien für die Auswahl Ihres Grundstücks. Sie sind auch hilfreich, wenn Sie bereits ein Haus haben und Feng Shui-Richtlinien berücksichtigen möchten.

1. Lassen Sie am besten von einem Feng Shui-Berater überprüfen, ob das Grundstück und die Gegend mit Ihnen und Ihrer Familie in Harmonie steht. Oft fördert ein gutes Grundstück keinen Wohlstand, weil es mit einem älteren Familienmitglied nicht in Harmonie steht. Wenn keine Harmonie mit dem Grundstück besteht, kann das zu Gesundheitsproblemen führen.

2. Untersuchen Sie den Boden. Eine guter Boden sollte fruchtbar und leicht feucht sein, was anzeigt, daß das Qi des Bodens lebendig ist und das Wachstum fördert. Prüfen Sie, ob das Land ein Boden-Qi von 80 – 100 % hat. Das kosmische Qi aus dem Universum beträgt zwischen 80 – 100 %, als Ausgleich brauchen wir für eine gute „Erdung" ein ebenso hohes Erd-Qi (siehe Abbildung 13.1).

Qi aus dem Universum

Erd-Qi

Abbildung 13.1: Ein Platz mit einem Erd-Qi unter 70 % (beispielsweise mit sumpfigem Untergrund oder unterirdischen Kohlevorkommen) ist für Menschen als Wohnort ungeeignet. Schädliche Gase und negative Energie können aus dem Boden aufsteigen und unnötige Gesundheitsprobleme verursachen.
Das vom Universum kommende Qi mit Yang-Charakter beträgt 80 – 100 %. Das Erd-Qi mit Yin-Charakter sollte für eine gute Erdung und Ausgeglichenheit 80 – 100 % betragen.

3. Stellen Sie sicher, daß die Grundstücksform und die Landschaft harmonisch sind.

4. Untersuchen Sie das Grundstück auf gefährliche Erdverwerfungen und geopathische Störfelder wie Wasseradern, die besonders in den Schlafzimmern und Arbeitsbereichen vermieden werden sollten.

5. Ein ideales Grundstück sollte an einem ruhigen Gewässer wie einem See, einer stillen Meeresbucht, einem langsam fließenden Bach, einem Fluß oder einem großen Teich liegen. Vor dem Haus kann auch ein Springbrunnen installiert werden.

6. Auf der Rückseite des Grundstücks erhebt sich im Idealfall ein grüner Hügel oder ein sanft gerundeter Berg und wirkt als Rückendeckung (siehe Abbildung 13.2A – D).

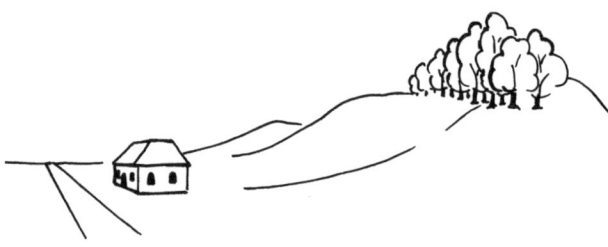

Abbildung 13.2A: Haus am Hang mit Bäumen.

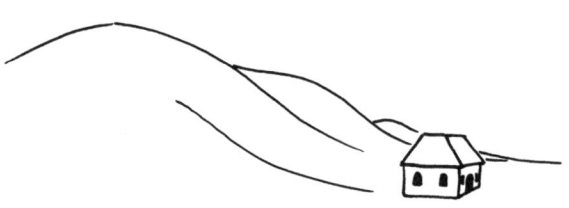

Abbildung 13.2B: Hinter dem Haus liegt ein Hügel.

7. Das Grundstück sollte nach der Formation der Vier Tiere strukturiert sein.

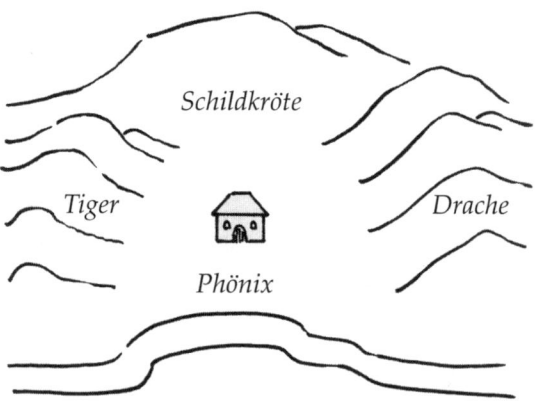

Abbildung 13.2C: Formation der Vier Tiere.

8. Ein Grundstück sollte etwas erhöht liegen – jedoch nicht ganz oben auf einem Berg oder Hügel, auf dem es ständigem Wind ausgesetzt ist. Es sollte so liegen, daß das Wasser immer gut abfließen kann.

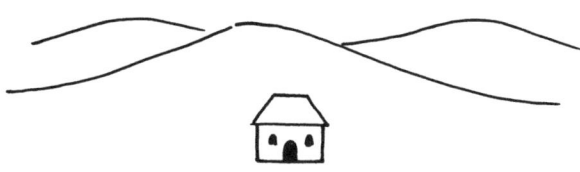

Abbildung 13.2D: Ein geschützes Haus am Hang ist günstig.

9. Steile oder zerklüftete Hügel und Berge auf der Rückseite meiden Sie am besten oder halten einen Abstand von 3 – 5 km (siehe Abbildungen 13.2 E und F).

Abbildung 13.2E: Ein ungünstiger Platz. Die zerklüfteten, spitz und unregelmäßig geformten Hügel bewirken starke Windturbulenzen. Menschen, die weniger als 5 km von diesen Formationen entfernt leben, neigen eher zu emotionalen Problemen und einem unausgeglichenen Hormonhaushalt.

Abbildung 13.2F: Ein Steilhang hinter dem Haus ist ungünstig. Die Bewohner haben Angst vor herabfallenden Felsen. Hier gibt es viele Windturbulenzen. Die dadurch enstehende trockene Luft verursacht trockene Haut sowie Lungen- und Nierenprobleme.

10. Grundstücke in einem tiefen Tal sind ungeeignet, da es viele unterirdische Wasserläufe und mögliche Erdrutsche gibt (siehe Abbildung 13.2G, Platz A). Der lockere Untergrund erzeugt ein Gefühl der Instabilität. An den Hauswänden können Risse entstehen.

11. In einer hügeligen Landschaft sollte das Haus weiter oben auf dem Hügel gebaut werden (siehe Abbildung 13.1G, Platz B).

Abbildung 13.2G: Ungünstiger Platz im Tal (A) und günstiger Platz am Hang (B).

12. Wählen Sie auf keinen Fall ein Grundstück, das weniger als 100 m vom Ende einer Sackgasse oder einer T-Kreuzung entfernt ist (siehe Abbildungen 13.3A und B). Diejenigen, deren Haus an einer solchen Stelle steht, haben unbewußt Angst, daß ein Auto nicht bremsen kann und direkt ins Haus fährt. Das Haus ist vermehrt den giftigen Abgasen und Staub ausgesetzt, den die Fahrzeuge durch den Fahrtwind mit sich bringen.

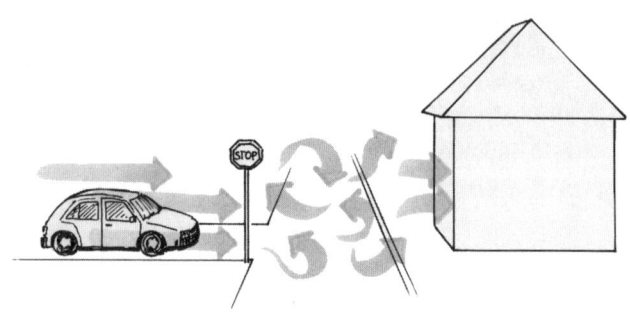

Abbildung 13.3C: Das heranfahrende Auto bringt eine Turbulenz mit sich, die direkt auf das Haus zugeht. Giftige Abgase und Staub treffen auf das Haus.

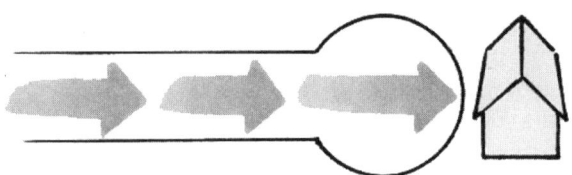

Abbildung 13.3A: Sackgasse.

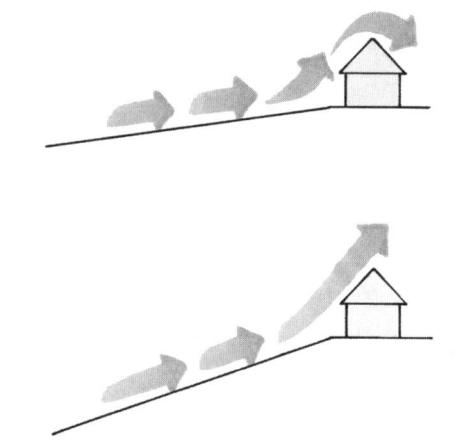

Abbildung 13.3D und 13.3E: Sackgasse am Hang.

Befinden sich eine Sackgasse oder T-Kreuzung am Hang, fahren die Autos normalerweise langsamer und die negative Wirkung verringert sich (Abbildungen 13.3D-E).
Wenn die Sackgasse oder T-Kreuzung bergab liegt, ist die Negativwirkung verstärkt.

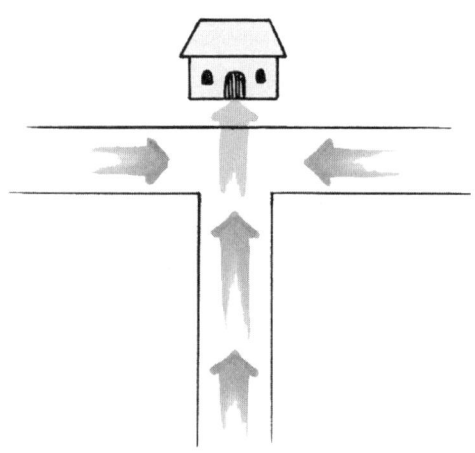

Abbildung 13.3B: T-Kreuzung.

Die Bewohner am Ende einer häufig befahrenen Sackgasse oder T-Kreuzung neigen zu mehr Herz- und sonstigen Gesundheitsproblemen (Abbildung 13.3C).

Abbildungen 13.3F und 13.3G: Sackgasse bergab.

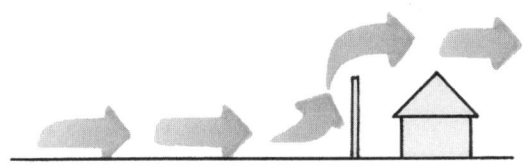

Abbildung 13.4A: Abhilfe – Feste Mauer.

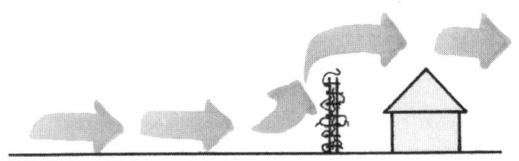

Abbildung 13.4B: Abhilfe – Bewachsener Flechtzaun.

Grundstücke am Ende einer Straße sollte man am besten vermeiden. Wer jedoch dort schon wohnt, kann die gezeigten Abhilfen verwenden.

In Asien sieht man recht häufig hohe Mauern wie in Abbildung 13.4A, die auf der Straßenseite entlang des Hauses verlaufen. Die Mauern können bis zu 5 m hoch sein, um das Haus vor der angreifenden Energie der Fahrzeuge und den giftigen Abgasen abzuschirmen.

Eine weniger teure Abhilfe sind dicke Flechtzäune oder Spaliere mit Pflanzen wie Efeu oder anderen Kletterpflanzen. Diese Abhilfe ist zwar schnell installiert, sie ist jedoch nicht die beste, denn es dringen weiterhin giftige Abgase ins Haus ein (Abbildung 13.4B).

13. Ein Grundstück seitlich am Hang oder an einem Felsen (wie in den Abbildungen 13.5A und 13.5B) ist ungünstig. Diese Grundstücke haben keine feste Rückendeckung, was bedeutet, daß die Bewohner „nichts im Rücken" haben und keine Unterstützung von anderen erwarten können. Normalerweise mangelt es ihnen an Geld und Nachkommen. Es ist für sie schwierig, ihre Arbeitsstelle länger zu behalten. Die Bewohner haben ständig Angst vor Erdrutschen.

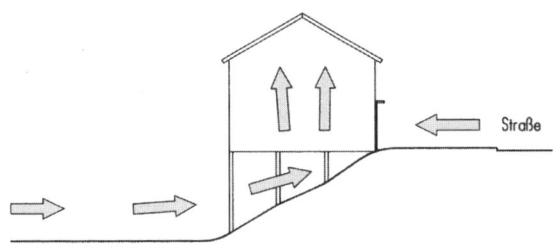

Abbildung 13.5A: Dieses Haus hat keinen festen Rückhalt und ein schwaches Fundament. Es mangelt an Wohlstand. Zu starkes Erd-Qi verursacht Gesundheitsprobleme.

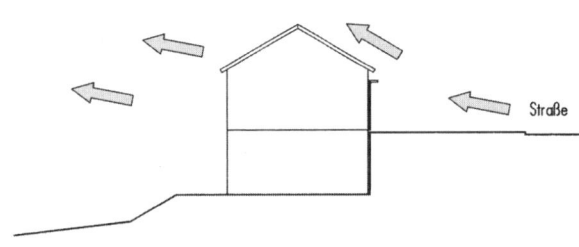

Abbildung 13.5B: Diesem Haus fehlt die feste Rückendeckung, es hat wenig Qi. Die Bewohner müssen für ihren Erfolg hart arbeiten.

14. Ein Grundstück liegt direkt an einem schnellfließenden Gewässer. Auch diese Lage ist ungünstig, da die äußerst starke Wasserenergie zu viel kalte Yin-Energie erzeugt. Sie dringt ins Haus ein und verursacht Gesundheitsprobleme.

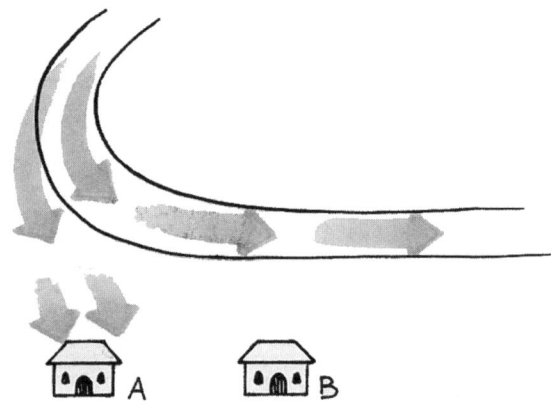

Abbildung 13.6A: Häuser in der Flußbiegung. Die günstigere Lage hat Haus B.

Die Häuser in Abbildung 13.6A liegen direkt an einem schnellfließenden Fluß. Schnellfließend bedeutet, daß das Wasser mindestens 1 Meter in 6 – 8 Sekunden zurücklegt. Obwohl der Fluß nach rechts abbiegt, bewegt sich seine Energie weiter auf das Haus zu und greift es an. Die Bewohner fühlen sich bedroht und haben aufgrund von Kälte und Feuchtigkeit Gesundheitsprobleme, wie zum Beispiel rheumatische Beschwerden.

Auch wenn man als Abhilfe große dichte Büsche auf der Flußseite des Hauses pflanzen kann, reduzieren diese die negative Wirkung nur um etwa 50 %. Die starke negative Yin-Energie des Flusses kann nicht vollständig abgeblockt werden. Falls sich der Eingang auf der Fluß-Seite des Hauses befindet, sollte man ihn auf eine günstigere Seite verlegen.

Wenn es sich andererseits um einen nur 1 – 2 m breiten Bach handelt, der direkt auf das Haus zufließt, und das Haus mindestens 50 m vom Ufer entfernt steht, wirken die Energien des Baches und das Qi erfrischend und bringen Wohlstand. In diesem Fall sollten aber ebenfalls einige niedrige buschige Pflanzen entlang dem „angreifenden" Bach gepflanzt werden.

15. Meiden Sie ein Grundstück, das in einem Windkanal liegt. In Abbildung 13.7 sehen wir ein sehr ungünstiges und gefährdetes Grundstück. Die Hügelketten, die in der Nähe des Hauses immer weiter zusammenlaufen, bilden einen Windkanal, so daß der Wind das Haus angreift. Man kann täglich mit starkem Wind rechnen. Die Bewohner können vermehrt unter Depressionen, Herz- und Nierenproblemen leiden. Ein solcher Platz sollte am besten ganz gemieden werden.

Abbildung 13.6B: Büsche als Abhilfen.

Abbildung 13.7: Haus im Windkanal.

Orte, die für Bauplätze nicht geeignet sind

Sorgen Sie dafür, daß sie nicht in der Nähe folgender Orte wohnen, oder halten Sie, wenn nicht anders angegeben, mindestens 500 - 1 000 Meter Abstand:

a) Friedhöfe – wandernde Geister und die übermäßig starke Yin-Energie sind für menschliche Siedlungen nicht geeignet.

b) Kirchen, Tempel, Moscheen oder andere Andachtsorte: Die Energie kann sehr niedrig und yin sein. Auch hier gibt es wandernde Geister, die ein starkes Shia und Shah Qi (tötende Energie) bewirken. Es können auch alte Gräber vorhanden sein.

c) Orte, an denen früher Kämpfe und Schlachten stattgefunden haben – das Shia Qi und Shah Qi ist auch hier sehr hoch.

d) Gefängnisse, Polizeistationen, Krankenhäuser – hier herrscht viel Traurigkeit und negative Energie.

e) Schlachthäuser oder Orte, an denen Experimente mit Tieren durchgeführt werden – hier herrschen Tod, Angst, Verzweiflung und Trauer.

f) Stillgelegte Fabrikgelände, wo Tierkadaver verarbeitet wurden.

g) Die Energie von Regierungsgebäuden – Verteidigungsministerien, Steuerbehörden, Polizeibehörden oder Parlamentsgebäuden – ist für Wohngebiete zu stark.

h) Ehemalige Fabrik- oder Militäranlagen, in denen giftige Chemikalien gelagert wurden.

i) Militärische Einrichtungen (einschließlich Militärflughäfen) im Umkreis von 7 – 10 km sind zu vermeiden.

j) Frühere Bergbaugebiete mit Minen, die aufgefüllt wurden. Dort kann das Fundament absinken. Es fehlt die solide Grundlage für Erfolg und Nachkommenschaft.

k) Trockengelegte Sumpfgebiete und Marschlandschaften bieten kein festes Fundament, und die Gebäude können Risse bekommen. Giftige Gase von verrottenden Pflanzenteilen können aufsteigen und Gesundheitsprobleme verursachen.

l) Müllhalden oder Kläranlagen müssen mindestens 10 km entfernt sein.

m) Ehemalige Müllhalden, die aufgeschüttet wurden, sind für menschliche Behausungen ebenfalls ungeeignet. Es dauert 10 bis 20 Jahre, bis sich der Müll und die Aufschüttung gesetzt haben. Darauf stehende Häuser können Risse bekommen. Gase, die bei der Verrottung von Müll entstehen, können aufsteigen und Gesundheitsprobleme verursachen.

n) Hochspannungsleitungen oder Schaltstationen im Umkreis von weniger als 150 m. Besser ist eine Entfernung von 500 m, da die Belastung der Luft aufgrund der starken elektromagnetischen Strahlung auch weiter entfernt lebende Menschen beeinträchtigt.

o) Die Nähe von Atomkraftwerken, Chemiefabriken und Lagerstätten für Chemieabfälle oder radioaktive Materialien ist selbstverständlich unbedingt zu vermeiden.

Die Form des Grundstücks

Kapitel 14

Die Auswirkungen der Grundstücksform

Wenn Sie einen Platz für Ihr Haus oder Ihre Wohnung suchen, dann achten Sie auch auf eine harmonische Form des Grundstücks.

Das Grundstück stellt die Basis für Ihr Haus dar. Damit errichten Sie auch die Basis für Ihre Familie in der jetzigen Zeit sowie für die Zukunft.

Nach dem Trigramm der Acht Lebenssituationen (vergleiche auch Kapitel 15) weist ein Grundstück bestimmte Bereiche wie beispielsweise die „Wohlstandsecke" auf. Das bedeutet wiederum, daß je nach Grundstücksform bestimmte Aspekte im Leben entweder besonders unterstützt werden oder problematischer sein können.

Wenn Sie nur eine Wohnung in einem Mehrfamilien- oder Appartmenthaus haben, wird eine eventuelle Negativwirkung des Grundstücks abgeschwächt, da sämtliche Bewohner davon betroffen sind, und sich die Wirkung so „aufteilen" läßt.

Ein Grundstück wird wie folgt in drei gleiche Teile unterteilt:

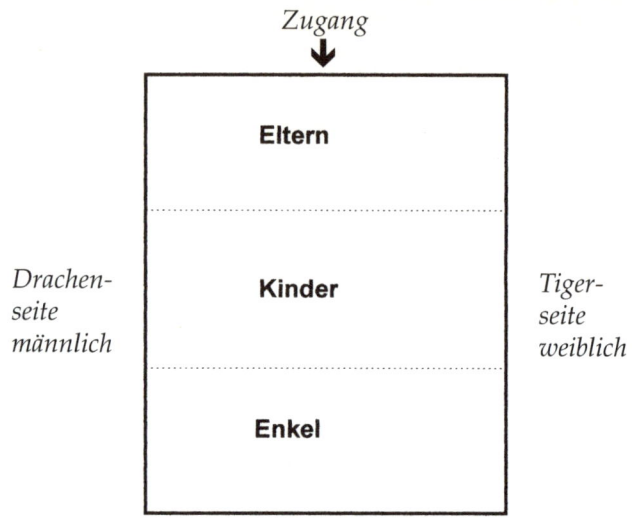

Abbildung 14.1: Drittelt man das Grundstück von vorne nach hinten, sollte jeder Bereich gleich groß sein, damit jede Generation der Reihenfolge nach ungehindert wachsen und Wohlstand erlangen kann.
Die Zuordnung der Seiten entspricht der Formation der Vier Tiere.

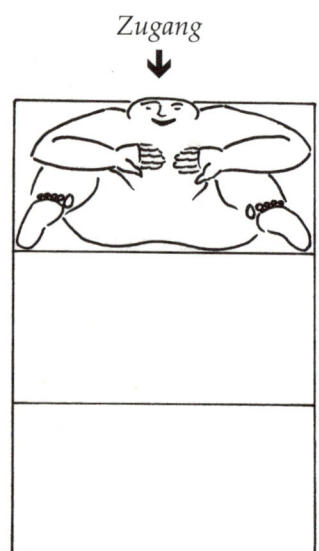

Abbildung 14.2A:
Eltern.

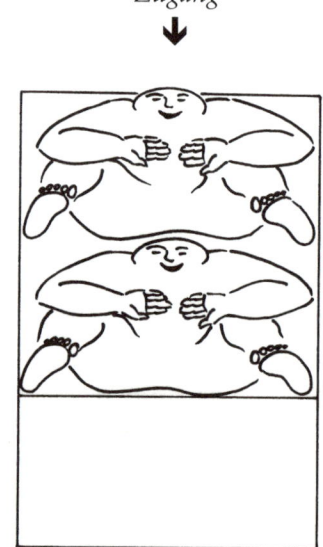

Abbildung 14.2B:
Eltern, Kinder.

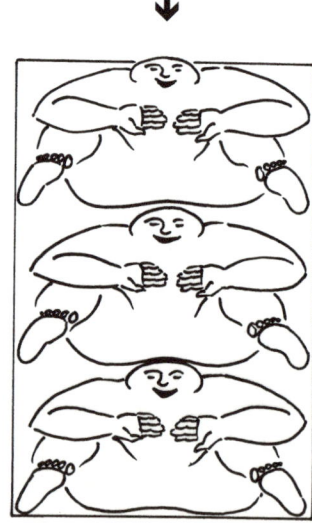

Abbildung 14.2C:
Eltern, Kinder, Enkel.

Sobald Sie auf dem Grundstück wohnen, werden Sie persönlich von dessen Form positiv oder negativ beeinflußt. Aber auch die Kinder, die aus dem Elternhaus ausgezogen sind, werden von der Grundstücksform weiterhin – wenn auch geringfügiger – beeinflußt.

In Abbildung 14.3 ist der mittlere Bereich (Kinder) größer als der vordere Bereich (Eltern), und der hintere Abschnitt (Enkel) ist weitaus kleiner als die beiden anderen. Die Bewohner dieses Grundstücks werden über die nächsten zwei Generationen hinweg ein gutes Leben haben und Reichtum erlangen. Dieser erreicht seinen Höhepunkt, wenn ihre Kinder zwischen 30 und 35 Jahren alt sind und läßt nach ihrem 40. Lebensjahr nach. Während ihre Enkel leben, geht der Wohlstand weiter zurück. Diese Familie hat nur wenige Nachkommen.

Die rechte oder weibliche Seite des Grundstücks (Tigerseite, siehe Formation der Vier Tiere) ist auch im Bereich der Kinder größer. Das bedeutet, daß die Schwiegertöchter oder Töchter Vorrang vor den Söhnen haben.

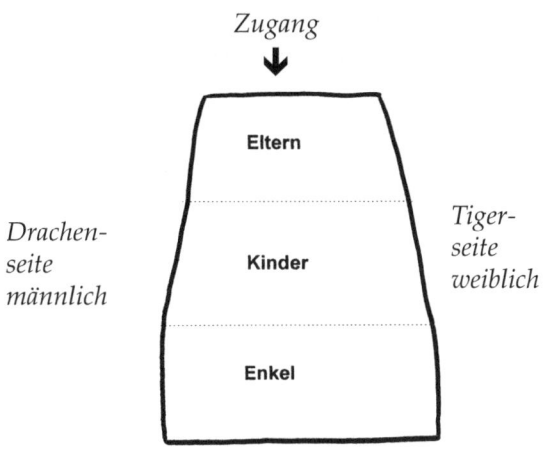

Abbildung 14.4

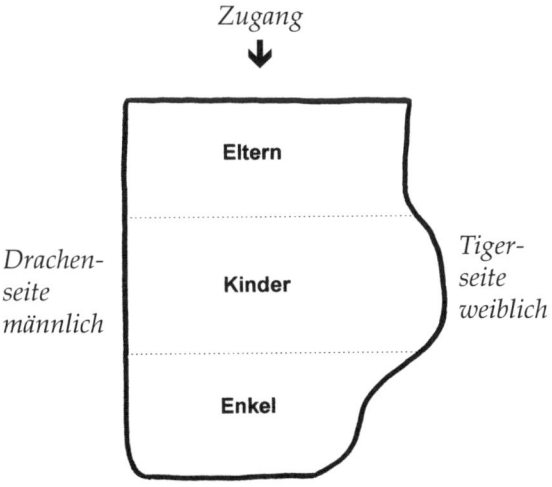

Abbildung 14.3

Abbildung 14.4 zeigt ein gutes Grundstück. Es ist auf der Vorderseite etwas schmaler und gleichmäßig größer auf der Rückseite. Diese Familie wird vom Wohlstand und den Nachkommen her von Generation zu Generation wachsen.

In Abbildung 14.5 herrschen im Vergleich zu Abbildung 14.4 fast entgegengesetzte Bedingungen. Die Rückseite des Grundstücks verjüngt sich nach hinten. Das bedeutet, daß die Kinder und Enkel von den Eltern und Großeltern nicht viel erben. Kindern und Enkeln fehlt es an Reichtum, daher müssen Eltern und Kinder schwer arbeiten. Die Familie hat auch wenige Nachkommen.

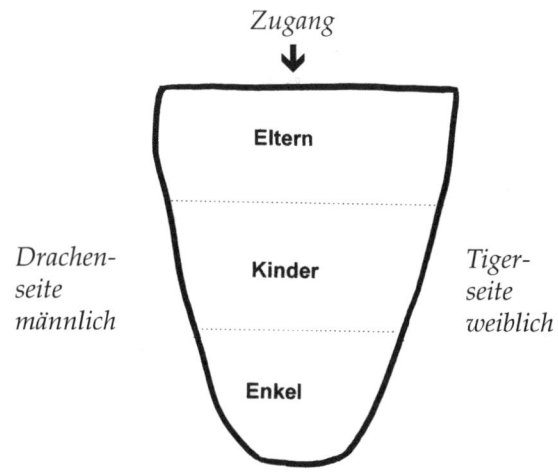

Abbildung 14.5

Bei dem Grundstück in Abbildung 14.6 wird der mittlere Bereich größer und verbreitert sich im Bereich der Enkel noch mehr. Die Eltern verbringen als Angestellte ein normales Leben oder müssen als Geschäftsleute hart arbeiten. Wenn ihre Kinder im mittleren Alter sind, wird die Familie wohlhabender, was sich mit den Enkeln noch steigert. Die Familie hat viele Nachkommen. Hier dominieren die männlichen Nachkommen und bringen gute Leistungen.

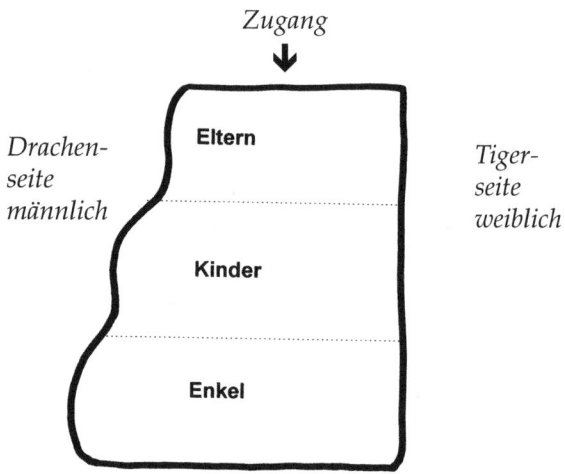

Abbildung 14.6

Die verzerrte Form des Grundstücks in Abbildung 14.7 zeigt ein unregelmäßiges Wachstum der Familie: Es geht bei ihren Arbeitsverhältnissen oder ihrer Firma auf und ab. Besonders die weiblichen Haushaltsmitglieder haben mehr Probleme bei der Arbeit.

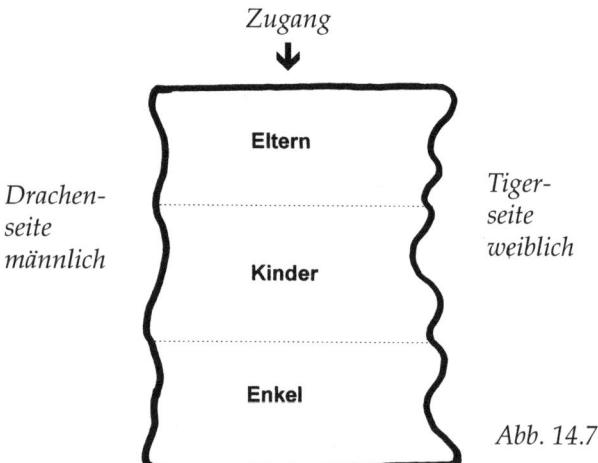

Abb. 14.7

Abbildung 14.8 zeigt eine gute Grundstücksform. Sie bringt Wohlstand und Nachkommen. Die Familie ist großzügig, aber vorsichtig mit Geld. Die „Wohlstandsecke" ist etwas erweitert. Das Grundstück sieht aus wie eine Tasse, die dichthält. So geht nichts verloren.

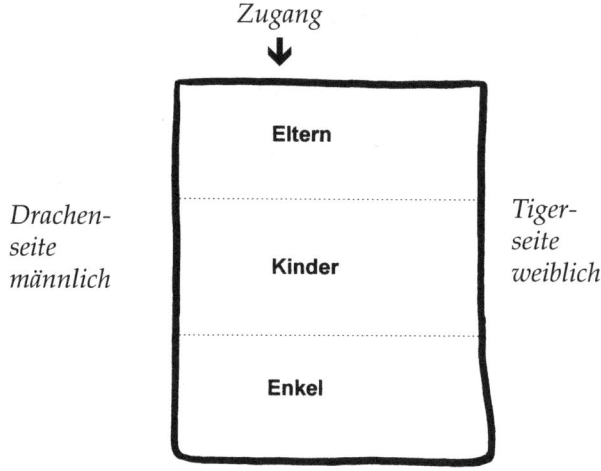

Abbildung 14.8

Abbildung 14.9 zeigt, daß die Eltern große Opfer bringen und extrem hart arbeiten müssen, ohne davon zu profitieren. Während sie Kinder haben, verbessern sich die Bedingungen langsam, die Situation wendet sich aber erst zum Guten, wenn die Enkel geboren werden. Vermeiden Sie ein solches Grundstück.

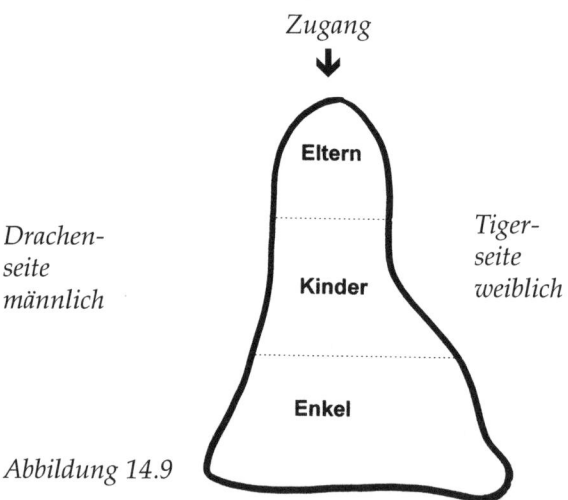

Abbildung 14.9

Abbildung 14.10 zeigt das umgekehrte Prinzip von Abbildung 14.9. Die Eltern arbeiten sehr schwer, um gut zu verdienen, aber die Kinder und Enkel bekommen immer mehr Probleme, wodurch der Wohlstand langsam verloren geht. Es fehlt auch an Nachkommen. Die Familie hat viele gesundheitliche und emotionale Probleme.

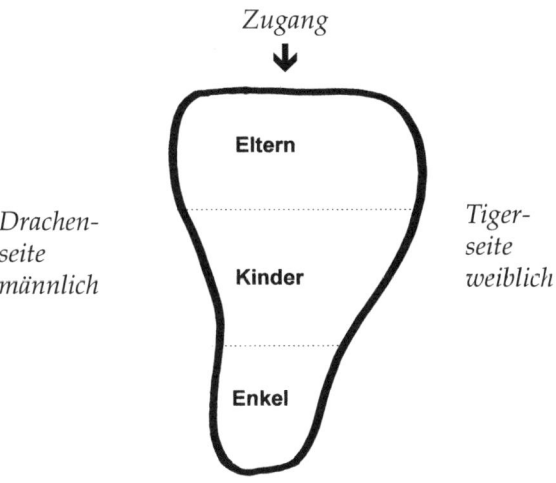

Abbildung 14.10

In Abbildung 14.11 kann man erkennen, daß die Eltern nur wenige Mittel haben und sehr schwer arbeiten müssen. Die Situation verbessert sich, wenn ihre Kinder das Alter von etwa 35 bis 40 erreichen. Die Enkel profitieren dann vom Wohlstand der Großeltern und Eltern.

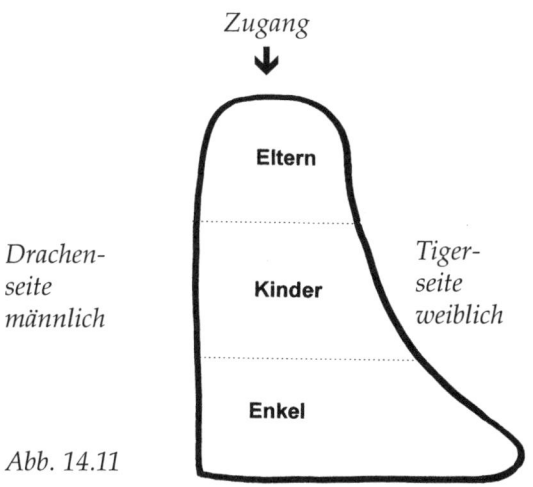

Abb. 14.11

Dieses Grundstück hat eine erweiterte Wohlstands- und Familienecke. Die Enkel erben den Reichtum ihrer Eltern und können gut aus eigener Kraft weiter wachsen.

Abbildung 14.12

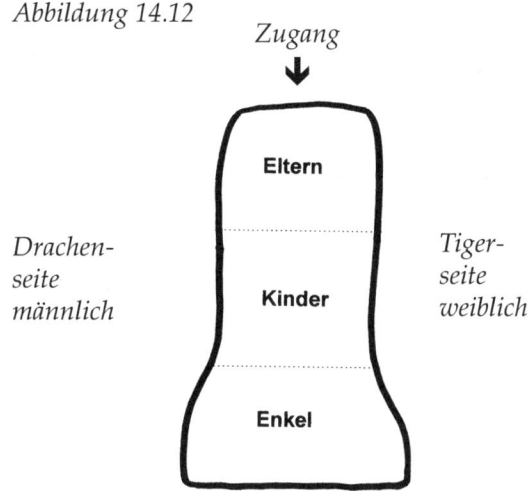

Anhand dieser elf Beispiele ist ersichtlich, wie man Tendenzen in der Zukunft einer Familie vorhersagen kann. Haben Sie sich je gefragt, warum bestimmte prominente Familien oder Dynastien sich von Generation zu Generation erfolgreich weiterentwickeln, während andere einfach dahinschwinden und sich innerhalb von ein bis zwei Generationen auflösen?

Neben anderen Faktoren wie dem Karma spielt die Grundstücksform eine beträchtliche Rolle. Meist wählen wir ein Grundstück aus, das genau zu unserer karmischen Aufgabe oder unserem Verhalten paßt. Wir können jedoch ein problematisches Grundstück vermeiden, wenn wir über Feng Shui-Kenntnisse verfügen.

Abhilfen bei unregelmäßigen Grundstücken

Man kann als Abhilfe feste Demarkationslinien in Form von Büschen, Bäumen, Zäunen, großen Steinen oder Mauern errichten, die so gesetzt werden, daß die Innenfläche des Grundstücks wieder eine symmetrische Form aufweist (weitere Abbildungen siehe Kapitel 23).

Die Form des Gebäudes

Kapitel 15

Günstige Grundrisse

Die günstigsten Wohnhaus- oder Gebäudeformen sind in Abbildung 15.1 dargestellt. Die Form eines Hauses oder einer Wohnung sollte wie ein menschlicher Körper symmetrisch sein.

Wie bereits in Kapitel 3 erklärt wurde, hat sich im Laufe der menschlichen Evolution das Bewußtsein entwickelt, daß die Hausform den Körper des Menschen repräsentiert (Abbildung 15.2).

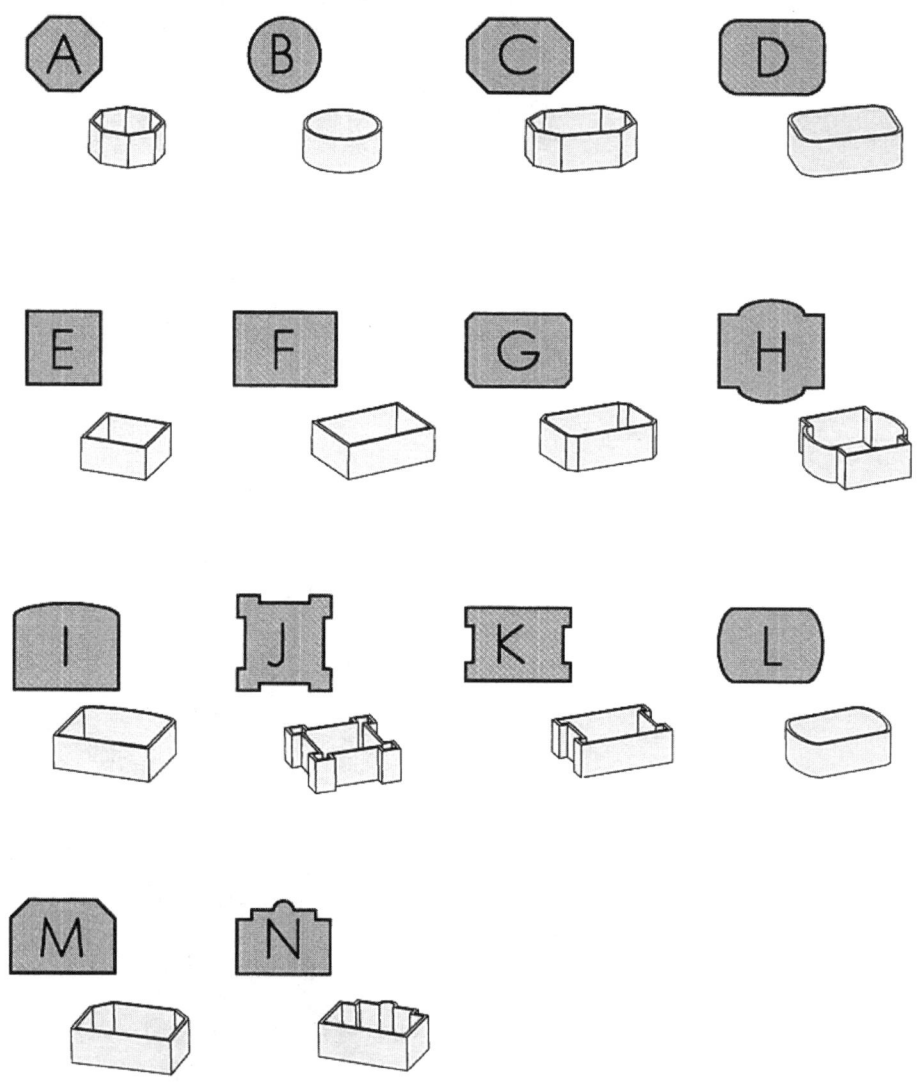

Abbildung 15.1

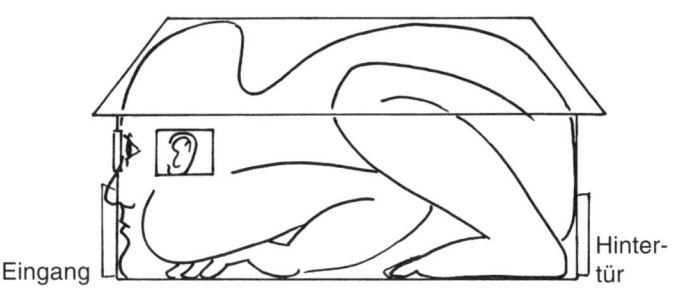

Abbildung 15.2: Betrachtet man dieses Haus, in das symbolisch ein menschlicher Körper eingepaßt ist, von unten, ergibt sich die nachfolgende „Bauchperspektive" in den Abbildungen 15.3 – 15.7.

Gesundheitsprobleme, die mit dem entsprechenden fehlenden Teil am Haus in Zusammenhang stehen

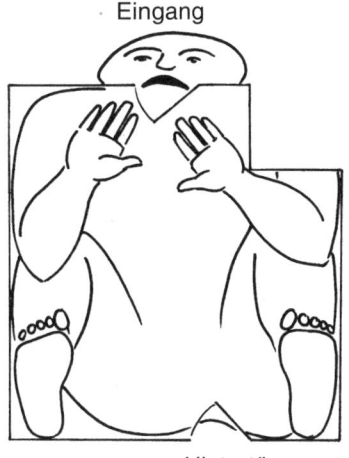

Abbildung 15.5: Hier fehlt die Schulter, die Bewohner neigen daher zu Schulterproblemen oder können nicht „schwer tragen".

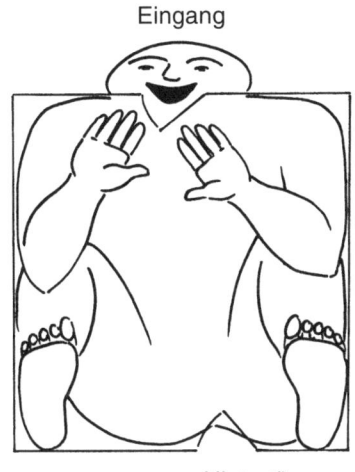

Abbildung 15.3: Der Grundriß sowie der Körper eines Menschen sollten vollständig sein.

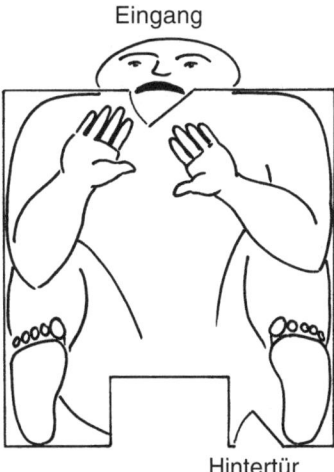

Abbildung 15.6: Ein Teil des Rückens, Geschlechts- oder Analbereichs fehlen. Die Bewohner dieses Hauses haben kein Rückgrat, beziehungsweise fehlt es ihnen an Unterstützung und Selbstvertrauen. Sie können unter Verstopfung oder sexuellen Problemen leiden.

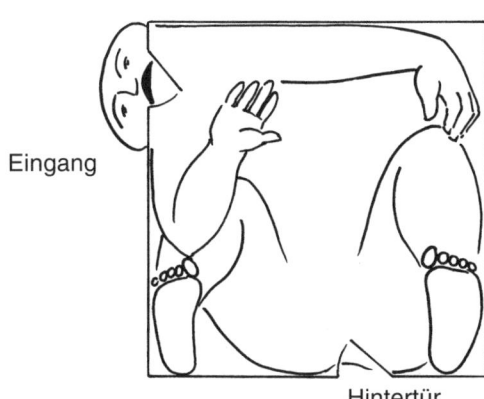

Abbildung 15.4: Dieses Haus hat den Eingang seitlich, wodurch sich der Kopf verschiebt.

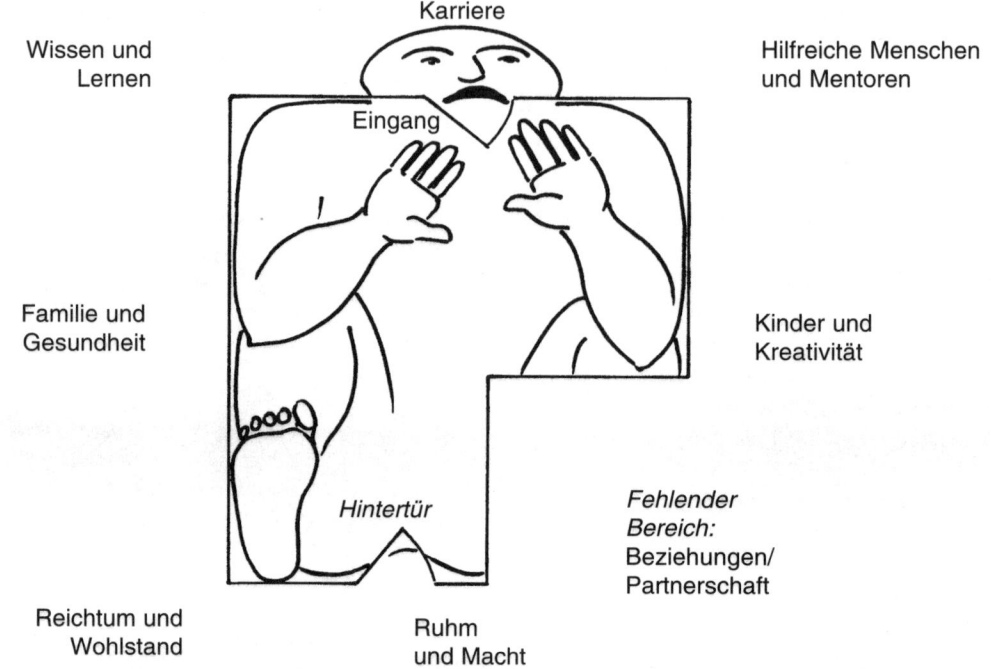

Karriere

Wissen und
Lernen

Hilfreiche Menschen
und Mentoren

Eingang

Familie und
Gesundheit

Kinder und
Kreativität

Hintertür

*Fehlender
Bereich:*
Beziehungen/
Partnerschaft

Reichtum und
Wohlstand

Ruhm
und Macht

Abbildung 15.7: Die Trigramme der acht Lebenssituationen aus der „Bauchlagenperspektive" gesehen. Wichtig: Stellen Sie sich bei dieser Betrachtungsweise wie bei den Abbildungen auf der vorhergehenden Seite vor, daß Sie im Keller des Gebäudes in Richtung Hintertür stehen und den Grundriß von unten betrachten.

Die Trigramme der acht Lebenssituationen

Jedes Haus kann des weiteren in acht Segmente unterteilt werden, die den „Acht Lebenssituationen" zugeordnet werden. Wenn einem Haus ein Bereich fehlt, dann fehlt auch die ihm zugeordnete „Lebenssituation".

In Abbildung 15.7 sehen wir, daß in diesem Fall die „Beziehungsecke" fehlt. Die Bewohner dieses Hauses haben mehr Beziehungsprobleme und Mühe, einen Partner zu finden. Körperliche Beschwerden können insbesondere am linken Fuß, Unterschenkel und einem Teil des Oberschenkels auftreten. Beachten Sie bei dieser Anordnung der Bereiche die spezielle „Bauchlagenperspektive" des Körpers.

In Abbildung 15.8 sehen Sie das Schema der Trigramme der acht Lebenssituationen, das sich auf ein Gebäude oder einen Raum übertragen

läßt. Ausführliche Erläuterungen zu diesem Thema erfolgen in meinem geplanten Buch über Trigramm-Feng Shui.

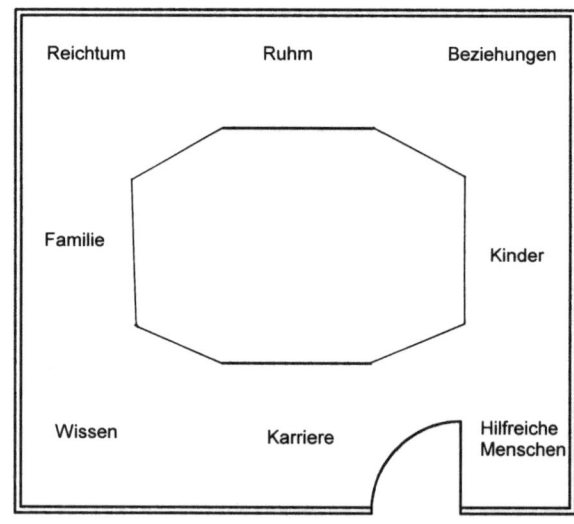

Reichtum Ruhm Beziehungen

Familie

Kinder

Wissen Karriere Hilfreiche Menschen

Abbildung 15.8: Klassisches Schema der Trigramme der acht Lebenssituationen von oben gesehen.

Negative Hausformen und Abhilfen

In Abbildung 15.8 sind einige unvollständige und damit negative Grundrisse zu sehen. Wenn keine Abhilfen eingesetzt werden, dann leiden die Bewohner dieser Häuser unter Gesundheitsproblemen, die mit den fehlenden Bereichen (X) im Zusammenhang stehen. Die fehlenden Hausteile lassen sich ausgleichen, ohne daß ein Anbau erforderlich ist. Die beste Abhilfe ist dabei eine mit dem Haus verbundene niedrige Mauer, die als solide Grenzmarkierung die fehlenden Bereiche „auffüllt", oder ein gepflasterter Weg. Dazu sollten Sie möglichst das gleiche Material verwenden, aus dem das Haus gebaut ist.

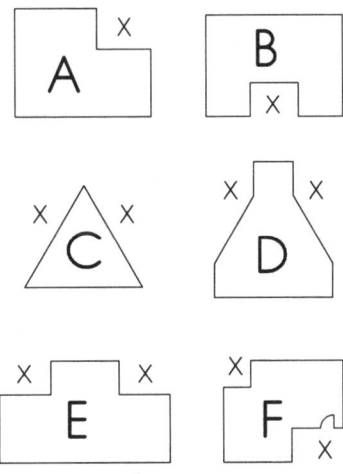

Abbildung 15.9 Fehlende Bereiche am Haus.

Es ist notwendig, mindestens in jeder der fehlenden Ecken eine Lampe auf einem Pfosten zu installieren, der bis in den ersten Stock reicht. Er wirkt einerseits wie ein Grenzpfosten und bringt andererseits Lichtenergie, um die fehlenden Bereiche zu einem Teil des Hauses werden zu lassen. Am besten sollte alle zwei Meter entlang der Linie, die den fehlenden Teil markiert, eine Lampe stehen.

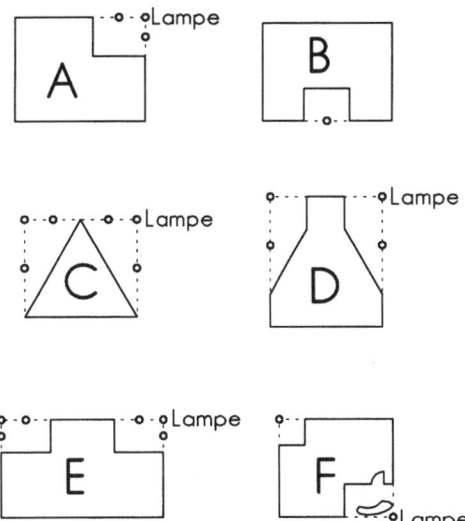

Abbildung 15.10: Das Symbol der Lampe steht für eine Laterne auf einem Pfahl, der so hoch wie der erste Stock ist. Bei einem Bungalow sollte er so hoch sein, wie ein Raum bis zur Zimmerdecke mißt.
Die gepunktete Linie steht für einen gepflasterten Weg oder eine Mauer aus dem gleichen Material wie das Haus und legt den neuen Grundriß fest. Der neu entstandene Bereich sollte sich von derBepflanzung her vom Rest des Gartens unterscheiden.

Als Unterstützung kann man im Haus selbst eine weitere Abhilfe einsetzen: eine Doppelacht (88) wirkt ausgleichend. Sie sollte vorzugsweise die Maße 21 x 42 cm oder ein anderes günstiges Feng Shui-Maß haben. An den Zimmerwänden, die an den fehlenden Bereich grenzen, hängt man je eine Doppelacht auf. Eine weitere Doppelacht sollte auch im Eingangsbereich so aufgehängt werden, daß sie von den Hereinkommenden sofort gesehen wird. Damit wird eine erste ausgleichende Wirkung erzielt.

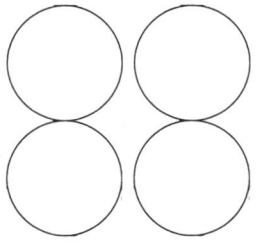

Abbildung 15.11: Man kann beispielsweise eine rote, rosa, grüne oder blaue Doppelacht verwenden.

Dachformen

Kapitel 16

D ie Dachform eines Hauses wirkt sich auf das Qi und die Energie im Haus aus und beeinflußt somit auch die Gesundheit und das Wohlbefinden der Hausbewohner.

Unterschiedliche Dachformen

Die Formen von Dächern und Gebäuden können einem oder mehreren der Fünf Elemente zuge-ordnet werden. In den Abbildungen 16.1 bis 16.5 gehört die Dachform ausschließlich zu einem der Fünf Elemente (Feuer, Metall, Holz, Erde, Was-ser).

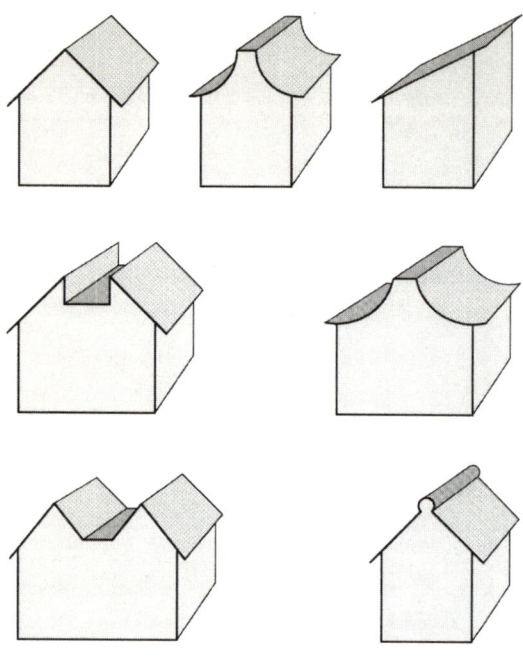

Abbildung 16.1: Beispiele für Feuerdächer.

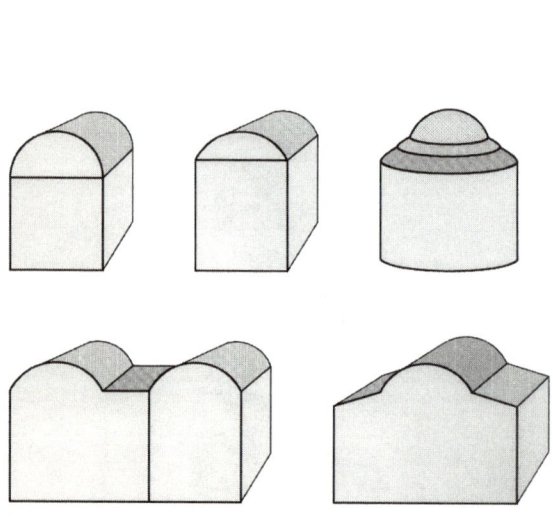

Abbildung 16.2: Beispiele für Metalldächer.

Abbildung 16.3: Beispiele für Holzdächer.

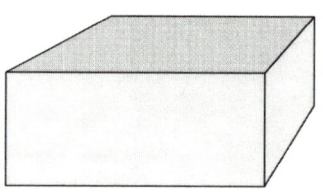

Abbildung 16.4: Beispiel für das Erddach.

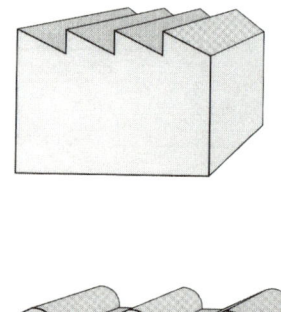

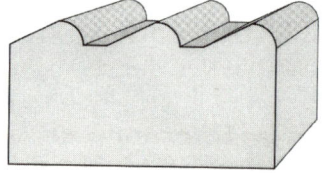

Abbildung 16.5: Beispiele für Wasserdächer.

136

Dach- und Hausstrukturen, die mehrere Elemente miteinander kombinieren

Bei den nachfolgenden Dachformen werden zwei oder mehr Elemente miteinander kombiniert. In diesem Fall sollten sich die Elemente ergänzen oder miteinander harmonieren. Elementedächer, die miteinander in Konflikt stehen, sollten sich nicht unmittelbar nebeneinander befinden.

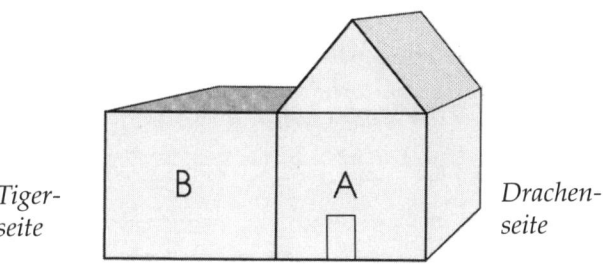

Tiger-
seite

Drachen-
seite

Abbildung 16.6: Das Feuer- (A) und Erddach (B) sind von den Elementen her in guter Harmonie. Die Drachenseite (siehe Formation der Vier Tiere in Kapitel 7), die für das Männliche und Yang-Prinzip steht, ist jedoch besonders betont. Dieses Haus heißt männliche Besucher nicht so sehr willkommen. Die Männer herrschen in diesem Haus und sind dominanter.

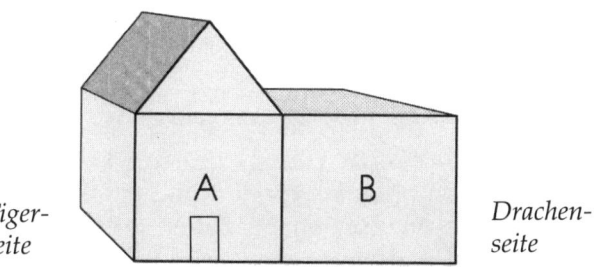

Tiger-
seite

Drachen-
seite

Abbildung 16.7: Feuer- (A) und Erddach (B) stehen bezüglich der Elemente miteinander in Harmonie. Die Tigerseite (siehe Kapitel 7), die dem Weiblichen und Yin zugeordnet ist, ist hier aber besonders stark ausgeprägt. Frauen sind in diesem Haus nicht besonders willkommen. Der Haushalt wird von Frauen beherrscht.

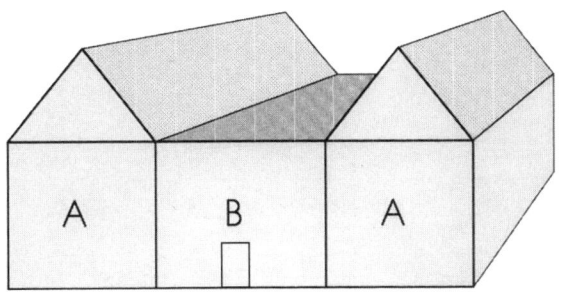

Abbildung 16.8: Eine Kombination aus Feuer (A), Erde (B) und Feuer (A) ist harmonisch. Das Yin- und Yang-Prinzip dieses Hauses ist zwar ausgeglichen, wirkt auf die Besucher aber nicht gerade einladend. Die spitzen Dachgiebel greifen die Besucher an.

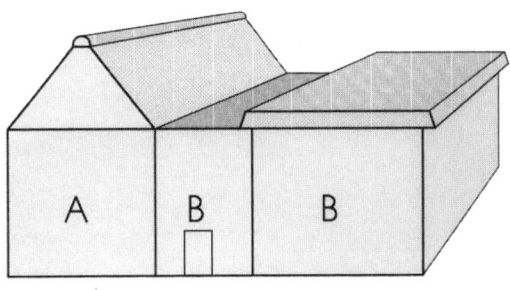

Abbildung 16.9: Dieses Haus ist besucherfreundlich, es hat ein Feuerdach (A) und zwei Erddächer. Gebäude mit einem Erddach sollten aber nicht mehr als drei Stockwerke haben, da die oberen Stockwerke aufgrund des Flachdachs nur wenig Qi haben.

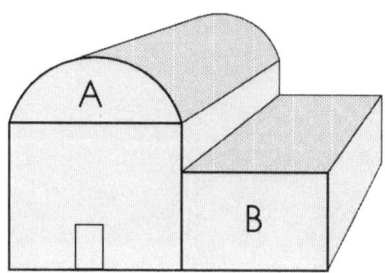

Abbildung 16.10: Metall- (A) und Erddächer (B) sind in Harmonie und ergänzen sich. Ein Metalldach kann das Qi besonders gut halten (siehe Abbildung 16.18A in diesem Kapitel) und hat dadurch mehr Qi und Energie.

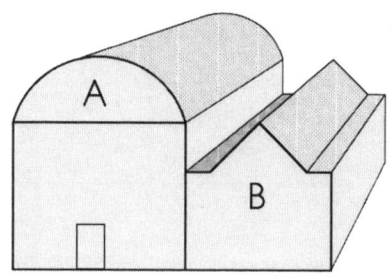

Abbildung 16.11: Metall- (A) und Feuerdach (B) sind eine ungünstige Kombination. Feuer (B) zerstört und schwächt das Metallgebäude (A).

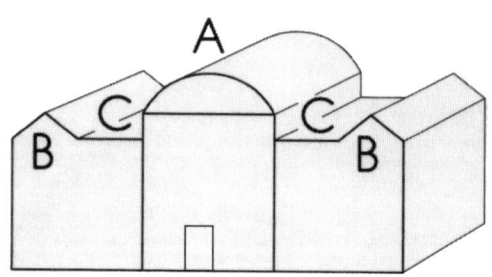

Abbildung 16.12: Diese Dächer sind eine Kombination aus drei Elementen. Sie sind so angeordnet, daß sich kein Konflikt ergibt. Das Metalldach (A) wird durch das Erddach (C) „abgepuffert" und gleichzeitig gestärkt. Neben dem Erddach (C) befindet sich das Feuerdach (B). Diese Elemente ergänzen sich nach dem Entstehungszyklus der Fünf Elemente. Feuer (B) stärkt die Erde (C), und Erde (C) stärkt das Metall (A). Dieses Gebäude weist auf großen Wohlstand und Erfolg hin.

Das Feuerdach

Das Feuerdach A in Abbildung 16.13 ist ungünstig. Das Dach ist zu einer Seite hin zu steil und lenkt das Qi zu schnell nach oben. Der spitze Giebel kann zudem die Nachbarhäuser angreifen. Dach B hat eine ähnlich negative Wirkung wie Dach A.

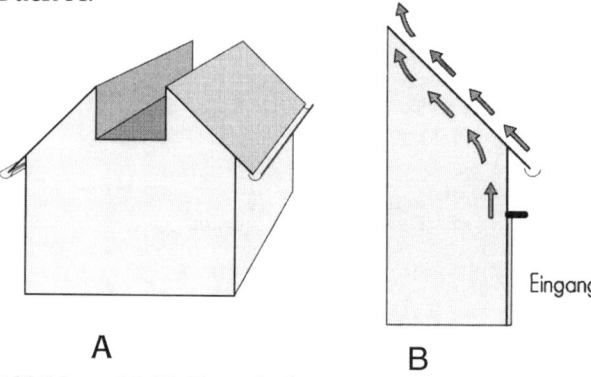

Abbildung 16.13: Feuerdächer.

Grundsätzlich sind Feuerdächer wie in Abbildung 16.13 für Länder mit sehr heißem Klima besser geeignet, da die stark erwärmte Luft nach oben aufsteigen kann und so das Haus bei heißem Wetter kühl hält. Weniger günstig ist das Feuerdach in Ländern mit gemäßigtem Klima wie in Europa oder Nordamerika. Die meisten Gebäude haben dort jedoch eine solche Dachform. In Skandinavien und anderen europäischen Ländern wird argumentiert, daß ein Dach mit einem flachen Neigungswinkel unter der Schneelast zusammenbrechen könnte.

Ein Feuerdach mit einem Neigungswinkel von mehr als 15° hat folgenden Nachteil: Das Qi und die Energie werden aufgrund der Dachform schnell nach oben abgezogen und erzeugen innerhalb des Hauses eine Trägheit, so daß noch mehr Qi über den spitzen Giebel nach oben abgezogen wird.

In einem Haus mit steilem Satteldach wird die Erdenergie nach oben gezogen. Das führt zu hoher Feuchtigkeit und Schimmelbildung im Keller. Der Gehalt an kosmischem Qi in dieser Art von Gebäude beträgt daher etwa 40 %. Wenn man nicht umfangreiche Feng Shui-Hilfsmittel installiert, ist es ungesund, im Dach- oder Kellerge-

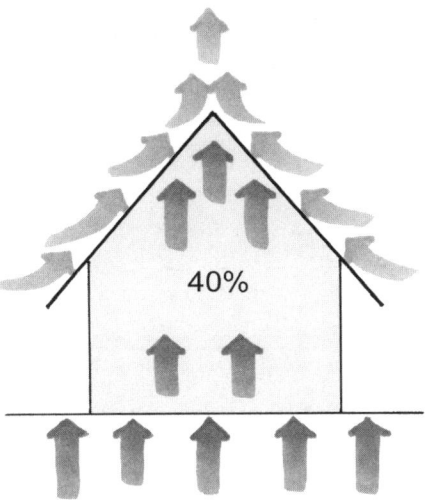

*Abbildung 16.14: Die negative Wirkung eines Feuer-
dachs (Satteldachs).*

schoß eines Hauses zu wohnen, das ein Satteldach mit einem Neigungswinkel von mehr als 25°
hat. Wer in Ländern mit gemäßigtem Klima im
Dach- oder Kellergeschoß eines solchen Hauses
wohnt, hat meistens eine geringe Vitalität und
kann aufgrund des Qi- und Sauerstoffmangels
unter degenerativen Krankheiten leiden.

Ein Feuerdach ist im Winter günstiger, wenn
reichlich Schnee liegt. Dann wird die aufsteigende Energie von den Schneekristallen wieder nach
innen reflektiert. Sie haben eine ähnlich abschir-
mende Wirkung wie Bergkristall. Im Winter ist
dann in diesen Häusern ein besonderes Gefühl
von „Geborgenheit" festzustellen, was auf einen
erhöhten Qi-Gehalt im Haus zurückzuführen ist.

Abbildung 16.15A: Feuerdach im Winter.

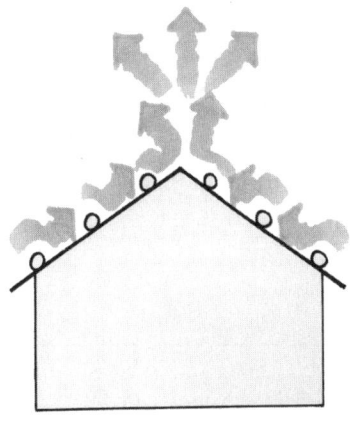

*Abbildung 16.15B: Rundhölzer als Schneestopper
verlangsamen die Aufwärtsbewegung der Energie.*

Rundhölzer als Schneestopper auf dem Dach wie
in Abbildung 16.15B verlangsamen das schnell
aufsteigende Qi. Sie verbessern damit den Qi- und
Sauerstoffgehalt in einem Haus mit Feuerdach,
selbst wenn kein Schnee vorhanden ist. Der Qi-
Gehalt kann auf diese Weise um 10 – 20% angehoben werden.

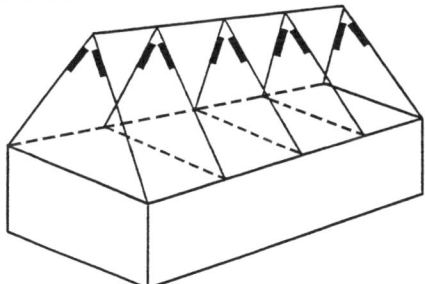

*Abbildung 16.15C: Stahlröhren oder Flöten im
Dachstuhl.*

Abhilfe bei einem Feuerdach mit steilem Neigungswinkel: Im Dachstuhl werden an den Dach-
balken im Abstand von ca. 2 m 89 cm lange Röhren aus magnetisierbarem Stahl aufgehängt. Die
Röhren dürfen sich nicht berühren und nicht
durchbohrt werden. Das entstehende Magnetfeld
bildet im Bereich der Dachspitze eine Blockade,
die verhindert, daß das Qi nach oben abzieht.

Auf die gleiche Weise können ca. 60 cm lange
Flötenpaare mit dem Mundstück nach oben aufgehängt werden. Die Flöten „blasen" die aufsteigende Energie wieder nach unten.

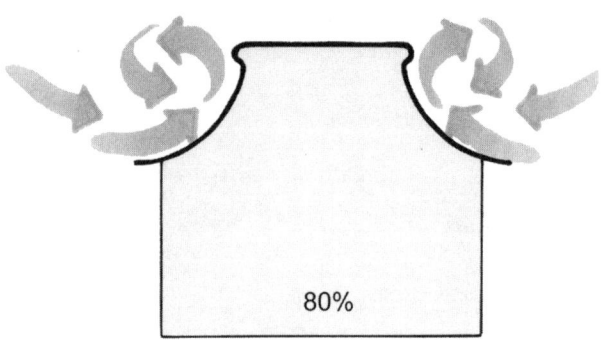

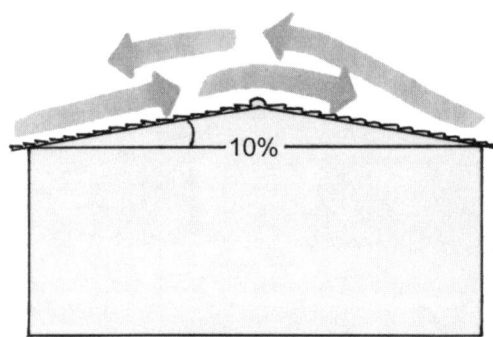

Abbildung 16.16: Diese traditionelle chinesische Dachform, die auf beiden Seiten nach oben gebogen ist, lenkt das Qi und den Sauerstoff zurück nach unten. Der Gehalt an kosmischem Qi im Haus beträgt bei diesem Dachtyp etwa 80 %.

Abbildung 16.17B

Neigungswinkel beim Feuerdach

Neben dem Metalldach, das im folgenden Abschnitt beschrieben wird, ist das Feuerdach mit einem flachen Winkel eine günstige Dachform. Je flacher der Neigungswinkel, desto aerodynamischer ist es und kann Qi und Energie, ähnlich wie ein Metalldach, im Haus halten (siehe Abbildungen 16.17A – C). Bei einem Neigungswinkel von 15° und mehr beginnt das Qi jedoch nach oben zu entweichen (Abbildung 16.17D).

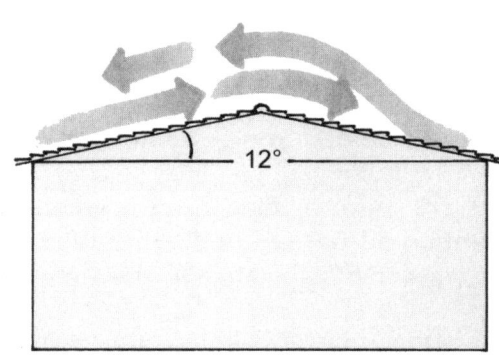

Abbildung 16.17C

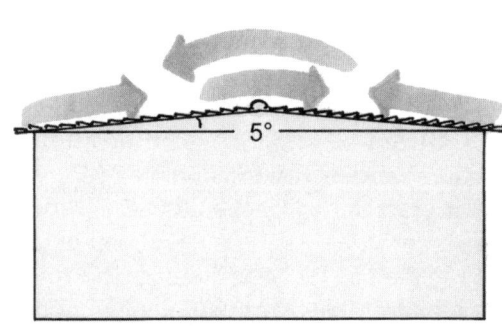

Abbildung 16.17A

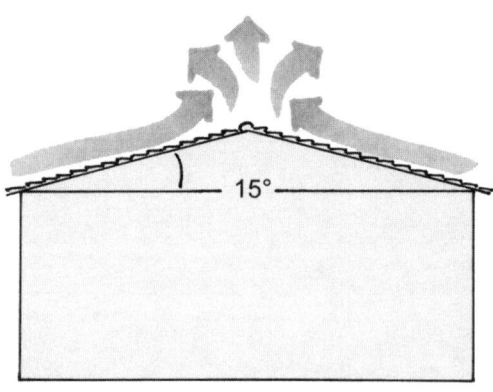

Abbildung 16.17D

Das Metalldach

Der Iglu der Eskimos und die mongolische Jurte haben ein sogenanntes Metalldach. Gebäude mit rundem Dach müssen im Winter weniger beheizt werden.

Ein Metalldach ist im allgemeinen für Wohnhäuser in Ländern mit gemäßigtem bis kaltem Klima besser geeignet. Die Kuppelform ist außerdem günstig bei starkem Wind. Sie lenkt das Qi nach unten, so daß dieses nicht entweichen kann.

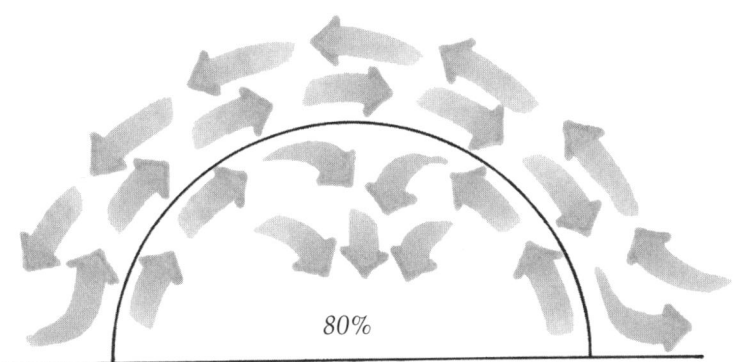

Abbildung 16.18A: Häuser mit Kuppeldach haben im allgemeinen etwa 80 % Qi.

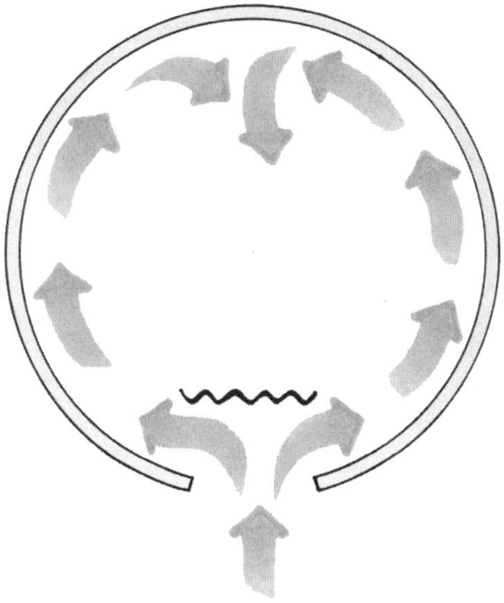

Abbildung 16.18C: Das Qi kann in der Jurte rundherum zirkulieren.

Abbildung 16.18B: Eine mongolische Jurte mit Kuppeldach und rundem Grundriß.

Das Holzdach

Die Form des Holzdachs ist günstig für Hochhäuser. Man sollte jedoch darauf achten, daß kein Holzelement-Gebäude inmitten von Häusern mit Feuerdächern errichtet wird. Die Feuergebäude würden die Energie des Holzes auslaugen, was sich nachteilig auf die Leistung und Gesundheit der Bewohner des Holzelementhauses auswirken würde.

Das Tipi (Indianerzelt) hat die Säulenform des Holzelements und läuft oben spitz zu wie ein Feuerdach. Da es speziell abgerundet ist, hat es im Inneren immer einen Qi-Gehalt von 60 – 70 %. Es ist zum Wohnen sehr gesund. Diejenigen, die eine geringe Vitalität oder eine schwache Gesundheit haben, sollten in den warmen Monaten in einem Tipi im Garten leben.

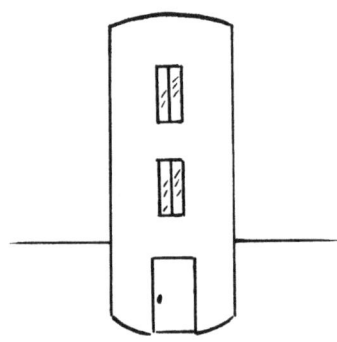

Abbildung 16.19: Gebäude mit Holzdach.

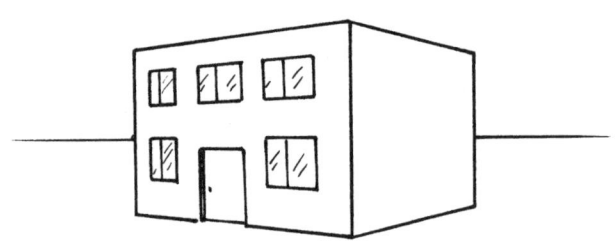

Abbildung 16.20: Gebäude mit Erddach.

Das Erddach

Das flache Erddach ist nach dem Metalldach und dem Feuerdach mit einem Neigungswinkel unter 15° die drittgünstigste Dachform. Ein Flachdach zieht im Gegensatz zum Feuerdach keine Energie und kein Qi in die oberen Stockwerke, da die Aufwärtsbewegung des Qi nur erfolgt, wenn das Dach schräg ist. Ein Gebäude mit Erddach sollte nicht mehr als drei Stockwerke haben. Dadurch, daß kein Qi nach oben gezogen wird, ist der Qi- und Sauerstoffgehalt in den oberen Stockwerken sehr niedrig.

Nur wenn das gesamte Gebäude eine Klimaanlage hat, werden kühle Luft, Qi und Sauerstoff in alle Stockwerke gelenkt. Da durch die Klimaanlage allerdings auch einige giftige Stoffe erneut in das Gebäude eingespeist werden, beträgt der Qi-Gehalt dort oft nicht mehr als 60 – 70 %.

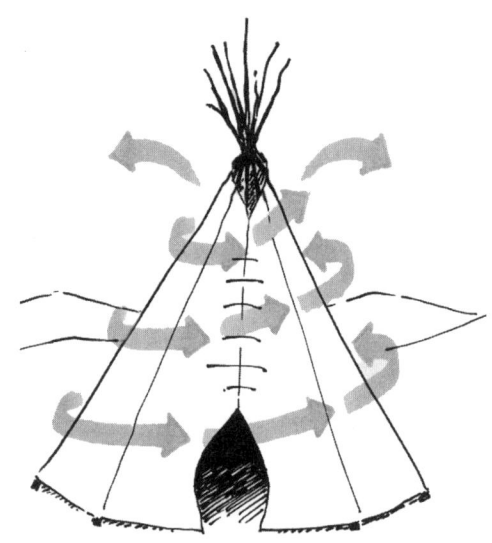

Abbildung 16.21: Eine Kombination aus Holz- und Feuerelement – das Tipi.

Das Wasserdach

Das Wasserdach wird für Wohnhäuser nur selten, aber bevorzugt für Wohnsiedlungen am Berghang oder für Geschäfts- und Fabrikgebäude verwendet.

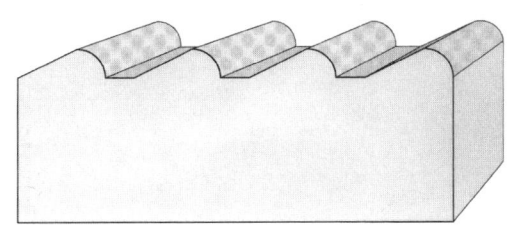

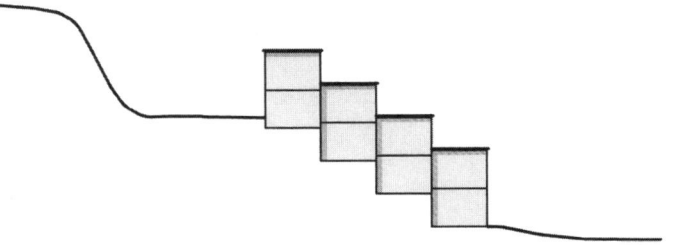

Abbildung 16.22A: Eine Wohnsiedlung am Berghang mit einem Wasserdach.

Abbildung 16.22D: Fabrikgebäude mit einem Wasserdach.

Das berühmteste Wasserdach der Welt ist das Opernhaus in Sydney, Australien. Seine Struktur ist perfekt an seine Umgebung angepaßt – es liegt nahe am Wasser.

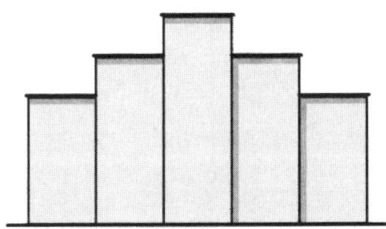

Wenn ein Fabrikgebäude ein Wasserdach hat, sollte unbedingt darauf geachtet werden, daß diese Firma kein Feuer oder extreme Hitze einsetzt und deshalb mit dem Feuerelement in Verbindung gebracht wird (beispielsweise Plastikherstellung, Metallgewinnung, Gießerei). Die extrem „kühlenden" Eigenschaften des Wassers würden nach und nach den Betrieb schwächen.

Abbildung 16.22B: Geschäftsgebäude mit einem Wasserdach.

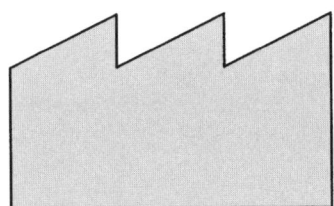

Abbildung 16.22C: Fabrikgebäude mit einem Wasserdach.

Der Eingangsbereich
Türen in Haus und Wohnung

Kapitel 17

Wenn eine Person von einem Ort zu einem anderen geht, hinterläßt sie elektromagnetische „Fußabdrücke", die kosmisches Qi anziehen. Wenn jemand von draußen zur Haustür hereinkommt, zieht er Qi ins Haus.

In Ländern mit kaltem Klima, in denen die Fenster die meiste Zeit im Jahr geschlossen sind, kommt zwischen 70 und 80 % Qi über die Eingangstür ins Haus, während 20 – 30 % Qi durch die Fenster kommen. In wärmeren Gegenden, in denen die Fenster das ganze Jahr über meist täglich geöffnet sind, kommen etwa 50 – 60 % Qi durch die Eingangstür und das restliche Qi durch die Fenster herein. Es ist daher sehr wichtig, daß die Fenster auch in den kalten Ländern häufiger geöffnet werden, damit noch mehr Qi ins Haus einfließen kann.

Die Ausrichtung der Eingangstür

In modernen Gebäuden benutzt man häufig, zusätzlich zum Haupteingang, die Garagentür, eine Hintertür oder einen Seiteneingang, um ins Haus zu gelangen. Wenn in einem Haus oder einer Wohnung mehrere Eingänge benutzt werden, bedeutet das, daß das Qi von mehreren Seiten stärker und schneller ins Haus eindringt und damit Turbulenzen entstehen läßt. Der Qi-Fluß ist gestört. Die Bewohner eines solchen Hauses sind leichter nervös. Dadurch leiden ihre Arbeitsleistung, Beziehungen und Gesundheit.

Das Qi kommt aus verschiedenen Himmelsrichtungen. Wie schnell und in welcher Form es fließt, wird von den Landschaftsformen der Umgebung bestimmt. Es ist wichtig, die Richtung festzustellen, aus der das qualitativ beste Qi einfließt, damit an dieser Stelle wenn möglich die Eingangstür eingerichtet werden kann.

Verschiedene Feng Shui-Schulen haben ihre eigenen Systeme, um die beste Türausrichtung eines Hauses oder einer Wohnung zu bestimmen. In diesem Buch finden Sie drei vereinfachte Systeme, nach denen Sie die drei günstigsten Richtungen für Ihre Eingangstür feststellen können.

1. Für eine Einzelperson wird die Kompaßrichtung anhand des persönlichen Trigramms bestimmt, das sich nach dem Geburtsjahr richtet. Tabelle 5 und 6 zeigen jeweils für Männer und Frauen die passende Türausrichtung.

Anmerkung: Diese Tabellen richten sich nach dem chinesischen Mondkalender. Ein neues Jahr beginnt am ersten Frühlingstag, entweder am 4. oder 5. Februar (siehe Tabelle 4). Anhand dieser Tabelle stellt man fest, in welchem chinesischen Mondjahr eine Person geboren ist.

Beispiel: 1917 begann das chinesische Mondjahr am 4. Februar. Diejenigen, die zwischen dem 4. Februar 1917 und dem 3. Februar 1918 geboren sind, ermitteln anhand der Jahreszahl 1917 ihre Eingangstürausrichtung. In diesem Fall ist es Südwesten für Männer und Südosten für Frauen. Diejenigen, die am 3. Februar 1917 geboren sind, legen die Jahreszahl 1916 zugrunde und verwenden die entsprechende Himmelsrichtung.

1900*	1935	1970*
1901*	1936	1971*
1902	1937*	1972
1903	1938*	1973*
1904	1939	1974*
1905*	1940	1975*
1906	1941*	1976
1907	1942*	1977*
1908	1943	1978*
1909*	1944	1979*
1910	1945*	1980
1911	1946*	1981*
1912	1947	1982*
1913*	1948	1983*
1914	1949*	1984*
1915	1950*	1985*
1916	1951*	1986*
1917*	1952	1987*
1918*	1953*	1988*
1919	1954*	1989*
1920	1955*	1990*
1921*	1956	1991*
1922*	1957*	1992*
1923	1958*	1993*
1924	1959*	1994*
1925*	1960	1995*
1926*	1961*	1996*
1927	1962*	1997*
1928	1963*	1998*
1929*	1964	1999*
1930*	1965*	2000
1931	1966*	2001
1932	1967*	2002
1933*	1968	2003
1934*	1969*	2004

Tabelle 4: Frühlingsanfang und Beginn des chinesischen Mondjahres. In den Jahren, die mit einem Sternchen versehen sind, beginnt der Frühling am 4. Februar, in den Jahren ohne Sternchen am 5. Februar.

Südwesten	Osten	Südosten	Südwesten	Nordwesten	Westen	Nordosten	Süden	Norden
1908	1907	1906	1905	1904	1903	1902	1901	1900
1917	1916	1915	1914	1913	1912	1911	1910	1909
1926	1925	1924	1923	1922	1921	1920	1919	1918
1935	1934	1933	1932	1931	1930	1929	1928	1927
1944	1943	1942	1941	1940	1939	1938	1937	1936
1953	1952	1951	1950	1949	1948	1947	1946	1945
1962	1961	1960	1959	1958	1957	1956	1955	1954
1971	1970	1969	1968	1967	1966	1965	1964	1963
1980	1979	1978	1977	1976	1975	1974	1973	1972
1989	1988	1987	1986	1985	1984	1983	1982	1981
1998	1997	1996	1995	1994	1993	1992	1991	1990
2007	2006	2005	2004	2003	2002	2001	2000	1999
2016	2015	2014	2013	2012	2011	2010	2009	2008
2025	2024	2023	2022	2021	2020	2019	2018	2017
2034	2033	2032	2031	2030	2029	2028	2027	2026
2043	2042	2041	2040	2039	2038	2037	2036	2035
2052	2051	2050	2049	2048	2047	2046	2045	2044

Tabelle 5: Türausrichtung für Männer.

Südosten	Osten	Südwesten	Norden	Süden	Nordosten	Westen	Nordwesten	Nordosten
1908	1907	1906	1905	1904	1903	1902	1901	1900
1917	1916	1915	1914	1913	1912	1911	1910	1909
1926	1925	1924	1923	1922	1921	1920	1919	1918
1935	1934	1933	1932	1931	1930	1929	1928	1927
1944	1943	1942	1941	1940	1939	1938	1937	1936
1953	1952	1951	1950	1949	1948	1947	1946	1945
1962	1961	1960	1959	1958	1957	1956	1955	1954
1971	1970	1969	1968	1967	1966	1965	1964	1963
1980	1979	1978	1977	1976	1975	1974	1973	1972
1989	1988	1987	1986	1985	1984	1983	1982	1981
1998	1997	1996	1995	1994	1993	1992	1991	1990
2007	2006	2005	2004	2003	2002	2001	2000	1999
2016	2015	2014	2013	2012	2011	2010	2009	2008
2025	2024	2023	2022	2021	2020	2019	2018	2017
2034	2033	2032	2031	2030	2029	2028	2027	2026
2043	2042	2041	2040	2039	2038	2037	2036	2035
2052	2051	2050	2049	2048	2047	2046	2045	2044

Tabelle 6: Türausrichtung für Frauen.

2. Bei der zweiten Methode wird für eine Einzelperson das chinesische Tierkreiszeichen ermittelt (Abbildung 17.2), das ebenfalls einer bestimmten Himmelsrichtung zugeordnet wird. Das Tierkreiszeichen wird durch das Geburtsjahr bestimmt (Abbildung 17.1 auf der gegenüberliegenden Seite).

Mit Hilfe der Methoden 1. und 2. kann man zwei der drei besten Türausrichtungen für eine Einzelperson feststellen. Was geschieht aber, wenn diese Person mit einem Partner zusammenwohnt? Wie bestimmt man die Türausrichtung, die für beide Personen am harmonischsten ist?

In der traditionellen chinesischen Feng Shui-Praxis wird die Eingangstür fast ausschließlich nach dem Horoskop oder Geburtsjahr des Mannes ausgerichtet, da er für den Familienunterhalt sorgt. Die Frau ist in diesem Fall nicht wichtig.

Im Westen sind die Partner jedoch meist gleichberechtigt. Wir können mit der angewandten Kinesiologie (siehe Kapitel 10) oder dem Pendel arbeiten, um ein genaues Ergebnis für beide Partner zu erhalten.

3. Man verwendet ein Pendel oder arbeitet mit dem Kinesiologietest, um die beste Kompaßrichtung für den Eingang zu ermitteln.

Die Testperson stellt sich in eine beliebige Richtung und macht sich für den Muskeltest bereit. Stellen Sie folgende Frage: „Ist das die beste Himmelsrichtung für die Eingangstür, die mit beiden Partnern in Harmonie ist und der Familie oder dem Paar gute Gesundheit und Wohlstand bringt?"

Wenn die Person in dieser Position schwach reagiert hat, dreht sie sich auf der Stelle ein kleines Stück weiter. Die Frage wird erneut gestellt, und es wird neu getestet. Nach und nach dreht sich die Person weiter im Kreis, bis sie stark reagiert. Sie bleibt nun stehen und die testende Person liest auf einem Kompaß die Richtung ab, in der die Testperson steht. Damit ist die beste Türausrichtung für beide Partner gefunden.

Falls sich in dieser Himmelsrichtung vor dem Haus ein Hindernis wie ein Baum oder eine Wand befindet und die Tür blockiert, wird anhand des Muskeltests nach dem gleichen Prinzip die zweitbeste Türausrichtung ermittelt.

Der Kinesiologietest macht es einfach, die günstigste Himmelsrichtung für Partner zu bestimmen. Zudem verliert Feng Shui dadurch auch etwas von seiner starren Tradition und wird zu einer anwendungsorientierten und praktischen Kunst und Wissenschaft.

Das genaue Plazieren der Eingangstür

Das Qi aus dem Universum kommt in „Strahlenbündeln", die jeweils eine unterschiedliche Intensität und Qualität haben. Wenn die Eingangstür an der richtigen Stelle liegt, kann ein starker Qi-Strom einfließen. Im Laufe der Jahre verschieben sich diese Strahlenbündel jedoch aufgrund von Planetenbewegungen. Wenn in einem Bereich zuvor ein starker Qi-Fluß festzustellen war, kann er sich nach einer bestimmten Zeit verringern. Im Fortgeschrittenen-Feng Shui lassen sich diese Energien nach bestimmten Zyklen berechnen.

Im Rahmen dieses Buches empfehle ich anhand eines Beispiels folgende Richtlinien:

Die chinesischen Tierkreiszeichen

Abbildung 17.1: Die Tierkreiszeichen und ihre Kom-
paßrichtung, mit deren Hilfe die Ausrichtung des
Eingangs bestimmt werden kann. Ihr persönliches
Tierkreiszeichen finden Sie in Tabelle 7.

149

Datum	Element	Zeichen	Datum	Element	Zeichen	Datum	Element	Zeichen
19.02.1901	Metall	Ochse	27.01.1941	Metall	Schlange	05.02.1981	Metall	Hahn
08.02.1902	Wasser	Tiger	15.02.1942	Wasser	Pferd	25.01.1982	Wasser	Hund
29.01.1903	Wasser	Hase	05.02.1943	Wasser	Schaf	13.02.1983	Wasser	Schwein
16.02.1904	Holz	Drache	25.01.1944	Holz	Affe	02.02.1984	Holz	Ratte
04.02.1905	Holz	Schlange	13.02.1945	Holz	Hahn	20.02.1985	Holz	Ochse
25.01.1906	Feuer	Pferd	02.02.1946	Feuer	Hund	09.02.1986	Feuer	Tiger
13.02.1907	Feuer	Schaf	22.01.1947	Feuer	Schwein	29.01.1987	Feuer	Hase
02.02.1908	Erde	Affe	10.02.1948	Erde	Ratte	17.02.1988	Erde	Drache
22.01.1909	Erde	Hahn	29.01.1949	Erde	Ochse	06.02.1989	Erde	Schlange
10.02.1910	Metall	Hund	17.02.1950	Metall	Tiger	27.01.1990	Metall	Pferd
30.01.1911	Metall	Schwein	06.02.1951	Metall	Hase	15.02.1991	Metall	Schaf
18.02.1912	Wasser	Ratte	27.01.1952	Wasser	Drache	04.02.1992	Wasser	Affe
06.02.1913	Wasser	Ochse	14.02.1953	Wasser	Schlange	23.01.1993	Wasser	Hahn
26.01.1914	Holz	Tiger	03.02.1954	Holz	Pferd	10.02.1994	Holz	Hund
14.02.1915	Holz	Hase	24.01.1955	Holz	Schaf	31.01.1995	Holz	Schwein
03.02.1916	Feuer	Drache	12.02.1956	Feuer	Affe	19.02.1996	Feuer	Ratte
23.01.1917	Feuer	Schlange	31.01.1957	Feuer	Hahn	07.02.1997	Feuer	Ochse
11.02.1918	Erde	Pferd	18.02.1958	Erde	Hund	28.01.1998	Erde	Tiger
01.02.1919	Erde	Schaf	08.02.1959	Erde	Schwein	16.02.1999	Erde	Hase
20.02.1920	Metall	Affe	28.01.1960	Metall	Ratte	05.02.2000	Metall	Drache
08.02.1921	Metall	Hahn	15.02.1961	Metall	Ochse	24.01.2001	Metall	Schlange
28.01.1922	Wasser	Hund	05.02.1962	Wasser	Tiger	12.02.2002	Wasser	Pferd
16.02.1923	Wasser	Schwein	25.01.1963	Wasser	Hase	01.02.2003	Wasser	Schaf
05.02.1924	Holz	Ratte	13.02.1964	Holz	Drache	22.01.2004	Holz	Affe
25.01.1925	Holz	Ochse	02.02.1965	Holz	Schlange	09.02.2005	Holz	Hahn
13.02.1926	Feuer	Tiger	21.01.1966	Feuer	Pferd	29.01.2006	Feuer	Hund
02.02.1927	Feuer	Hase	09.02.1967	Feuer	Schaf	18.02.2007	Feuer	Schwein
23.01.1928	Erde	Drache	30.01.1968	Erde	Affe	02.02.2008	Erde	Ratte
10.02.1929	Erde	Schlange	17.02.1969	Erde	Hahn	26.01.2009	Erde	Ochse
30.01.1930	Metall	Pferd	06.02.1970	Metall	Hund	14.01.2010	Metall	Tiger
17.02.1931	Metall	Schaf	27.01.1971	Metall	Schwein	03.02.2011	Metall	Hase
06.02.1932	Wasser	Affe	15.02.1972	Wasser	Ratte	23.01.2012	Wasser	Drache
26.01.1933	Wasser	Hahn	03.02.1973	Wasser	Ochse	10.02.2013	Wasser	Schlange
14.02.1934	Holz	Hund	23.01.1974	Holz	Tiger	31.01.2014	Holz	Pferd
04.02.1935	Holz	Schwein	11.02.1975	Holz	Hase	19.02.2015	Holz	Schaf
24.01.1936	Feuer	Ratte	31.01.1976	Feuer	Drache	08.02.2016	Feuer	Affe
11.02.1937	Feuer	Ochse	18.02.1977	Feuer	Schlange	28.01.2017	Feuer	Hahn
31.01.1938	Erde	Tiger	07.02.1978	Erde	Pferd	16.02.2018	Erde	Hund
19.02.1939	Erde	Hase	28.01.1979	Erde	Schaf	05.02.2019	Erde	Schwein
08.02.1940	Metall	Drache	16.02.1980	Metall	Affe	25.01.2020	Metall	Ratte

Tabelle 7: Die Geburtsjahre, Elemente und Tierkreiszeichen

Beispiel: Ist eine Person zwischen dem 19. Februar 1901 und dem 7. Februar 1902 geboren, dann ist ihr Element Metall und das Tierkreiszeichen Ochse.

Beispiel für die genaue Plazierung der Eingangstür

In diesem Fall gehen wir davon aus, daß die günstigste Türausrichtung für eine Person der Süden ist. Die Hausfront, an der sich die Eingangstür befindet, kann, je nach Größe des Gebäudes, beispielsweise 5 m, aber auch 20 m lang sein. An welcher Stelle genau wird die Tür eingerichtet?

Die Vorderseite des Hauses wird, wie in Abbildung 17.2 gezeigt, in fünf oder auch mehr Abschnitte unterteilt. Testen Sie mit Hilfe des kinesiologischen Tests oder dem Pendel aus, in welchem Abschnitt das meiste und harmonischste Qi einfließt.

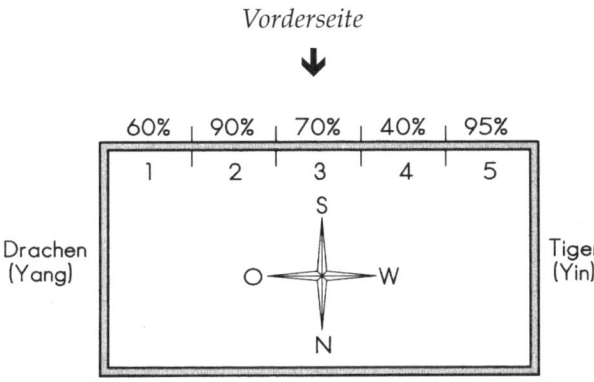

Abbildung 17.2: Beispiel für die Energieverteilung auf der Hausvorderseite. Je nach Bereich kann unterschiedlich viel Qi ins Haus eindringen.

Grundsätzlich ist es am besten, wenn der Eingang in der Mitte der Hausvorderseite eingerichtet wird, damit Yin und Yang im Gleichgewicht sind. Er kann auch etwas weiter seitlich versetzt sein, nach Möglichkeit aber nicht ganz außen liegen.

Das Qi sollte wie in Abbildung 17.1 jedoch mindestens 70 % betragen. Wenn das nicht der Fall ist, kann die Tür in diesem Beispiel auf der linken Seite in Abschnitt 2 (Drachenseite) eingerichtet werden, wo das Qi 90 % beträgt.

Wir können zusätzlich Feng Shui-Hilfsmittel einsetzen, um das Qi in einem Haus oder einer Wohnung weiter bis auf 80 – 100 % anzuheben.

Achten Sie immer darauf, daß sich gegenüber der Eingangstür kein Baumstamm, Laternenpfahl oder andere Gegenstände mit angreifender oder blockierender Wirkung befinden. Ansonsten muß ein anderer, günstigerer Abschnitt gewählt werden.

Weitere Regeln für die Eingangstür

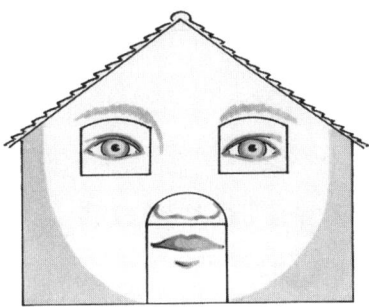

Abbildung 17.3: Die Eingangstür steht für den Mund der Hausbewohner. Dort dringt das meiste Qi ein.

- Die Eingangstür sollte zu einem freien Platz hin ausgerichtet sein. Alle Gegenstände mit negativer Wirkung (Pfosten, Baumstämme usw.) sollten mindestens 75 – 100 Meter vom Haus entfernt sein, wenn sie sich in der direkten Türlinie befinden und mindestens 2 m seitlich von der Tür entfernt stehen. So hat das Qi genügend Raum, um ins Haus einzufließen. Dachgiebel von Nachbarhäusern sollten keinesfalls auf die Eingangstür weisen.
- Der Eingangsbereich sollte gut beleuchtet sein, um Qi anzuziehen, und eine willkommenheißende Atmosphäre schaffen. Ein schlecht beleuchteter Eingang ist eher yin und zieht negatives Qi und ungünstige Energien an.
- Die Eingangstür sollte am besten zu einem ruhigen und langsam fließenden Gewässer hin ausgerichtet sein. Ist die Ausrichtung auf ein natürliches Gewässer nicht möglich, sollte ein Springbrunnen, ein künstlicher Bach oder Wasserfall eingerichtet werden, damit das kosmische Qi verstärkt ins Haus einfließen kann.

Am günstigsten ist es, wenn sich die Hintertür auf der Hausrückseite diagonal von der Eingangstür befindet (siehe Abbildung 17.4A und B). Vermeiden Sie möglichst einen Eingang, der sich im freien Durchgang direkt in einer Linie zur Hintertür befindet (siehe Abb. 17.5A). Das kosmische Qi würde ansonsten in das Gebäude einfließen und über die Hintertür sofort wieder entweichen, bevor es in den übrigen Räumen zirkulieren kann. In einem solchen Fall fehlt es den Bewohnern an Vitalität, Erfolg und Reichtum. Sie sind sehr gestreßt und können Gesundheitsprobleme insbesondere im Herz- und Lungenbereich haben.

Eingangstür und Hintertür

Ein traditionelles Haus hat eine Eingangs- und eine Hintertür. Jedes Haus und jede Wohnung muß eine „Hintertür" haben, damit die verbrauchte Energie abfließen kann. Wenn keine Hintertür vorhanden ist, neigen die Bewohner zu Verstopfung.

Als Hintertür gilt auch eine Balkon- oder Terrassentür. Man kann ebenso ein Fenster zur Hintertür deklarieren und mit Klebeband so markieren, daß es wie eine Tür aussieht.

Eine weitere Möglichkeit besteht darin, an einer Wand eine „symbolische Hintertür" mit Klebestreifen zu markieren. Schon nach wenigen Minuten wird die Luft frischer, da verbrauchte Energie abfließen kann. Achten Sie unbedingt darauf, daß sich diese symbolische Tür an einer Außenwand befindet. Ansonsten würde ihre verbrauchte Energie beispielsweise in die Wohnung des Nachbarn abziehen.

In Hongkong, Taiwan oder Singapur gibt es sogar Poster zu kaufen, auf denen eine Hintertür abgebildet ist.

Die Hintertür sollte sich ganz normal nach innen öffnen lassen. Wenn sie sich aber nach außen öffnet, fließt die Energie schneller nach hinten ab. Der Qi-Fluß läßt sich in diesem Fall verlangsa-

men, indem man im Abstand von 1 m zur Hintertür ein kleines Windspiel mit massiven Stäben von ca. 10 cm Länge direkt unter der Decke aufhängt (siehe auch Kapitel 22).

Die Hintertür sollte niemals größer als die Eingangstür sein, da ansonsten zu viel Qi und damit auch Reichtum zu schnell entweicht.

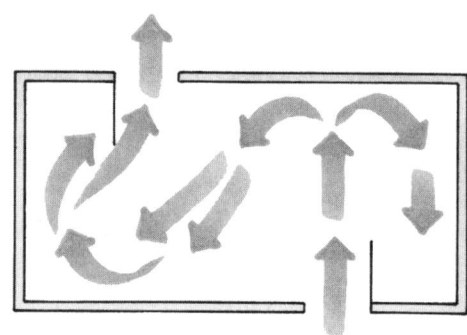

Abbildung 17.4A: Diese Situation ist positiv: Die Eingangs- und Hintertür liegen einander diagonal gegenüber.

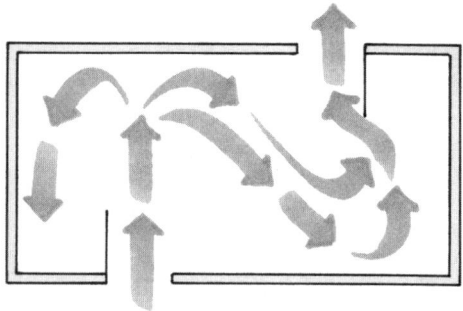

Abbildung 17.4B: Diese Situation ist positiv: Die Eingangs- und Hintertür liegen einander diagonal gegenüber.

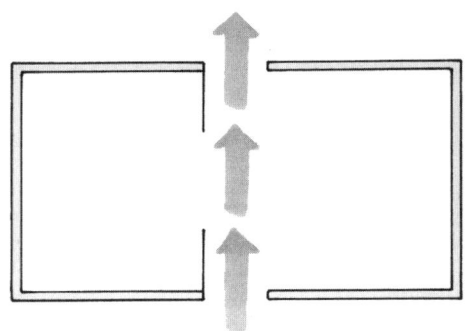

Abbildung 17.5A: Diese Situation ist negativ – Eingangs- und Hintertür befinden sich in direkter Linie. Qi und Sauerstoff können sehr schnell entweichen. Die Bewohner haben daher nur eine geringe Vitalität und vermehrt Gesundheits- und Geldprobleme.

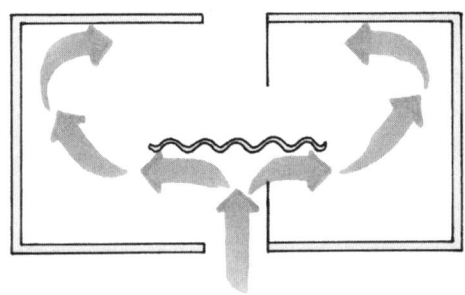

Abbildung 17.5B: Abhilfe: Eine massive Trennwand, ein Bücherregal oder ein Schrank in Türhöhe blocken und lenken Qi und Sauerstoff.

Die Tür-Fenster-Linie

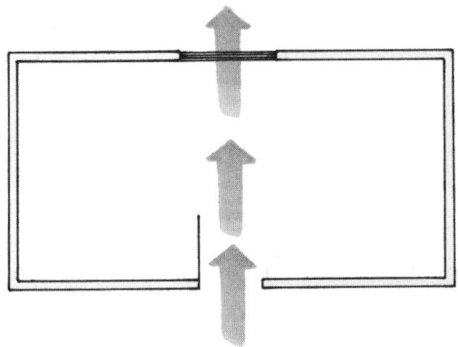

Abbildung 17.6A: Negativ – Die Tür liegt dem Fenster direkt gegenüber.

Die Tür-Fenster-Linie ist vor allem in modernen Häusern und Wohnungen häufig anzutreffen und führt zu Qi-Mangel in den Räumen. Eingangs- oder Zimmertüren liegen in diesem Fall dem Fenster direkt gegenüber. Als Abhilfe können Sie einen Paravent wie in Abbildung 17.5 oder wie unten gezeigt, ein Klangspiel oder einen natürlich gewachsenen Bergkristall verwenden.

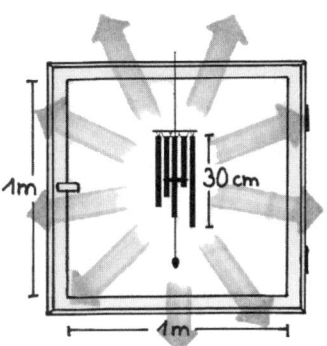

Abbildung 17.6B: Abhilfe bei der Tür-Fenster-Linie. Hängen Sie ein Windspiel in der Mitte des Fensters auf. Ein Windspiel mit Hohlröhren, von denen das längste 30 cm mißt, schirmt einen Quadratmeter Fenster ab. Bei einem Windspiel mit massiven Röhren braucht das längste Rohr nur 15 cm lang zu sein. (siehe auch Kapitel 22 zur Wirkung von Windspielen).

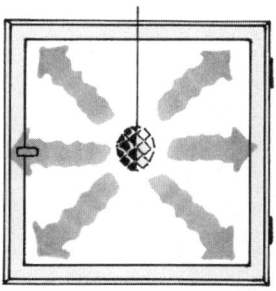

Abbildung 17.6C: Abhilfe – Hängen Sie einen echten Bergkristall (dreifache Daumengröße eines Erwachsenen) in die Mitte des Fensters, um einen Quadratmeter Fenster abzuschirmen.

Treppen im Eingangsbereich

Unmittelbar gegenüber dem Eingang sollte sich keine Treppe befinden, ansonsten fließt das meiste kosmische Qi nach oben in den ersten Stock oder in den Keller. Dadurch haben die übrigen Stockwerke nur sehr wenig Qi zur Verfügung.

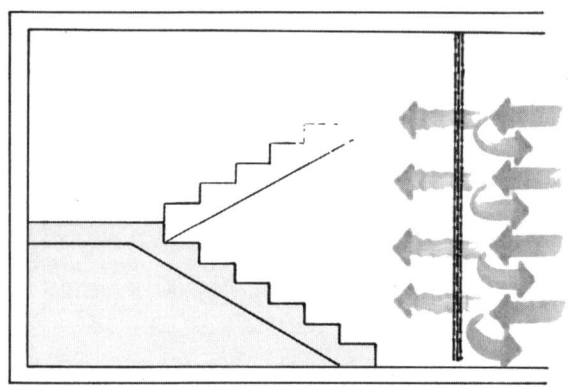

Abbildung 17.7C: Abhilfe - Ein Perlenvorhang verlangsamt den hereinkommenden Qi-Fluß.

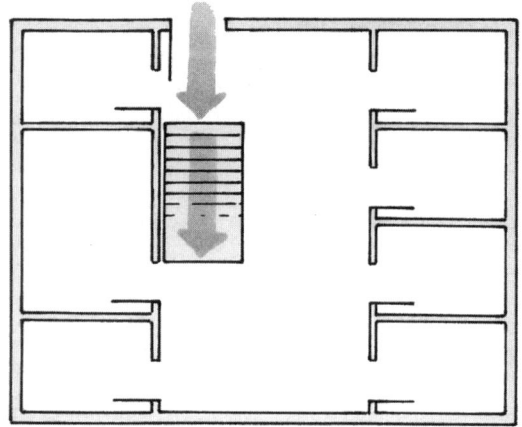

Abbildung 17.7A: Negativ – Der Eingang gegenüber der Treppe läßt das meiste kosmische Qi nach oben fließen.

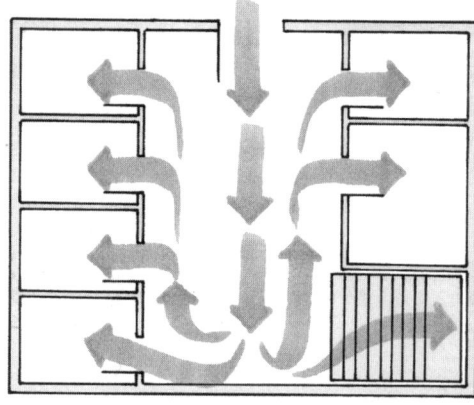

Abbildung 17.7D: Positiv – Die Treppe liegt nicht direkt in der Eingangstürlinie.

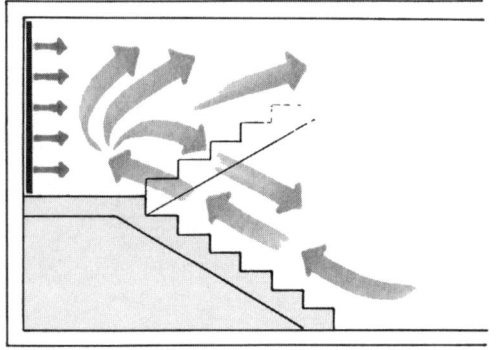

Abbildung 17.7B: Abhilfe: Ein großer Spiegel auf dem ersten Treppenabsatz lenkt einen Teil des heraufkommenden Qi wieder nach unten.

Ecken und Kanten im Eingangsbereich

Die Eingangstür sollte sich nicht direkt gegenüber einer Wandecke oder der Kante eines Möbelstücks befinden. Die Ecke oder Kante greift jeden Hereinkommenden an.

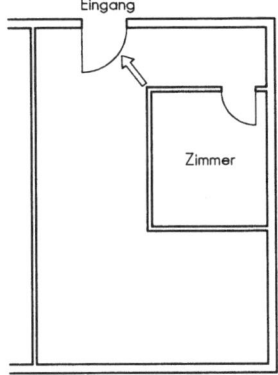

Abbildung 17.8A: Negativ – Angreifende Wandkante.

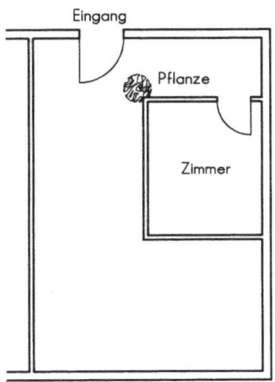

Abbildung 17.8B: Abhilfe: Hängen Sie ein Band oder eine künstliche Ranke auf, die von der Decke bis zum Boden reicht und die Kante abdeckt.

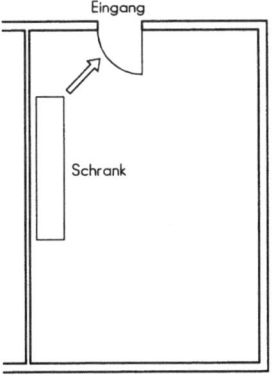

Abbildung 17.8C: Abhilfe: Entfernen Sie den Schrank oder verschieben sie ihn weiter nach hinten.

Spiegel im Eingangsbereich

An der Wand gegenüber der Eingangstür sollte kein großer Spiegel hängen, der die Energie wieder zur Tür hinausreflektiert und damit Turbulenzen erzeugt.

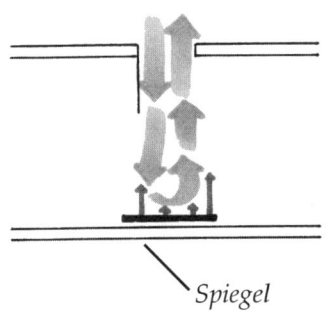

Abbildung 17.9A: Negativ – Der große Spiegel im Eingangsbereich reflektiert das Qi und lenkt es wieder nach draußen.

Weitere ungünstige Positionen für Spiegel:

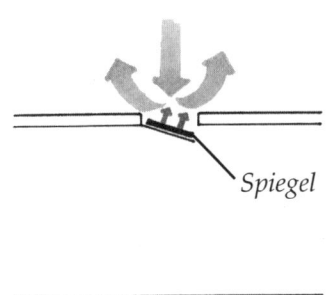

Abbildung 17.9B: Negativ – Der Spiegel außen auf der Eingangstür reflektiert das Qi, so daß es nicht ins Haus fließen kann.

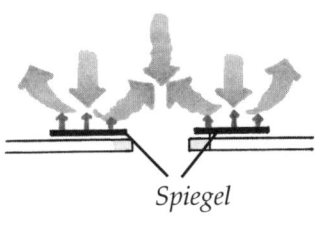

Abbildung 17.9C: Negativ – Die Spiegel rechts und links neben dem Eingang reflektieren das Qi, so daß es nicht ins Haus fließen kann.

Toilettentür im Eingangsbereich

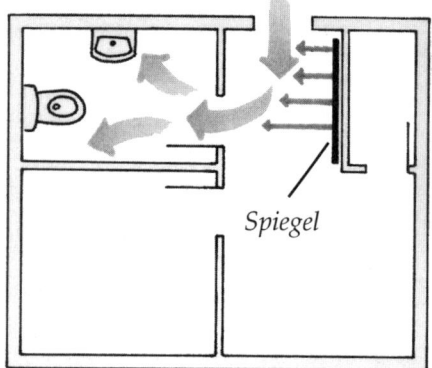

Abbildung 17.10A: Negativ – Ein großer Spiegel gegenüber der Toilettentür in Eingangsnähe reflektiert Qi in die Toilette hinein.

Die Toilettentür sollte sich nicht direkt gegenüber vom Eingang befinden, ansonsten fließt alles günstige Qi für das Haus in die Toilette, und ein Teil dieses Qi fließt über die Toilettenspülung ab. Ungesundes, verunreinigtes Qi verteilt sich von der Toilette aus im Haus und verursacht Gesundheitsprobleme.

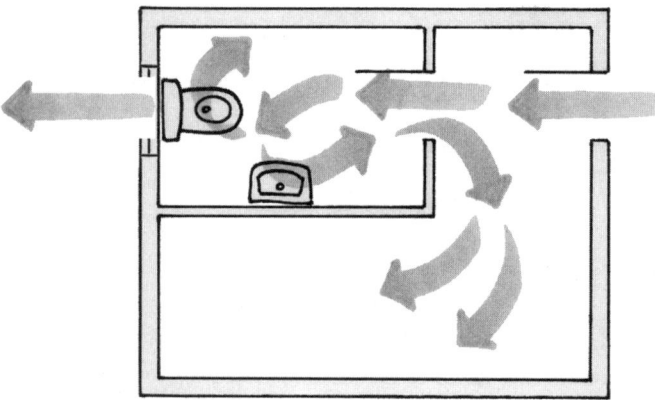

Abbildung 17.10B: Negativ – Das gesamte Qi, das für das Haus bestimmt ist, fließt in die Toilette und zum Fenster hinaus. Ein Teil des verunreinigten Qi fließt ins Haus zurück und verursacht Gesundheitsprobleme.

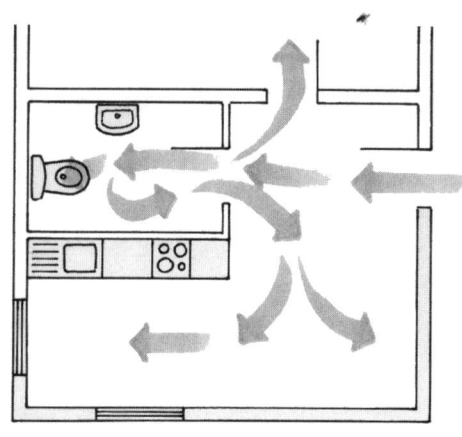

Abbildung 17.10C: Negativ – Ähnlich wie Abbildung 17.9A, hier hat die Toilette jedoch keine Fenster. Das Qi geht vom Eingang in die Toilette und wird wieder herausgedrückt. Das unreine Qi verteilt sich in Küche, Eß- und Wohnbereich, verunreinigt das Essen und verursacht Gesundheitsprobleme. Abhilfe wie in 17.9D.

Abhilfe: Hängen Sie ein kleines Windspiel (Stablänge ca. 10 cm) vor die Toilettentür oder hängen Sie einen schmalen Spiegel (beispielsweise 26 x 112 cm oder ein anderes günstiges Maß) außen an der Toilettentür auf. Bei den Spiegelmaßen gilt folgende Regel: 10 cm Spiegelbreite benötigen einen Abstand von 1 m zur Eingangstür, damit das hereinkommende Qi nicht wieder hinausreflektiert wird.

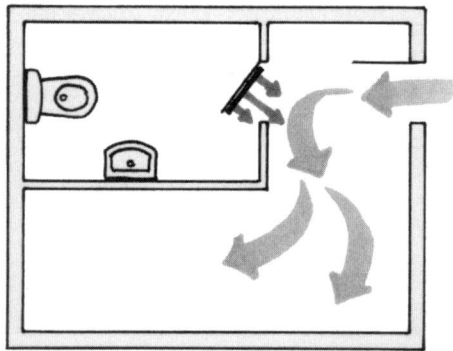

Abbildung 17.10D: Abhilfe für 17.9B-C – Hängen Sie einen schmalen Spiegel außen an der Toilettentür auf, damit das Qi nicht in die Toilette eindringt.

Eingang in direkter Linie zur Zimmertür

Der Haupteingang sollte nicht unmittelbar gegenüber einer Zimmertür liegen, damit das kosmische Qi für das ganze Haus nicht nur in einen Raum einfließt. Ansonsten haben die Bewohner in den Räumen, die seitlich oder weiter hinten liegen, wenig Energie.

Abhilfe bei einer Situation wie in Abbildung 17.10: Hängen Sie ein kleines Windspiel (mit massiven Röhren, 15 cm lang, oder Hohlröhren von doppelter Länge) in der Linie zwischen Eingang und Zimmer direkt unter die Decke. Das Windspiel sollte oberhalb des Türstocks hängen. Auf diese Weise wird das hereinkommende Qi gestreut und verteilt sich auch in andere Räume.

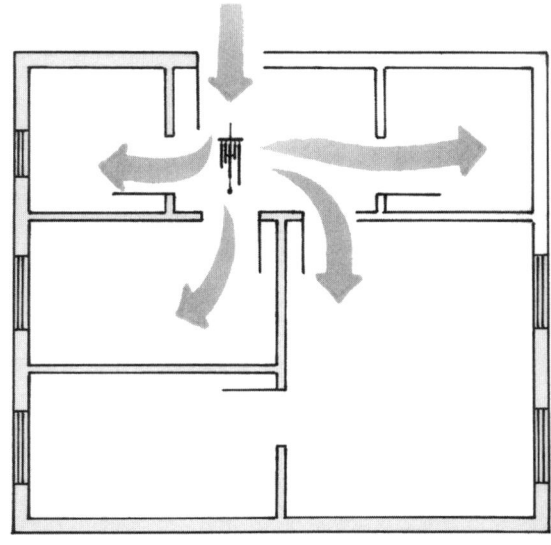

Abbildung 17.10: Energieverteilung mit Hilfe eines Windspiels.

Günstig ist es, wenn der Eingang im Bereich des Wohnzimmers liegt, das im übertragenen Sinne für den Lungen- und Brustbereich des Menschen steht. Von dort aus kann sich das kosmische Qi in alle anderen Bereiche des Hauses weiter verteilen.

Deckenbalken im Eingangsbereich

Querverlaufende Deckenbalken hinter der Eingangstür erzeugen eine vorhangähnliche Barriere und blockieren das Qi, so daß es nicht ins Haus eindringen kann. Darüber hinaus wird das hereinkommende Qi durch die Balken nach unten gedrückt und greift die Hereinkommenden an sowie diejenigen, die sich im Eingangsbereich aufhalten. Freistehende Deckenbalken sollten mindestens 3 m von der Eingangstür entfernt sein. Das gleiche Prinzip gilt auch in allen übrigen Räumen.

Abbildung 17.12: Negativ – Qi wird nach unten gedrückt und greift die Hereinkommenden an.

Gegenüberliegende Wände

Wenn die Eingangstür einer Wand gegenüberliegt, die nur etwa eineinhalb Meter entfernt ist, wird das kosmische Qi sofort wieder hinausgedrückt, was zu Turbulenzen am Eingang führt. Sie greifen die Hereinkommenden an und wirken störend. Eine solche Wand sollte mindestens 2 m vom Eingang entfernt sein.

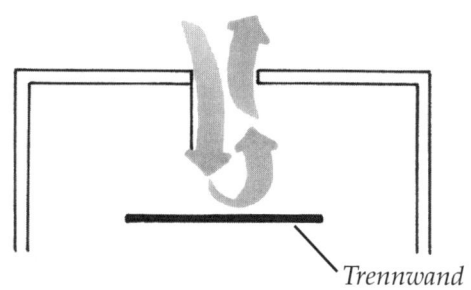

Abbildung 17.13A: Negativ – Der Eingang liegt gegenüber einer Wand. Die Tür ist nur 1 – 1,5 m entfernt. Qi und Energie werden wieder herausgedrückt.

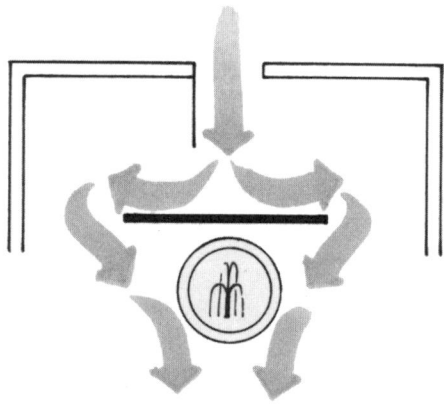

Abbildung 17.13B: Abhilfe: Hängen Sie auf der Rückseite der Wand ein Wasserfallbild auf oder stellen Sie direkt hinter oder ein Stück von der Wand entfernt einen Zimmerbrunnen auf, damit Qi angezogen wird und schnell einfließen kann.

Abfluß- oder Kanalgitter

Direkt vor dem Eingang sollte kein Abflußgitter installiert sein. Über einen Abfluß oder eine Kanalöffnung entweichen unangenehme Gerüche und schlechte Energie, die ins Haus eindringen, das Essen verunreinigen und der Gesundheit schaden.

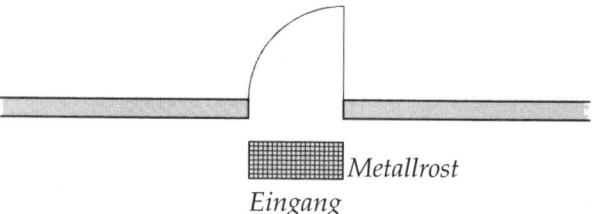

Abbildung 17.14: Ein Abflußgitter vor der Haustür. Abhilfe: Das Gitter am besten abdecken.

Starker Wind

Wenn ein starker Wind regelmäßig gegen den Eingang bläst, schadet das der Gesundheit der Hausbewohner. Dieser Wind bringt erstickendes Qi in ein Haus oder eine Wohnung. Die Bewohner sind nicht im Gleichgewicht, sie sind ängstlich, nervös und neigen zu Hormonstörungen und Depressionen.

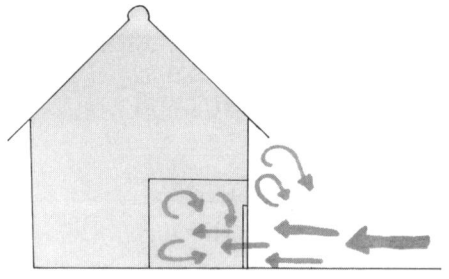

Abbildung 17.15A: Heftiger Wind bläst gegen eine Eingangstür und verursacht viele Turbulenzen. Erstickendes Qi dringt in die Wohnung ein.

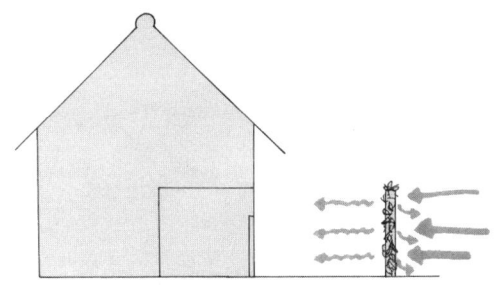

Abbildung 17.15B: Abhilfe für Abbildung 17.15A: Stellen Sie einen Reisig- oder Flechtzaun mindestens 5 – 10 m von der Tür entfernt auf, um die angreifenden Winde zu blockieren oder abzuschwächen.

Die Anordnung der Türen

Zimmertüren sollten sich nicht genau gegenüberliegen, da es sonst zwischen den Raumbewohnern Konflikte geben könnte. Wenn zwei Personen gleichzeitig ihren Raum verlassen, können sie zusammenstoßen. Am besten sollten sich die Türen diagonal gegenüberliegen.

Abhilfe: Man hängt ein kleines Windspiel (6 – 10 cm lange, massive Stäbe) in der Linie zwischen den beiden Räumen oberhalb des Türstocks unter die Decke. Dadurch, daß es Energie blockt, wirkt es als energetische Abgrenzung zwischen den beiden Räumen und verringert den Konflikt.

Verschiedene Türen und Türanschläge

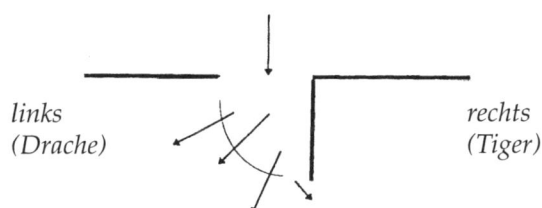

links
(Drache)

rechts
(Tiger)

Abbildung 17.16A: Die Tür ist auf der rechten Seite (Tigerseite) eingehängt. Die linke Seite des Raums hat mehr Qi und Energie. Am besten sitzt oder schläft man auf der linken Seite. Die Wirkung ist umgekehrt, wenn die Tür links eingehängt ist.

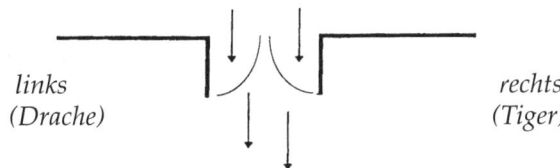

links
(Drache)

rechts
(Tiger)

Abbildung 17.16B: Die Flügeltür öffnet sich zu beiden Seiten. Die Energie fließt mehr in der Mitte ein, die rechte und linke Seite des Raums haben weniger Energie.

Abbildung 17.17A: Ungünstig – Türen liegen einander genau gegenüber.

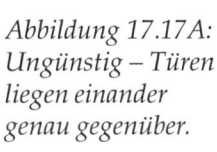

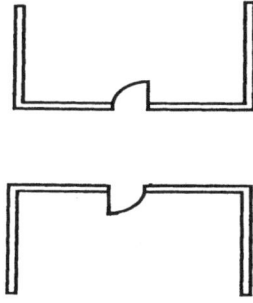

Abbildung 17.17B: Günstig – Türen liegen einander diagonal gegenüber.

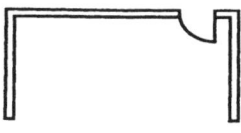

Abbildung 17.18A: Eine Tür, die sich nach außen öffnet, blockt hereinkommendes Qi.

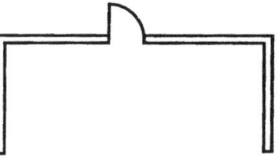

159

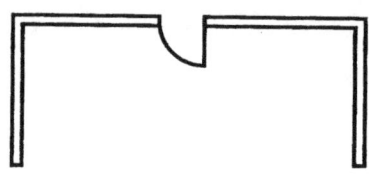

Abbildung 17.18B: Die Tür sollte sich nach innen öffnen, um einen schnelleren Qi-Fluß zu ermöglichen.

Abbildung 17.19A: Negativ – Der Türanschlag sollte sich nicht auf der Seite zu einer anderen Tür hin befinden. Das verhindert einen sanften Qi-Fluß und verursacht unnötige Turbulenzen im Eingangsbereich.

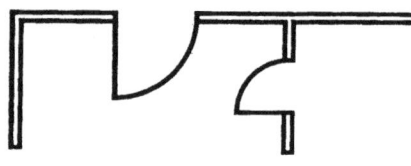

Abbildung 17.19B: Positiv – Die Türanschläge wurden verändert und die rechte Tür verkleinert.

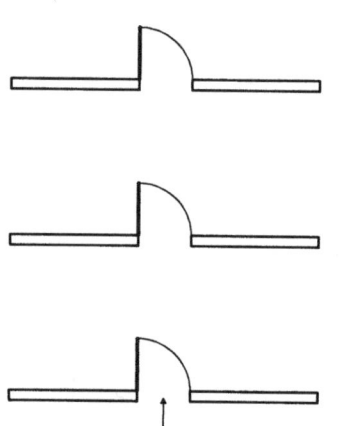

Abbildung 17.20A: Drei und mehr Türen hintereinander sind ungünstig. Jeder Türrahmen blockiert Energie, so daß immer weniger Qi durch die nächste Tür einfließt. Wenn die Energie schließlich bei der dritten Tür ankommt, ist nur noch sehr wenig davon vorhanden. Bewohner am Ende des Korridors sind nicht sehr gesund und erfolgreich.

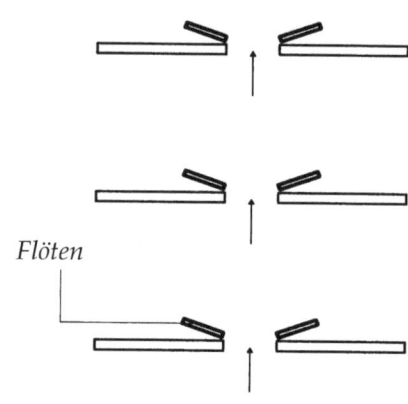

Flöten

Abbildung 17.20B: Abhilfe bei mehreren hintereinanderliegenden Türen. Ein Paar Flöten auf der Innenseite über jeder Türöffnung zieht mehr kosmisches Qi an.

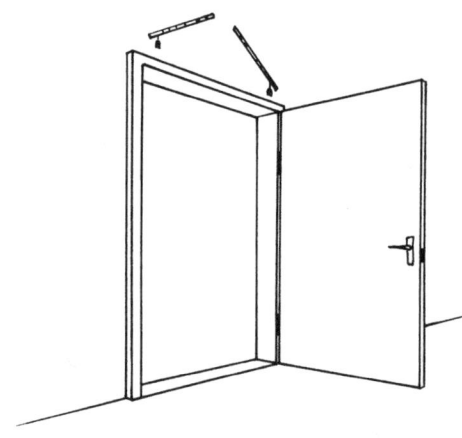

Abbildung 17.20C: Aufhängung der Flöten

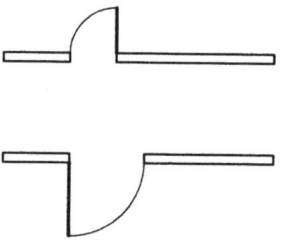

Abbildung 17.21A: Wenn eine der sich gegenüberliegenden Türen größer ist, dominieren der dazugehörige Raum und die Personen, die sich dort aufhalten.

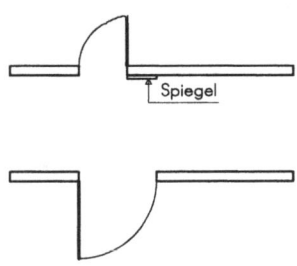

Abbildung 17.21B: Abhilfe: Ein Spiegel in Türhöhe seitlich neben der Zimmertür reflektiert die große Tür und vergrößert optisch die kleinere Tür.

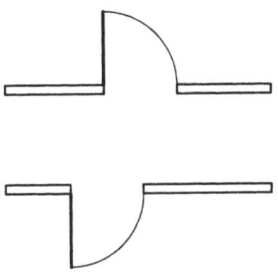

Abbildung 17.22A: Wenn zwei Türen nur leicht zueinander versetzt sind, „schneiden" sie sich gegenseitig und bewirken einen ungleichmäßigen Energiefluß.

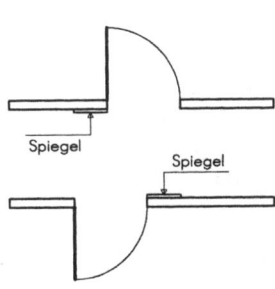

Abbildung 17.22B: Abhilfe: Bei beiden Türen wird auf jeder Seite ein schmaler Spiegel in Türhöhe aufgehängt, um die Türen auszugleichen und die Energie hineinzulenken. Die beste Lösung ist jedoch, die Türen so zu versetzen, daß sie einander nicht gegenüberliegen.

Breite und Höhe der Tür

Eine Tür sollte idealerweise etwa 30 cm höher als die Größe einer Durchschnittsperson sein. Auch auf jeder Seite der Tür sind im günstigsten Fall noch 30 cm Platz, wenn jemand durch die Tür geht. Eine kleinere Tür stört das elektromagnetische Feld (Aura) der Person, wenn sie durch eine Tür geht. Das ist so, als würde ihr jemand einen Schlag versetzen.

Positive Feng Shui-Maße sind für alle Türen vorteilhaft. Die Haupteingangstür sollte größer als die übrigen Türen im Haus sein. Im Verhältnis zum gesamten Gebäude sollte sie jedoch auch nicht zu groß sein – das würde bedeuten, daß das Haus einen zu großen „Mund" besitzt.

Abbildung 17.23A: Positiv – Normale Türhöhe.

Abbildung 17.23B: Negativ – Die Tür ist zu niedrig.

Abbildung 17.23C: Negativ – Die Tür ist im Verhältnis zum Haus zu hoch.

Schlafzimmer und Bettpositionen

Kapitel 18

Körper und Geist müssen sich nach einem langen Arbeitstag wieder regenerieren. Ruhen wir uns vollständig aus und schlafen tief, haben die Körperzellen genügend Zeit, um sich zu erneuern, zu heilen und zu wachsen. Die sich in den Zellen ansammelnden Giftstoffe werden später über den Urin, Stuhl und Schweiß ausgeschieden.

Schlafen wird als geringe Aktivität – Yin – betrachtet. Daher sollte sich ein Schlafzimmer in einem Bereich mit wenig Aktivität im hinteren Bereich des Hauses oder im ersten Stock befinden.

Für den Schlafraum werden Farben verwendet, die in Harmonie mit den Bewohnern stehen (wir richten uns hier nach dem Element des Geburtsjahres). Ein Schlafzimmer sollte gemütlich eingerichtet sein und eine entspannte und angenehme Atmosphäre verbreiten. So können wir uns leicht ausruhen und uns auf die Herausforderungen des nächsten Tages vorbereiten.

Wie alle anderen Räume muß ein Schlafzimmer eine "Hintertür" haben, damit verbrauchtes Qi entweichen kann. Ein Fenster oder eine Balkontür kann ebenfalls zur Hintertür erklärt werden, über die das verbrauchte Qi abfließt. Vor einem Fenster oder einer Tür, die als Hintertür gelten, sollten möglichst weder Windspiele noch Bergkristalle aufgehängt sein, da sie das Abfließen der verbrauchten Energie verhindern würden.

Wenn es in einem Schlafzimmer überhaupt keine Fenster gibt, muß ein „symbolisches Fenster" eingerichtet werden, indem man ein Fenster an die Wand malt. Wichtig ist, daß es sich bei dieser Wand um eine Außenwand handelt, da die verbrauchte Energie über dieses symbolische Fenster ins Freie entweicht. Grundsätzlich sollte ein solcher Schlafraum aber vermieden werden.

163

Ungünstige Lage für ein Schlafzimmer

- Über einer Garage oder einem Abstellraum, in denen sich abgestandene und schmutzige Luft und Energie sammeln, nach oben steigen und Gesundheitsprobleme verursachen.
  Abhilfe: Man stellt zwei Pflanzen auf, die weniger als 1 m hoch sind. Die Pflanzen sollten viele Blätter haben, um die giftige Luft zu filtern und 2 m vom Bett, insbesondere vom Kopfbereich, entfernt stehen.
- Unmittelbar gegenüber, neben, über oder unterhalb einer Toilette, wo verunreinigte Energie zirkuliert.
  Abhilfe: Bei einer gegenüberliegenden Toilette hängt man auf der Innenseite der Toilettentür einen Spiegel auf, der die unreine Toilettenenergie in die Toilette zurück und zum Fenster hinaus reflektiert (siehe auch Kapitel 22).
- Neben, gegenüber, unter oder über einer Küche. Ein Schlafzimmer neben der Küche ist ungünstig, da die Strahlung der Küchengeräte die Wände durchdringt und die Gesundheit der Bewohner beeinträchtigt (siehe Abbildung 18.1). Wenn man neben der Küche schläft, wird man durch den Küchengeruch dazu angeregt, zuviel zu essen.
  Abhilfe: Tauschen Sie Ihr Zimmer mit jemandem, der mager ist! Stellen Sie Ihr Bett nicht direkt an die Wand zur Küche, sondern halten Sie einen Abstand von mindestens 1,5 m.

Abbildung 18.1: Ungünstig – Schlafzimmer neben der Küche.

- Neben dem Wohnzimmer oder Spielzimmer, wo es laut ist. Auch wenn es nachts ruhig ist, bleibt die unruhige Energie, die während des Tages entstanden ist, erhalten. Sie zieht auch ins Schlafzimmer, stört dort die ruhige Energie und führt zu Unruhe und Schlafstörungen.
  Abhilfe: Falls möglich, Schlafzimmer verlegen.
- Weniger als 70 m von einer Eisen- oder Straßenbahnlinie entfernt, die starke Vibrationen und elektromagnetische Störfelder erzeugt.
  Abhilfe: Aus dem Haus oder der Wohnung ausziehen, da diese starke Energie nicht neutralisiert werden kann.

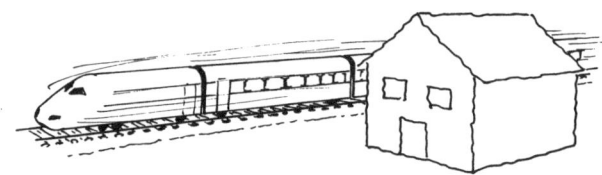

Abbildung 18.2 Zu vermeiden – Haus direkt an einer Bahnlinie.

- Über einer Metzgerei. Obwohl die Tiere bereits geschlachtet sind, gehen vom Fleisch immer noch Todes- und Angstenergien aus. Diese Energie steigt zu Ihnen nach oben.
  Abhilfe: Verlegen Sie Ihr Schlafzimmer oder ziehen Sie besser aus.
- Über einem Bestattungsinstitut: Dort gibt es immer viele Geister, die auch in andere Stockwerke kommen und jemanden erschrecken können. Das kann zu Depressionen und allgemeinen Gesundheitsproblemen führen.
  Abhilfe: Hängen Sie ein Pa'kua auf. Besser ist es jedoch, wenn Sie ausziehen.
- Über einem Café oder Restaurant, in dem das Rauchen gestattet ist – Essensgeruch und Rauch steigen nach oben und beeinträchtigen auch die dort Wohnenden.
  Abhilfe: Schlafzimmer verlegen oder ausziehen.

- Über einer Diskothek oder Bar, in der laute Musik gespielt wird. Auch wenn nach Mitternacht keine laute Musik mehr gespielt werden darf, hält sich die laute Energie immer noch im Raum, bewegt sich langsam in die darüberliegenden Stockwerke und stört den Schlaf. Anhaltender Lärm verursacht schwere Gesundheitsprobleme wie beispielsweise Herzbeschwerden und psychische Probleme.
Abhilfe: Am besten umziehen.
- Ein Schlafzimmer sollte sich nicht an einer verkehrsreichen Straße befinden, da der Lärm stört. Abhilfe: Raum verlegen.
- In der Nähe einer Müllhalde: Der Gestank und der verrottende Müll sind für die Bewohner gesundheitsgefährdend.
Abhilfe: Ausziehen.
- Nicht am Ende eines langen Korridors, wo sich die Qi-Energie zu schnell bewegt. Zuviel Qi könnte Schlafstörungen und erhöhte Nervosität verursachen.
Abhilfe: Um den Qi-Fluß zu verlangsamen, können Sie in der Mitte des Flurs ein kleines Windspiel mit massiven Stäben von ca. 15 cm Länge dicht unter der Decke aufhängen.

Spiegel im Schlafzimmer

- Kein Spiegel sollte so aufgehängt sein, daß er direkt auf das Bett ausgerichtet ist. Sollte das der Fall sein, decken Sie den Spiegel ab oder entfernen Sie ihn.

Ein Spiegel am Kopfende des Bettes reflektiert die Aura des Menschen und wirkt daher störend. Während des Schlafs verläßt die Seele den Körper. Beim Zurückkommen ist sie verwirrt, da sie den Körper sowie sein Spiegelbild vorfindet und nicht weiß, wohinein sie gehen soll. In diesem Fall wachen wir dann mit einem plötzlichen Ruck auf.

Wenn ein Spiegel am Fußende des Bettes hängt, ist man beim Aufstehen direkt mit seinem Spiegelbild konfrontiert und kann im verschlafenen Zustand erschrecken.

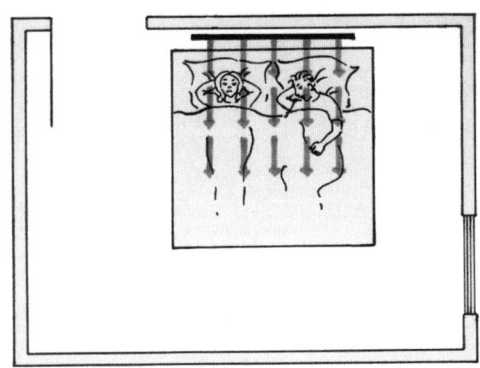

Abbildung 18.3A Ungünstig – Spiegel am Kopfende des Bettes.

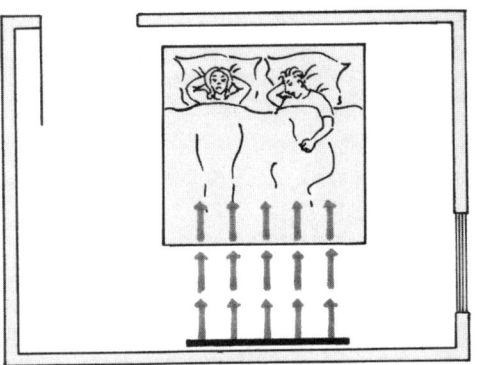

Abbildung 18.3B: Ungünstig – Spiegel am Fußende des Bettes.

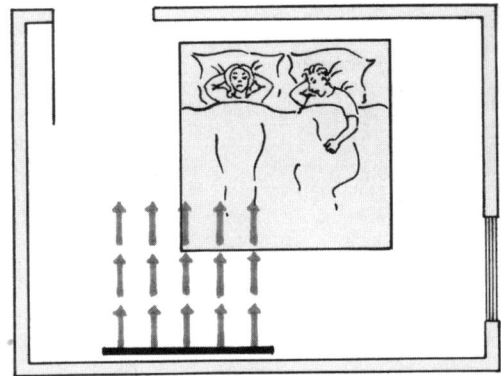

Abbildung 18.3C. Ungünstig – Spiegel reflektiert auf das Bett.

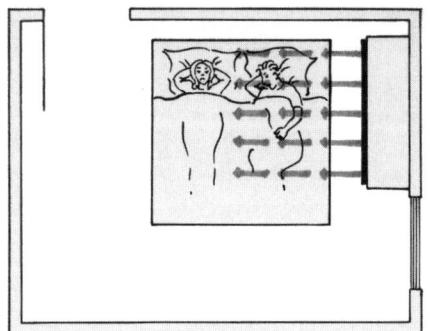

Abbildung 18.3D: Ungünstig – die Reflexion des Spiegels „drückt" den Schläfer zur Seite. Unbewußt versucht er zu entkommen und dreht sich mehr zur Mitte.

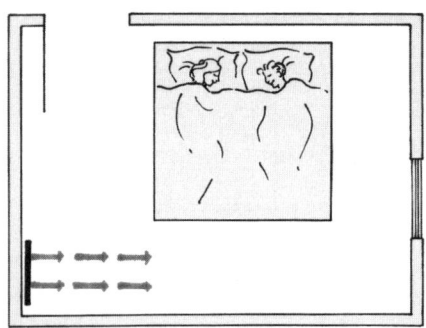

Abbildung 18.3E: In dieser Position wirkt der Spiegel nicht störend.

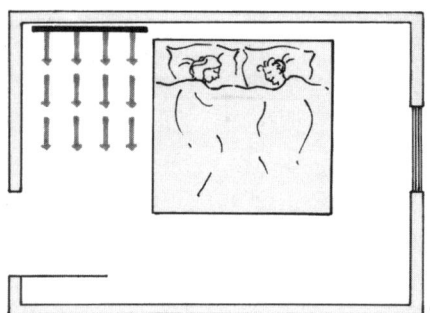

Abbildung 18.3F: Positiv. Wird der Spiegel so aufgehängt, wirkt er nicht störend.

Wo sollte ein Bett im Schlafzimmer stehen?

Es gelten folgende Richtlinien:

- Das Bett sollte an einem entstörten Platz stehen, das heißt, es sollten keine Wasseradern, Erdverwerfungen oder sonstige schädliche Strahlungen vorhanden sein.
- Das Bett sollte – wenn möglich – auf der nördlichen Halbkugel zum magnetischen Norden und auf der südlichen Halbkugel zum magnetischen Süden ausgerichtet sein.

Von besonders großer Bedeutung ist das folgende Prinzip:

- Wenn wir wach sind, sind wir aufnahmebereit und wenden unser Gesicht dem Geschehen zu. Im Gegensatz dazu brauchen wir beim Schlafen 100 % Ruhe. Wir sind daher nicht daran interessiert, was sich außerhalb unseres Schlafzimmers abspielt. Daher ist es am besten, wenn das Bett so steht, daß wir die Tür nicht sehen können.

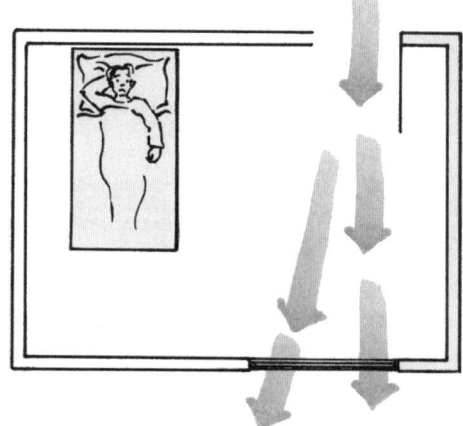

Abbildung 18.4: So wird das Bett richtig gestellt. Der Raum hat jedoch einen Nachteil: Die Tür befindet sich direkt gegenüber dem Fenster, wodurch gutes Qi direkt austritt und die Bewohner damit wenig Qi und eine geringe Vitalität haben.

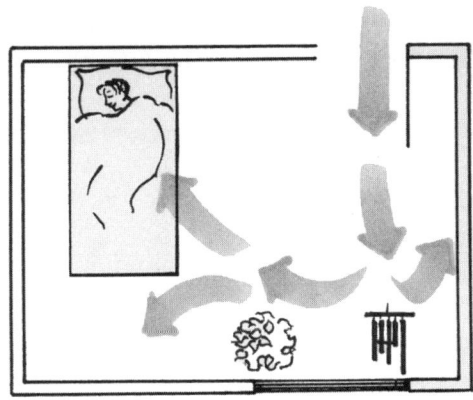

Abbildung 18.5: Hier sind die Abhilfen eingezeichnet. Ein Windspiel in der entsprechenden Größe (siehe Kapitel 22) oder ein großer facettierter Bergkristall (dreifache Daumengröße eines Erwachsenen) wird ins Fenster gehängt, damit das Qi zurückgeworfen wird und im Raum zirkulieren kann. Alternativ kann man anstelle des Bergkristalls auch eine Pflanze ins Fenster stellen.

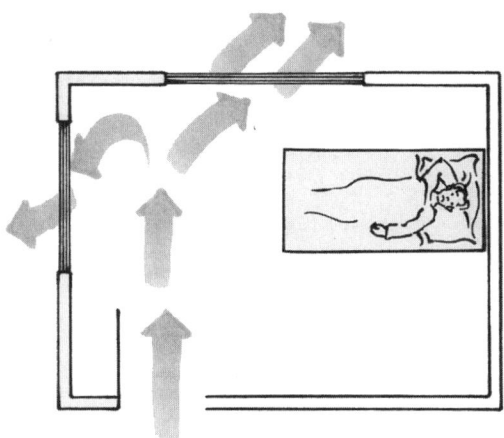

Abbildung 18.6: Ungünstig – der Schläfer liegt mit den Füßen zur Tür.

Der Schläfer in Abbildung 18.6 liegt mit den Füßen zur Tür und schläft dadurch nicht nur schlecht, sondern hat auch unbewußt Angst. In der chinesischen und südamerikanischen Kultur sowie bei den Maori (den Ureinwohnern Neuseelands) werden die Toten so aufgebahrt, daß ihre Füße zur Tür zeigen. Sie werden auch mit den Füßen zuerst hinausgetragen.

Interessanterweise gibt es in den Krankenhäusern des British Commonwealth die Vorschrift, daß die Patienten im Bett mit dem Kopf zuerst aus dem Raum gefahren werden. Auf diese Art und Weise wird meines Erachtens das Immunsystem nicht geschwächt.

Wenn jemand mit den Füßen zur Tür schläft, könnte das seine Lebensspanne verkürzen. Sie können das selber mit dem Pendel oder dem Kinesiologietest nachprüfen.

Jeder, der vom Bett aus die Tür unbedingt einsehen muß, hat ein Trauma, das mit der Kindheit oder vergangenen Leben zusammenhängt. Möglicherweise wurde die Person in diesem oder in vergangenen Leben vergewaltigt oder im Schlaf angegriffen. Eine Psychotherapie oder eine Rückführung löst meiner Erfahrung nach dieses Problem normalerweise schnell auf.

- Auf der Kopfseite des Bettes sollte sich am besten eine feste Wand befinden. Abhilfe: Wenn das nicht möglich ist, sollte das Bett zum Schutz zumindest ein hohes Kopfteil haben. Auch das Fußteil sollte erhöht sein. Früher wurden alle Betten in dieser Weise gebaut.
- Das Bett sollte sich nicht in einer Linie mit der Tür befinden (Abbildung 18.7), da das hereinkommende kosmische Qi angreift und Gesundheitsprobleme, insbesondere Herzprobleme und Nervosität auslösen würde.

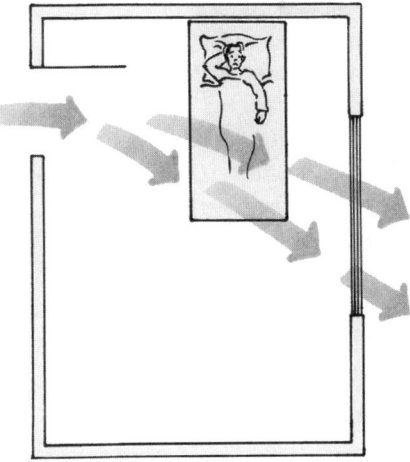

Abbildung 18.7: Ungünstig – Bett und Tür liegen auf einer Linie.

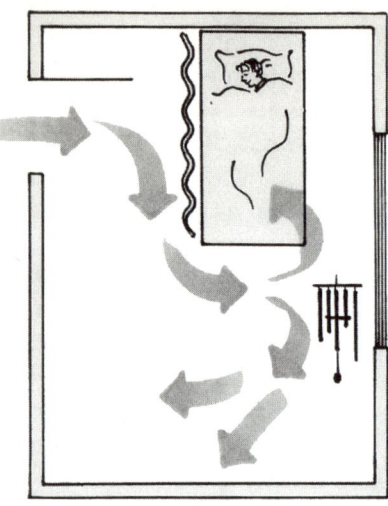

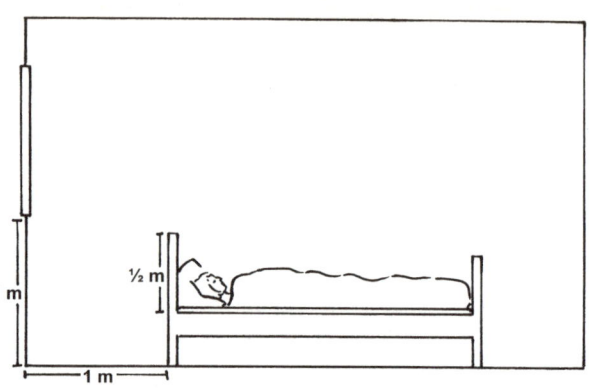

Abbildung 18.9: Höhe des Kopfteils und Abstand zum Fenster.

Abbildung 18.8: Abhilfe: Eine Trennwand oder einen Paravent zwischen Tür und Bett aufstellen, um den Qi-Fluß umzulenken.

- Das Bett sollte nicht direkt auf dem Boden liegen, es sei denn, man isoliert es von unten mit einer dicken Strohmatte. Die kalte Energie des Bodens (zum Beispiel Betonfußboden) und die Strahlung der eingelassenen elektrischen Kabel können sich ungünstig auf den Schläfer auswirken und zu Schlaf- oder Herzproblemen führen.

- Das Bett sollte mindestens 1 m von einem Fenster entfernt stehen, wenn sich unterhalb des Fensters eine feste Wand befindet, die mindestens 1 m hoch ist. Fenster, die bis zum Boden reichen, sollten sich mindestens 2 m vom Bett entfernt befinden. Über die Fenster entweicht das Qi nach draußen. Wenn das Bett zu nahe am Fenster steht, liegt die Person „im Durchzug" und wird zum Fenster „hinausgedrückt", was Angst und Nervosität erzeugt. Diejenigen, die in einem Hochhaus zu nahe an einer Fensterfront schlafen, können unter einer Art Höhenangst leiden. Es treten auch vermehrt Gesundheitsprobleme auf.
Abhilfe: Das Bett hat ein hohes Kopfteil. Alternativ stellt man ein massives Holzbrett oder einen Paravent von mindestens 1,5 m Höhe als Barriere zwischen Bett und Fenster.

- Das Bett sollte nicht wie in Abbildung 18.10 in die Ecke gestellt werden. Die Energie bewegt sich in die Zimmerecke und wird zurück auf den Schläfer gelenkt. Auch wenn ein Kopfteil am Bett die angreifende Energie ein wenig abschwächen kann, durchdringt doch etwas subtile Energie das Kopfteil und stört den Schlaf. Die Ecke wird neutralisiert, indem man beispielsweise einen Schrank dorthin stellt. Die Füße der schlafenden Person sollten nicht zur Tür zeigen.

Abbildung 18.10: Die Energie der Ecke greift den Schlafenden an.

- Das Bett sollte sich nicht an der Wand zum Badezimmer befinden, wenn dort ein Wasserrohr verläuft. Die Wasserenergie ist kalt und yin und strahlt bis zu einen Meter weit ab. Man wird davon beeinträchtigt, wenn das Bett unmittelbar an der Wand steht. Häufig treten dann Gesundheitsprobleme wie Rheuma oder eine Immunschwäche auf, die zu Erkältungen und Lungenproblemen führt.

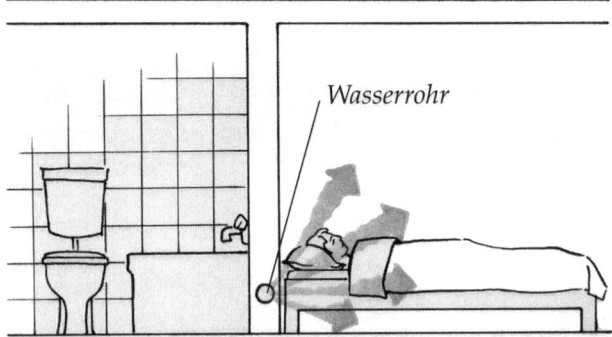

Abbildung 18.11: Das Bett steht an einer Wand, in der ein Wasserrohr verläuft.

Abhilfe: Das Bett ca. 1,5 m von der Wand entfernt aufstellen oder einen Spiegel dort aufhängen, wo die Wasserrohre verlaufen. Wichtig: Die Spiegelfläche zeigt zur Wand, um so die Wasserenergie zurückzulenken. Alternativ kann auch Spiegelfolie verwendet werden. Die Folie sollte die dreifache Breite des Rohres haben.

- In jedem Schlafzimmer sollte zur Luftreinigung eine Pflanze von nicht mehr als 1 m Höhe etwa 2 – 3 m vom Bett entfernt aufgestellt werden (siehe auch Kapitel 23).

Die genannten Richtlinien reichen für den Feng Shui-Anfänger aus. Dieses Buch kann nur auf einige grundsätzliche Regeln eingehen, denn jedes Schlafzimmer ist anders gestaltet. Daher profitieren Sie auch viel von einem guten Feng Shui-Kurs, in dem praktische Fallbeispiele besprochen werden, oder Sie lassen sich individuell beraten.

Die Küche

Kapitel 19

Früher verbrachte die Frau des Hauses die Hälfte des Tages in der Küche und bereitete das Essen für die Familie zu. Küchenausstattungen im High-Tech-Stil und Fertiggerichte erleichtern heute die Zubereitung der Mahlzeiten und sparen Zeit. Viele Familien kochen nur noch einmal am Tag. Leider hat die Küche dadurch an Bedeutung verloren, denn man hält sich nicht mehr so lange dort auf.

In China bestehen die meisten Herde und Kochstellen noch aus Lehm oder Erde. Traditionell ist der Herd oder die Kochstelle nach Osten hin ausgerichtet, um die Sonnenwärme zu nutzen und damit Energie zu sparen. Diese Himmelsrichtung ist außerdem dem Holzelement zugeordnet, welches das Feuerelement „nährt".

Im Feng Shui ist jeder Himmelsrichtung ein Element zugeordnet. Man sollte daher Himmelsrichtungen vermeiden, deren Element in Konflikt mit dem Feuerelement der Küche steht. Die Elementezuordnung nach dem Ost-West-System wird in meinem geplanten Buch über Trigramm-Feng Shui ausführlich behandelt.

Im Rahmen dieses Buches empfehle ich, die Küche nicht in den Norden zu legen, denn der Norden steht für Kälte und das Wasserelement, das in Konflikt mit dem Küchenfeuer steht. Dadurch gelingt das Essen nicht so gut und ist weniger nahrhaft und gesund.

Einige Richtlinien für die Küche

1. Wegen des Elementekonflikts sollten Herd/ Ofen (Feuerelement) mindestens 1,5 m von Spüle, Geschirrspülmaschine und Kühlschrank (Wasserelement) entfernt sein.

Der Wasser-Feuer-Konflikt erzeugt zu viele Turbulenzen. Das beeinträchtigt die Person, die hier kocht und wirkt sich damit auch auf die Qualität des Essens aus. Der Herd braucht aufgrund der kühlenden Wasserenergie auch mehr Hitze zum Kochen und damit mehr Strom oder Brennstoff.

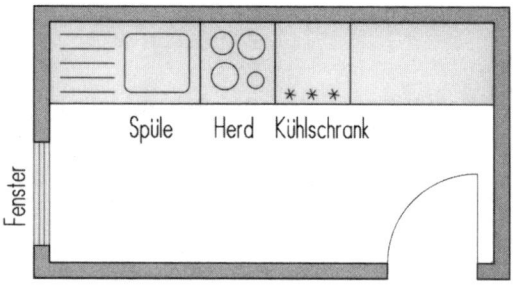

Abbildung 19.1: Ungünstig – hier steht der Herd unmittelbar zwischen Spüle und Kühlschrank.

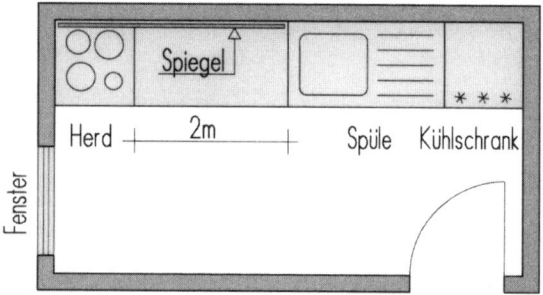

Abbildung 19.2: Hier sehen wir eine gute Küchenanordnung, bei der Wasser- und Feuerelement getrennt sind. Wenn die Person am Herd mit dem Rücken zur Tür steht, wird ein Spiegel so aufgehängt, daß sie die Tür einsehen kann (siehe auch Abbildung 19.4).

2. Der Herd sollte sich nicht unterhalb eines Deckenbalkens befinden, um zu vermeiden, daß die Energie, die vom Balken nach unten gelenkt wird und angreift, sich störend auf den Herd/Ofen auswirkt. Das kann ansonsten dazu führen, daß die Qualität des Essens leidet und sich negativ auf die Gesundheit der Bewohner auswirkt. Außerdem neigt die dort kochende Person zu Sodbrennen und Halsentzündungen.

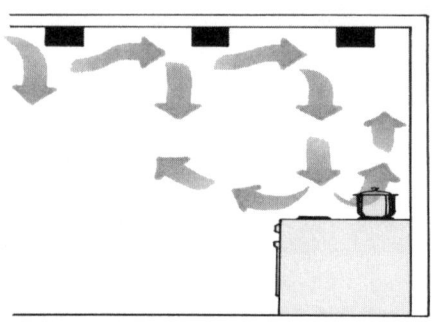

Abbildung 19.3: Deckenbalken über dem Herd.

3. Hinter dem Herd oder in der Nähe des Herdes sollte sich kein Fenster befinden, denn die subtile Energie des Windes dringt durch das Fenster ein und beeinträchtigt die Herdhitze. Das gilt insbesondere bei kaltem Wind und auch, wenn das Fenster geschlossen ist. Der Wind, der auf den Herd bläst, verursacht darüber hinaus Hitzeprobleme bei der Person, die kocht, was sich in trockenem Husten, Lungenproblemen und Sodbrennen äußert.

4. Der Küchenherd sollte möglichst so gestellt werden, daß die Person vom Herd aus die Tür sieht. Wenn sie mit dem Rücken zur Tür arbeitet, ist sie ständig in Alarmbereitschaft und kann erschrecken, wenn jemand hereinkommt. Als Abhilfe wird ein Spiegel über dem Herd aufgehängt, so daß die Tür eingesehen werden kann (siehe Abbildung 19.2 und 19.4). Wichtig ist, daß der Spiegel mindestens 30 cm von der Kochfläche entfernt ist, damit er die Herdhitze nicht auf die Person reflektiert. Der Spiegel kann über die ganze Länge der Wand gehen oder auch kleiner sein.

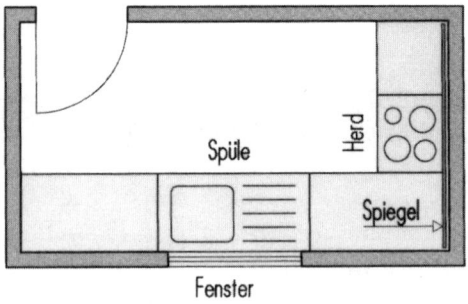

Abbildung 19.4: Spiegel über dem Herd.

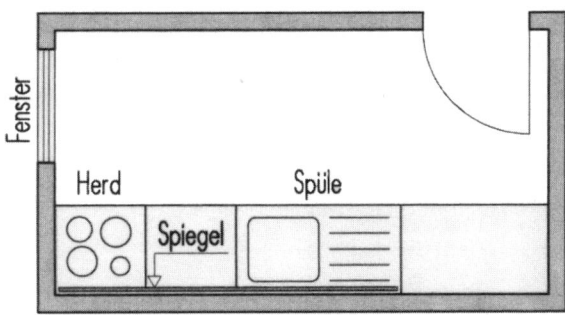

Abbildung 19.5: Spiegel über dem Herd.

5. Der Herd sollte nicht in direkter Linie zur Küchentür stehen. Der Zugwind und das hereinkommende Qi beeinträchtigen die Herdhitze, was sich auf die Gesundheit der Person auswirkt, die kocht. Außerdem wird die Energie des Essens ungünstig verändert, was zu Verdauungs- und anderen Gesundheitsproblemen der Bewohner führen kann.

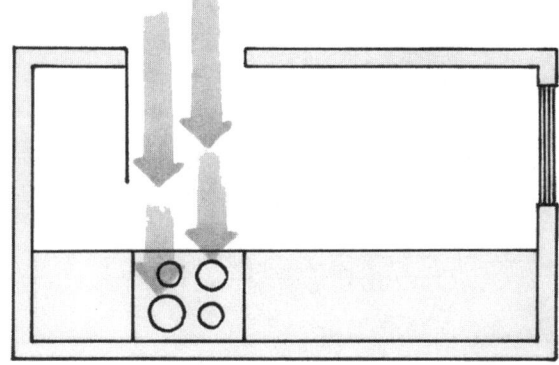

Abbildung 19.6: Herd in der Türlinie.

6. Die Küche sollte sich nicht über, unterhalb, neben oder gegenüber einer Toilette befinden – die schmutzige Toilettenenergie verunreinigt das Essen in der Küche und führt zu Gesundheitsproblemen.

7. Eine Küche sollte gut belüftet und beleuchtet sein, so daß das Kochen bequem ist und es Spaß macht, leckere Mahlzeiten zuzubereiten. Damit wird auch das „Yin-Qi" aus der Küche vertrieben und dadurch Unfälle vermieden.

8. Vermeiden Sie die Farbe Blau in der Küche, da sie das Element Wasser repräsentiert und mit dem Feuerelement der Küche in Konflikt steht.

9. Bei einer chinesischen Familie ist es Brauch, einen Altar, sowohl für den Küchengott als auch für den Erdgott, aufzustellen. Der Altar ist ein Symbol des Respekts für die Küchengeister und verleiht diesem Ort gutes und harmonisches Qi. In der Küche werden viele scharfe Instrumente verwendet, und wenn der Küchengott respektiert wird, können unvorhergesehene Unfälle vermieden werden.
   Wenn Sie Ihrem Glauben entsprechende Symbole haben, können Sie diese auch in der Küche aufstellen.

10. Damit Sie ein hochqualitatives und schmackhaftes Essen mit heilender Wirkung erhalten, sollten Sie am besten mit Holz, Kohle oder Gas kochen. Vermeiden Sie elektrische Herdplatten, denn die elektrische Strahlung der Platten dringt in das Wasser und das Essen ein und erschwert die Verdauung und Nährstoffaufnahme.
   Bei Samen, die ich in Wasser keimen lassen wollte, das zuvor auf einer elektrischen Herdplatte erhitzt worden war, hatte ich interessanterweise keinen Erfolg. Samen keimen aber schnell, wenn auf einem Kohle- oder Holzfeuer gekochtes Wasser verwendet wird. Auf dem Gasherd gekochtes Wasser läßt die Samen ebenfalls keimen, jedoch langsamer.

11. Verwenden Sie niemals einen Mikrowellenherd. Die extrem kurzen Wellen zerstören die subtilen Nährstoffenergien (Aura) der Nahrung. Das Essen ist zudem schwerer verdaulich und kann nicht so gut absorbiert werden. Wer täglich Essen aus der „Mikrowelle" zu sich nimmt, neigt dazu, mehr zu essen, da dem Essen Nährstoffe fehlen. Das kann wiederum zu Gewichtsproblemen führen.
   Es sollte auch schon aufgrund der schädlichen Strahlung kein Mikrowellenherd in der Küche aufgestellt werden. Wer sich ständig in seiner unmittelbaren Nähe aufhält, neigt eher zu Blutbildveränderungen, Leukämie und allgemeinen Gesundheitsproblemen.

Wohnräume, Toilette und Garage

Kapitel 20

Das Wohnzimmer

Das Wohnzimmer wird allgemein als Aktivitätenraum der Familie angesehen und hat damit Yang-Qualität. Es ist mit der Lunge eines Menschen zu vergleichen. Vom Eingang aus gelangt das Qi ins das zentral gelegene Wohnzimmer und verteilt sich dort in der Weise, wie die Lungen den Sauerstoff und die Nährstoffe aus der Luft in andere Teile des Körpers transportieren.

Dieser Raum sollte normalerweise größer, besser aber doppelt so groß wie die anderen Räume sein und sich möglichst in der Nähe des Eingangs befinden (Abbildung 20.1).

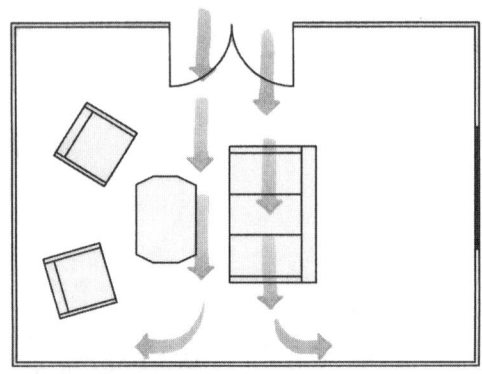

Abbildung 20.2A: Ungünstige Anordnung der Möbel. Das Sofa steht in der Türlinie und wird von der hereinkommenden Energie angegriffen.

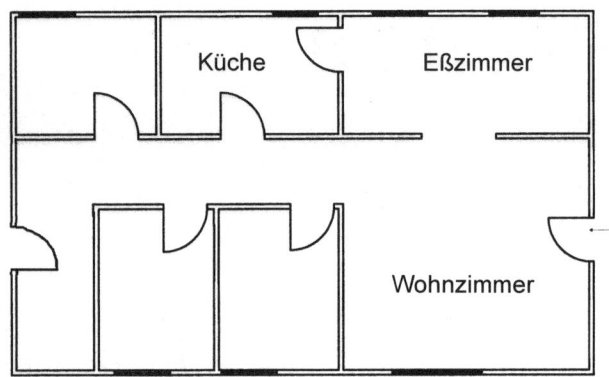

Abbildung 20.1: Entspricht dem Prinzip der menschlichen Lunge – das Wohnzimmer liegt direkt am Eingang.

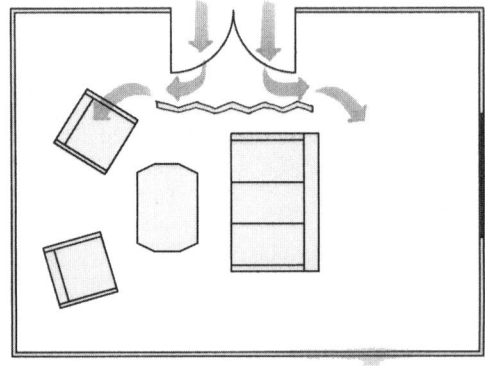

Abbildung 20.2B: Abhilfe: Der Paravent schützt vor dem hereinkommenden starken Qi.

Eine helle Einrichtung, die harmonisch angeordnet ist, heißt Bewohner und Gäste willkommen.

Das Wohnzimmer sollte genügend Platz bieten und eine rechteckige oder quadratische Form haben. Vermeiden Sie L-förmige oder lange, schmale Formen. Eine lange, schmale Form zeigt an, daß das Gebäude / die Wohnung eine schwache „Lunge" hat und die Bewohner zu schlechter Gesundheit neigen.

Die wichtigsten Sitzplätze sollten sich nicht in direkter Linie zur Tür befinden. Von dort aus sollte man bequem zur Tür blicken können, damit man nicht erschrickt, wenn jemand hereinkommt (siehe Abbildungen 20.2–20.5).

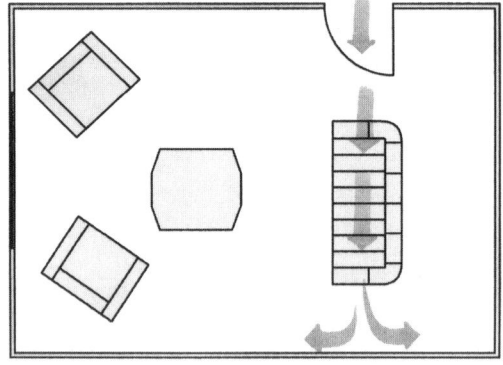

Abbildung 20.3A: Ungünstige Anordnung der Möbel. Das Sofa steht in der Türlinie.

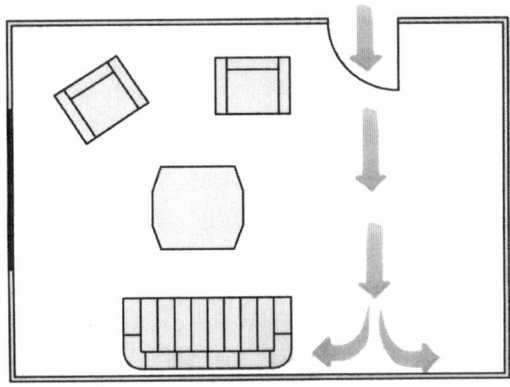

Abbildung 20.3B: Günstige Anordnung der Möbel durch einfaches Umstellen.

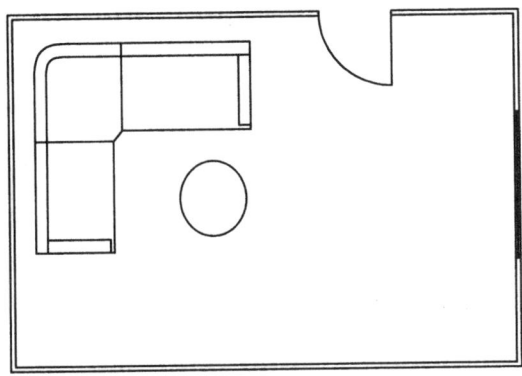

Abbildung 20.4A: Ungünstige Anordnung der Möbel. Vom Sofa aus sollte man bequem die Tür einsehen können.

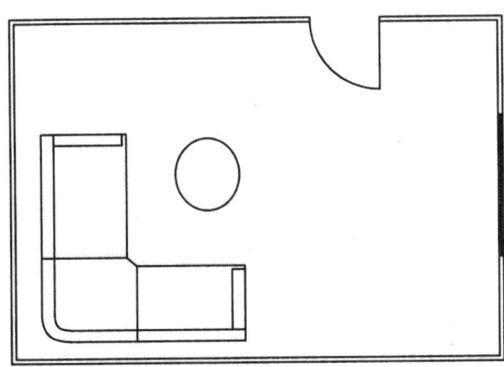

Abbildung 20.4B: Günstige Anordnung der Möbel. Die Tür kann von der Sitzecke aus bequem eingesehen werden.

Das Kinderzimmer

Ein Raum im mittleren Bereich eines Hauses oder einer Wohnung ist für Kinder am günstigsten. Wenn die Kinder in einem Raum im hinteren Bereich schlafen, der eigentlich für die Eltern bestimmt ist, kann es schwieriger sein, sie zu kontrollieren. Für die Einrichtung werden Farben gewählt, die mit dem Geburtsjahrselement des Kindes in Harmonie stehen.

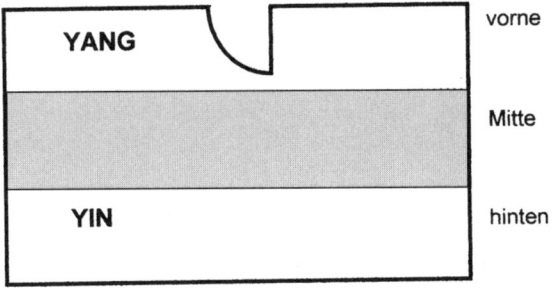

Abbildung 20.5: In der Mitte ist der günstigste Bereich für das Kinderzimmer.

Das Arbeitszimmer

Es gibt viele unterschiedliche Meinungen darüber, wo sich im Haus das Arbeitszimmer befinden sollte. Dieser Ort muß zum Lernen und Studieren gut geeignet sein. Logischerweise sollte er ruhig und nicht in der Nähe einer Küche liegen, was den Appetit anregen und vom Lernen abhalten würde. Wenn das Arbeitszimmer der Eingangstür gegenüberliegt, sind die Bewohner häufig Workaholics oder Bücherwürmer.

Im Idealfall sollte sich das Lernzimmer für Kinder in der Nähe der Hausvorderseite nach den Trigrammen der Acht Lebenssituationen im „Wissensbereich" befinden. Dort können die Eltern das Lernen bequem überwachen (siehe Abbildung 20.6). Erwachsene, die unbedingt ihre Ruhe brauchen, um sich zu konzentrieren, können auch ein Arbeitszimmer im hinteren Bereich des Hauses einrichten.

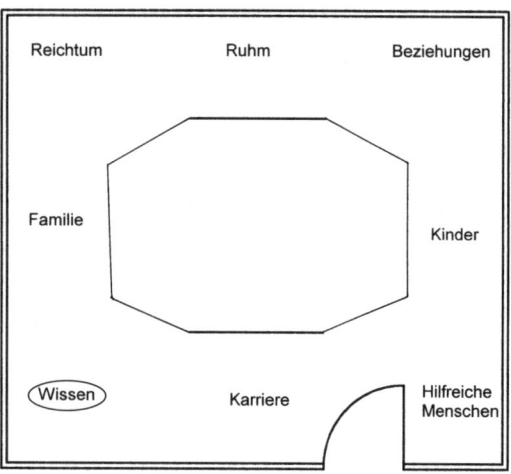

Abbildung 20.6: Das Arbeitszimmer liegt im Wissensbereich der Wohnung / des Hauses günstig.

Die Toilette

Die Toilette gehört zum Wasserelement und ist daher eine Quelle von Yin-Qi. Hier werden die menschlichen Exkremente weggespült. Eine ungünstige Lage des WC kann die Gesundheit der Bewohner beeinträchtigen.

Am besten ist es, wenn die Toilette auf der Rückseite des Hauses liegt.

Folgende Standorte der Toilette haben negative Auswirkungen und sind zu vermeiden:

1. Die Toilette sollte sich nicht im höher gelegenen Stockwerk direkt über dem Eßzimmer oder dem Herd befinden. Im Feng Shui steht der Herd für Gesundheit und Reichtum in der Familie, sein Element ist das Feuer. Ein WC im oberen Stockwerk direkt über dem Herd ist nicht nur ungesund, sondern gefährdet auch den Wohlstand der Familie, da das Wasser-Qi, das durch die Toilette abfließt, das Herdfeuer löscht. Der Herd und der Eßtisch sollten mindestens drei Meter vom Abflußrohr der Toilette entfernt sein.

2. Die Toilette sollte sich nicht über dem Schlafzimmer befinden. Das negative und verunreinigte Qi von dort dringt ins Schlafzimmer ein und wirkt sich ungünstig auf die Gesundheit der Bewohner aus. Das Schlafzimmer sollte in diesem Fall verlegt werden. Wenn diese Situation nicht zu vermeiden ist, empfiehlt es sich, zwei Pflanzen ins Schlafzimmer zu stellen, die die Luft filtern.

3. Manchmal leidet ein Bewohner an Schlaflosigkeit, weil sich der WC-Spülkasten auf der anderen Seite der Wand hinter dem Bett befindet. Die kühle Energie des Wassers durchdringt die Wand und wirkt störend im Kopfbereich. Abhilfe: Das Bett in einen anderen Bereich des Raums verschieben.

4. Die Toilette sollte sich nicht direkt gegenüber der Eingangstür befinden. Das gesamte gute Qi des Hauses fließt in die Toilette und wird heruntergespült oder verunreinigt. Danach zirkuliert das verunreinigte Qi im ganzen Haus und verursacht Gesundheitsprobleme. Als Abhilfe wird ein schmaler Spiegel an der Toilettentür angebracht (siehe auch Kapitel 17).

5. In manchen Häusern liegt die Toilette ein Stockwerk höher direkt über der Eingangstür. Schmutzige Energien von der Toilette und den Abflußrohren strahlen nach unten und dringen ins Haus ein. Gesundheitsprobleme sowie ein Mangel an Vitalität und Wohlstand sind die Folge. Abhilfe: Die Toilette verlegen oder weniger häufig benutzen, wenn eine zweite vorhanden ist.

Die Garage

Heutzutage hat jede Familie mindestens ein Auto. Daher ist die Garage zu einem wichtigen Bereich des Hauses geworden. Im Feng Shui wird eine Garage als Abstellraum (Yin) betrachtet.

Eine Garage wird im Feng Shui normalerweise nicht als Bestandteil des Wohngebäudes berücksichtigt, es sei denn, daß das erste Stockwerk mehr als 2/3 der Garage abdeckt.
Berücksichtigen Sie für Ihre Garage folgende Punkte:

1. Die Garage sollte nicht die Haupteingangstür blockieren oder behindern.

2. Sie sollte auf der Drachenseite des Hauses gebaut werden – die Bewegung des Autos bringt mehr Qi zum Haus.

3. Die Garagenzufahrt sollte nicht direkt auf den Hauseingang zuführen, denn so gelangen Abgase und Staub ins Haus, was sich nachteilig auf die Gesundheit der Bewohner auswirkt. Einige Menschen werden auch nervös, weil sie unbewußt fürchten, daß das Auto ins Haus fahren könnte.

4. Fahren Sie das Auto vorwärts in die Garage, so daß die Abgase durch das Tor nach draußen entweichen können. Zusätzliche Fenster im hinteren Bereich der Garage sorgen für eine bessere Belüftung, damit verbleibende Abgase schneller entweichen können.

5. Eine Tür, die von der Garage ins Haus führt, sollte so liegen, daß möglichst wenig Abgase ins Haus gelangen.

6. Die Garage sollte nicht unter einem Schlafzimmer oder einer Küche liegen, da die subtile Energie der giftigen Autoabgase nach oben steigt und Gesundheitsprobleme verursacht. Wenn die Garage vorn offen ist, ist das weniger gesundheitsschädlich, da die Abgase besser abziehen können.

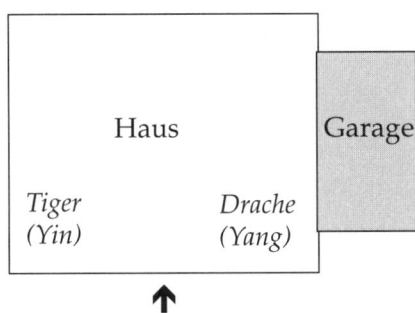

Abbildung 20.7: Die Garage liegt auf der Drachenseite.

Rituale
für Hausbau
und Einzug

Kapitel 21

Wenn Sie ein Stück Land kaufen, haben Sie die körperlichen Besitzrechte erworben und werden als Eigentümer im Grundbuch eingetragen. Trotzdem sind Sie wahrscheinlich nicht der erste Mensch, der das Land nutzt, und haben daher, „spirituell" gesehen, nicht das Erstnutzungsrecht für das Grundstück. Das Stück Land könnte irgendwann seit der Besiedelung durch Menschen auch für Rituale oder als Grabstätte genutzt worden sein. Insbesondere Grundstücke, die oben auf einem Hügel, auf einem Berg oder am Hang liegen und eine gute Aussicht auf ein Tal oder eine Bergkette bieten, wurden früher oft als Platz für Rituale oder Zeremonien benutzt.

Viele Gebiete waren berühmte Kriegsschauplätze. An Orten mit einer solch traurigen Vergangenheit findet man häufig Geister und wandernde Seelen.

Es spielt keine Rolle, welchem Glauben man angehört – ein Ritual für die Landbenutzung oder für den Hausbau ist meiner Ansicht nach ein Muß. Auf diese Art und Weise werden die Geister, die sich auf dem Grundstück aufhalten könnten, friedlich gestimmt, bevor das Bauen beginnt. Das Ritual ist auch ein Zeichen des Respekts denen gegenüber, die dieses Grundstück zuvor bewohnt hatten, sowie den Energien und Geistern gegenüber, die über das Grundstück herrschen. Auch auf der spirituellen Ebene gibt es Rangordnungen – ein Bewußtsein, das die Menschen zu Lebzeiten geschaffen haben. Der einzige Unterschied zwischen uns und den Geistwesen besteht darin, daß diese eine höhere Energiefrequenz haben, wodurch sie für die meisten von uns unsichtbar sind. Wir haben ein ähnliches Energiefeld, aber auch einen physischen Körper.

Die spirituelle Rangordnung der Menschen

Auch wenn Sie ein Stück Land von Ihren Eltern geerbt haben und diese ohne Probleme auf dem Grundstück gelebt haben, bedeutet das nicht, daß die Geister Ihnen dort dieselbe Ehre erweisen und friedlich sind. Das hängt alles von Ihrem spirituellen Rang ab sowie von dem Ihrer Kinder. Wenn eine Person einen spirituellen Rang von 8/10 * oder höher hat, dann ist sie wie ein General mit einem Stern, der von allen anderen Rängen und Mitgliedern der Armee respektiert wird. Diejenigen, die in der Rangordnung weiter unten stehen, beispielsweise 5/10, 6/10 oder 7/10, haben mehr Probleme, wenn es Geister auf ihrem Land gibt, denn sie besitzen eine geringere Autorität. Daher sind Rituale sehr wichtig, um Geistwesen versöhnlich zu stimmen.

Das Bauritual

Im Westen gibt es die Zeremonie der Grundsteinlegung, bevor mit dem Bau begonnen wird. Es werden Gebete gesprochen und dabei auch indirekt um Erlaubnis für die Landnutzung gebeten. Danach „trampeln" vielleicht Menschenmassen über das Grundstück und feiern. Die über das Grundstück herrschenden Geister werden so vertrieben, was allerdings keine freundliche Art und Weise ist. Bevor die große Menschenmenge eintrifft, sollte bereits um Erlaubnis gefragt worden sein.

Wenn Sie ein Grundstück nutzen wollen, um etwas anzupflanzen oder ein Haus zu bauen, dann wählen Sie für das Ritual einen passenden Tag und einen Zeitpunkt, der mit Ihnen und am besten mit Ihrer ganzen Familie in Harmonie steht. Die Chinesen haben einen Almanach, der „Tung Shu" genannt wird und günstige Zeit-

---

* Die spirituelle Rangordnung wurde der Anschaulichkeit halber von mir auf eine Skala von 10 übertragen. Die niedrigste Stufe ist 1/10, die höchste 10/10.

punkte angibt, zu denen entsprechende Rituale durchgeführt werden können. Da Sie wahrscheinlich kein Chinese sind, gibt es andere Möglichkeiten, wie Sie den richtigen Zeitpunkt feststellen können. Sie können ein Pendel verwenden oder jemanden bitten, der damit arbeitet. Oder Sie ermitteln das Datum mit Hilfe des kinesiologischen Tests (siehe Kapitel 10).

Wählen Sie ein Datum und einen Zeitpunkt, zum Beispiel den 28. November. Bitten Sie auf allen Bewußtseinsebenen um Erlaubnis, damit Sie den kinesiologischen Test durchführen können. Als nächstes fragen Sie: „Sind dieses Datum und diese Zeit für mich und meine Familie harmonisch, damit wir ein Bauritual oder ein Landnutzungsritual auf dem Grundstück durchführen können?" Wenn die getestete Person stark reagiert, dann ist das der richtige Zeitpunkt. Wenn der Test schwach ausfällt, wählen Sie ein anderes Datum und testen solange, bis Sie einen passenden Termin gefunden haben.

Durchführung des Baurituals

An diesem günstigen Tag gehen Sie zum Grundstück und nehmen je nach Wunsch einige Früchte oder gekochtes Essen mit. Stellen Sie das Essen sowie Kerzen und Räucherwerk in eine Ecke des Grundstücks, die Sie nicht so häufig benutzen werden. Dann führen Sie das Ritual durch (siehe Abbildung 21.1). Sie wollen damit klarstellen, daß Sie das Land in friedlicher Absicht nutzen wollen.

Sie könnten folgendes sagen:

„Ich kommuniziere auf allen Ebenen des Bewußtseins mit allen Geistern und Naturenergien, die sich auf diesem Grundstück aufhalten oder ein Anrecht darauf haben. Ich habe dieses Grundstück gekauft/geerbt. Meine Familie und alle unsere geistigen Führer/Engel kommen in friedlicher Absicht und respektieren Eure Energien und Eure Anwesenheit. Wir haben beschlossen, am ... (Datum, Zeit) ein Haus auf diesem Land zu bauen, um hier eine gute Wohnumgebung zu schaffen. Wir schicken Euch alle Liebe und Harmonie."

oder:

„Wir bitten alle Geister, die auf diesem Grundstück leben oder ein Anrecht darauf haben, um spezielle Erlaubnis, damit wir am ... (Zeit/Datum) mit den Bauarbeiten beginnen können. Wir bitten im Namen unserer geistigen Führer/Engel alle Geistwesen, die davon betroffen sind, um Entschuldigung für die Störungen und schicken universelle Liebe, Freude und Heilung dahin, wo immer es nötig ist.

Wir bitten auch alle Geister, die über dieses Land herrschen, um Rat und Schutz zu allen Zeiten, für uns, unsere Kinder, Nachfahren, unser Personal und unsere Freunde. Wir laden jetzt alle Geistwesen je nach Rangordnung dazu ein, sich an unseren Opferungen zu laben.“

Abbildung 21.1: Landnutzungs- oder Bauritual.

Lassen Sie Essen und Kerzen/Räucherwerk zurück, wenn Sie das Ritual beendet haben. Wenn die Geister nach dem Ritual die Aura des Essens aufgenommen haben, sollten Sie es nicht mehr verzehren, denn es schmeckt nicht mehr.

Am Tag des Baubeginns machen Sie dann den ersten Spatenstich.

In Asien werden Kürbisse oder Wurzelpflanzen in den ersten Stock des Rohbaus gehängt, um die Geister um Frieden und Schutz für die Bauarbeiter zu bitten, während die oberen Stockwerke gebaut werden.

In vielen Ländern Europas und Asiens gibt es das Richtfest, das nach der Fertigstellung des Dachstuhls durchgeführt wird.

Abbildung 21.2: Das Richtfest, bei dem ein Baum auf dem Dachstuhl befestigt wird. Ein solches „Ritual" ist ein Muß.

Das Einzugsritual

Wenn Sie schließlich in Ihr Haus oder Ihre Wohnung einziehen wollen, müssen Sie ein weiteres günstiges Datum finden. Normalerweise ist der Tag, an dem Sie einziehen und anfangen zu kochen der offizielle Einzugstag, selbst wenn es noch einige Wochen dauert, bis Sie komplett eingezogen sind.

Das Datum Ihres Einzugs ist wichtig, um Ihr Schicksal in Ihrem neuen Haus oder Ihrer neuen Wohnung zu berechnen und festzustellen.

Wenn der Zeitpunkt des Einzugs mit Ihnen nicht in Harmonie steht, kann das Ihre Ausgeglichenheit und Harmonie drei bis sechs Monate lang beeinträchtigen.

Feuerreinigung

Einige Tage vor dem Einzug ist es notwendig, Ihr Haus zu putzen und zu reinigen. Kleine Tier- und Wandergeister könnten während der Bauarbeiten in Ihr Haus eingedrungen sein. Sie müssen wieder nach draußen gebeten werden. Dazu ist am besten die Salzreinigung geeignet (siehe nächster Abschnitt).

An dem Tag, an dem Sie das erste Mal Ihre Sachen in das neue Haus/die neue Wohnung bringen, können sie nach chinesischer Tradition vor dem Haus in einem Behälter ein Feuer entfachen, um sich symbolisch von negativem Qi und Geistern zu befreien, bevor Sie das gereinigte Haus betreten.

An dem Tag, an dem Sie einziehen, ist es am besten, einen Kessel mit Wasser aufzusetzen, um lebendige Energie und Qi zu erzeugen und um anzuzeigen, daß Sie offiziell eingezogen sind.

Salzreinigung

Legen Sie auch einen günstigen Termin für diese spezielle Reinigung fest. In der Nacht davor sollten Sie sich früh schlafen legen, damit Sie gut ausgeruht sind. Essen Sie etwas Leichtes, damit Sie mehr Energie und eine verstärkte Intuition haben, um das Reinigungsritual am nächsten Tag durchzuführen. Bitten Sie auch Ihre eigenen spirituellen Führer, Ihnen in der Nacht zuvor zu helfen. Diese haben die Möglichkeit, Ihnen im Traum Ratschläge zu geben oder plötzliche Einsichten zu vermitteln.

Am gewählten Tag nehmen Sie zwei bis drei Kilo naturbelassenes Meersalz (kein Tafelsalz!) mit. Bevor Sie das Reinigungsritual durchführen, trinken Sie viel Wasser, damit Sie ausgeglichen sind. Sagen Sie den Geistern und allen Energien im Haus, daß Sie in einer halben Stunde mit der Reinigung beginnen werden. Bitten Sie sie, bis dahin das Haus zu verlassen.

Wenn die Wartezeit vorüber ist, streuen Sie in den Ecken und entlang der Wände, in dunklen Schränken und allen dunklen Winkeln im Haus das Meersalz aus. Das Salz beginnt, die negativen Energien zu absorbieren und schädliche Bakterien zu zerstören. Lassen Sie das Salz bis zum nächsten Tag liegen. Saugen und kehren Sie dann den Boden und werfen Sie das verbrauchte Salz und den Schmutz sofort weg.

In den dunklen Ecken und insbesondere im Keller ist es empfehlenswert, einige Schalen mit Meersalz aufzustellen und sie monatlich zu ersetzen – insbesondere, wenn Sie in ein altes Haus einziehen und negative Energien beseitigen wollen.

Reinigung mit ätherischen Ölen in der Duftlampe

Wenn Sie eingezogen sind, sollten Sie in den darauffolgenden Tagen bis zu zwei Wochen lang ätherische Öle wie Salbei-, Wacholderbeeren- oder Weihrauchöl in eine Duftlampe geben, um negative Energien zu vertreiben.

Danach können Sie zur Luftverbesserung beispielsweise Lavendel-, Jasmin-, Rosen- oder Orangenöl in der Lampe verwenden.

Gerade wenn Sie in ein altes, zuvor bewohntes Haus einziehen, ist es wichtig, zur Reinigung ätherische Öle in der Duftlampe zu verwenden. Die subtilen Energien der vorhergehenden Bewohner bewegen sich immer noch durch die Räume und sind in den Wänden und Möbeln „gespeichert". Wenn die vorhergehenden Bewohner sehr negativ oder krank waren, werden Sie von diesen Energien, die im Haus noch wirksam sind, beeinträchtigt. Sie sollten dann ein bis zwei Wochen lang ätherische Öle verwenden, bevor Sie in eine solche Wohnung oder ein solches Haus einziehen, damit es wirklich vollständig gereinigt wird.

Schließen Sie alle Fenster, bevor Sie die Duftlampe in Betrieb nehmen. Die intensiven Energien des ätherischen Öls neutralisieren alles Negative,

Abbildung 21.3: Negative Energien an den Wänden im Raum. Ätherische Öle wirken reinigend und entfernen die vorhandenen negativen Energien.

das sich an den Wänden und Einrichtungsgegenständen festgesetzt hat.

Nachdem Sie einige Stunden lang in jedem Raum ätherisches Öl verdampft haben, öffnen Sie die Fenster, damit die verbrauchte Luft und die negativen Energien abziehen können. Lassen Sie jeden Tag die Fenster einige Stunden lang geöffnet. Sie können diese Reinigung in zuvor bereits bewohnten Räumen einige Wochen lang wiederholen, bis sie das Gefühl haben, daß die Räume frei von negativen Energien und Gerüchen sind.

Wenn Sie bereits eingezogen sind und sich in Ihren Räumen nicht wohlfühlen (die Luft ist stickig und zum Schneiden, es stinkt oder es riecht nach Schimmel), dann sollten Sie ebenfalls eine Reinigung mit ätherischen Ölen durchführen.

Reinigung mit Wasser

Sie können die Luft und damit verbrauchte Energien reinigen, wenn Sie Wasser in einer Sprühflasche, wie sie zum Bügeln verwendet wird, versprühen. Geben Sie einige Tropfen ätherisches Öl ins Wasser und versprühen Sie es großzügig im ganzen Raum, um den Staub zu verringern und für frischere Luft zu sorgen. Die Wirkung ist wie nach einem Regen, wenn die Luft frisch und gereinigt ist. Sie können das Wasser mit den ätherischen Ölen bei der Hausreinigung zusätzlich versprühen. Am besten gehen Sie täglich mit der Sprühflasche durch den Raum.

Wie stellen Sie fest, daß Ihre Räume und das Haus gereinigt sind? Die Farben sind wie nach einem starken Regen viel intensiver. Alles riecht frischer und man kann leichter atmen.

Diese Art von Reinigung ist auch hilfreich gegen Elektrosmog.

Reinigung mit Trommeln und Glocken

In einigen Kulturen werden Trommeln und Glocken gespielt, um negative Energien zu vertreiben und das Qi in einem Gebäude zu verstärken.

Normalerweise wird zuerst kräftig und laut getrommelt, die Glocken werden angeschlagen und verbreiten einen durchdringenden Klang. Nach und nach wird leiser und harmonischer gespielt, damit sich in den Räumen eine ruhige Atmosphäre entwickelt.

Eine laut gespielte Aufnahme von rhythmischer Trommelmusik erfüllt den gleichen Zweck.

Pflanzen in Haus und Garten

Kapitel 22

Pflanzen und Bäume haben eine kalte Yin-Qualität – „kaltes Blut" – während Menschen eine warme Yang-Qualität haben. Pflanzen können mit Menschen und Tieren kommunizieren. Sie besitzen die Fähigkeit, auf negative und positive Gedanken und Bemerkungen von Menschen zu reagieren. Pflanzen können Menschen und Tiere auf der physischen wie auch auf der feinstofflichen Ebene angreifen. Eine Yucca-Palme „attackiert" beispielsweise jeden, der sie ansieht, mit ihren spitzen, messerartigen Blättern. Wenn Sie jedoch mental mit der Pflanze kommunizieren und sagen, daß Sie ihr freundlich gesonnen sind und ihr nichts tun werden, wird die Pflanze sofort friedlich.

Auch Pflanzen und Bäume haben „Gefühle". Sie können dazu folgendes Experiment machen: Reißen Sie einer Pflanze ein Blatt ab. Nehmen Sie das Blatt in den Mund und machen Sie den kinesiologischen Muskeltest. Sie werden feststellen, daß Ihr Körper sofort schwach reagiert. Das Blatt ist tatsächlich toxisch geworden, selbst wenn es sich um eine ungiftige Pflanze handelt. Diejenigen, die aurasichtig sind, können sehen, wie sich das Aurafeld der beschädigten Pflanze verdunkelt oder rot wird.

Wenn Sie jedoch zuvor mit der Pflanze sprechen und sich bei ihr bedanken, „wehrt sich" die Pflanze nicht, wenn Sie ein Blatt von ihr nehmen.

Für Kräutersammler ist es daher sehr wichtig, mit den Pflanzen zu kommunizieren, bevor Blätter oder andere Teile der Pflanze für Heilzwecke gepflückt werden. Ansonsten kann die Heilwirkung der Pflanzen aufgrund deren Abwehrreaktion sehr stark beeinträchtigt werden.

Pflanzen und Bäume filtern und reinigen die Raumluft und bieten tagsüber eine gute Sauerstoffversorgung. Nachts verbrauchen die Pflanzen jedoch Sauerstoff und geben Kohlendioxid ab, das in großen Mengen giftig ist. Daher ist es nicht empfehlenswert, zu viele Pflanzen in einem Raum zu haben, insbesondere im Schlafzimmer. Ich empfehle eine Pflanze für jedes Zimmer, um die toxische Luft im Zimmer zu reinigen, die durch Teppichmaterialien, Farben und das Zusammenwirken verschiedener Materialien entsteht.

Eine Pflanze bewegt auch das Qi und die Energie im Raum, wenn sich dort niemand aufhält. Im Schlafzimmer ist eine Pflanze empfehlenswert, die nicht mehr als einen Meter hoch ist. Die Pflanze sollte sich mindestens zwei Meter vom Bett entfernt befinden.

Es ist günstig, wenn das Haus von Pflanzen und Bäumen umgeben ist. Sie ziehen Qi an und halten auch die Energie um das Gebäude herum. In der heißen Jahreszeit spenden Bäume wertvollen Schatten. Auf der Rückseite eines Hauses können hohe Bäume gepflanzt werden, um dem Haus eine gute Rückendeckung zu geben. Das entspricht der „Schildkröte" in der Formation der Vier Tiere.

Pflanzen und Bäume werden auch als Windschutz verwendet oder so gesetzt, daß sie das Qi umlenken.

Die folgende Aufstellung zeigt, wieviel Qi und Sauerstoff eine gesunde Pflanze durchschnittlich anzieht:

Pflanze	Qi und Sauerstoff in %
Grünpflanzen und Bäume	50 – 100
Einfarbig blühende Pflanzen	150 – 200
Bunt blühende Pflanzen	200 – 300
Künstliche, echt aussehende, bunte Pflanzen	100 – 150
Fotos von Blumen	100 – 150
Gemälde von Blumen	20 – 50

Tabelle 8

Warum können künstliche Pflanzen ebenfalls kosmisches Qi anziehen? Kosmisches Qi ist die niedrigste lebende Intelligenz und besitzt eine Art Magnetfelder, die entweder von den Magnetfeldern echter Pflanzen oder deren symbolischer Form angezogen werden.

Günstige Pflanzen im Garten

Pflanzen und Bäume im Garten sollten gesund und kräftig sein und üppig wachsen. Pflanzen mit schwachen Blättern und Zweigen, die leicht erkranken können, sind nicht zu empfehlen. Pflegen Sie die Pflanzen regelmäßig und entfernen Sie kranke oder abgestorbene Zweige, da sich das ansonsten negativ auf das Immunsystem der Bewohner auswirken kann.

Wählen Sie Bäume und Pflanzen mit Blättern und Zweigen, die nach oben wachsen. Pflanzen wie die Trauerweide mit ihren hängenden Ästen, die zwar in öffentlichen Parks sehr schön aussehen, sind für den Hausgarten nicht zu empfehlen. Die Trauerweide sieht wie ein Mensch aus, dem es an Energie fehlt. Eine solche Pflanze im Garten wirkt bedrückend und kann dazu führen, daß es den Bewohnern an Vitalität fehlt.

Ein Garten sollte auch einige immergrüne Pflanzen haben, die der winterlichen Kälte widerstehen können. Verwitterte Bäume und nackte Äste im Garten sehen trostlos aus. Nadelbäume sind günstig, es sind jedoch nur Bäume mit weitausladenden Ästen vorzuziehen. Vermeiden Sie spitzgeformte Bäume mit dünnen Nadeln (Abbildung 23.1C).

Abbildung 22.1B: Günstige Baumform.

Abbildung 22.1C: Ungünstige Baumform.

Pflanzen, die bunt und lange blühen, geben Energie, machen gute Laune und ziehen viel Qi und Sauerstoff an.

Wählen Sie möglichst ungiftige Pflanzen. Von Obstbäumen profitieren Sie doppelt – diese ziehen Energie an und tragen Früchte.

Vor dem Haus sollten Bäume und Pflanzen nicht mehr als 1 m hoch sein, damit sie das Qi nicht blockieren, das zum Haus gelangen soll. Direkt vor der Eingangstür sollten keine Pflanzen oder Bäume stehen. Große Bäume können seitlich und vor allem hinter dem Haus gesetzt werden.

Abbildung 22.1A: Günstige Baumform.

Als Windschutz sollten kräftige und schnellwachsende Bäume gesetzt werden. Efeu hat eine kraftvolle Yang-Energie und ist eine gute Kletterpflanze für Schutzzäune. Es wächst jedoch sehr langsam.

Große buschige Bäume können harmlos sein, während sie ihre Blätter tragen, im Winter können der Stamm und die Äste jedoch sichtbar werden und das Haus angreifen (siehe auch Abbildungen 23.2-23.4). Pflanzen Sie diese Art von Bäumen daher nicht unmittelbar vor einem Fenster oder einer Tür.

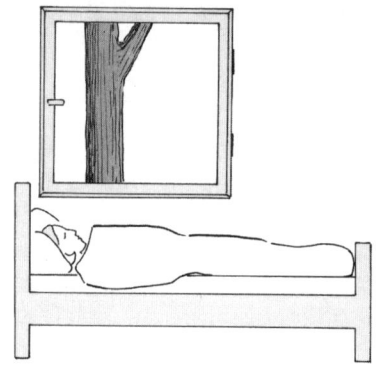

Abbildung 22.2B: Schwerwiegender „Angriff" durch einen geraden Baumstamm.

Bäume vor dem Fenster

Ein gerader, sichtbarer Baumstamm, der sich in direkter Linie vor einem Fenster oder einer Glaswand befindet, „attackiert" die Bewohner im Zimmer und beeinträchtigt indirekt sämtliche Hausbewohner. Die Fenster repräsentieren dabei die Augen. Werden diese angegriffen, können die Bewohner unter Augenproblemen leiden.

Abbildung 22.3A: Weniger starker Angriff durch einen Ast.

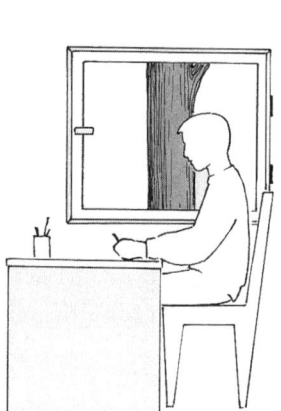

Abbildung 22.2A: Schwerwiegender „Angriff" durch einen geraden Baumstamm.

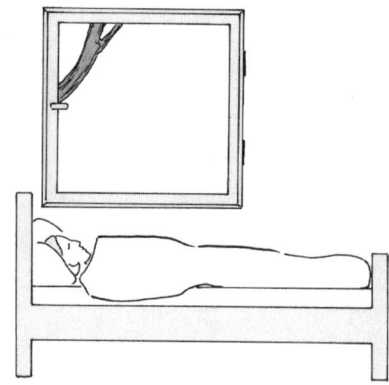

Abbildung 22.3B: Weniger starker Angriff durch einen Ast.

Abb. 22.4A: Positiv – kein Angriff, da kein Stamm sichtbar ist.

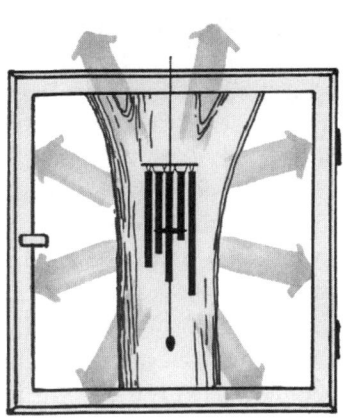

Abbildung 22.5A: Zur Neutralisierung eines sichtbaren, angreifenden Stamms hängen Sie ein Windspiel in der Mitte des Fensters auf Höhe des Stamms auf. Das Windspiel soll sich am besten etwa 30 cm von der Scheibe entfernt befinden.

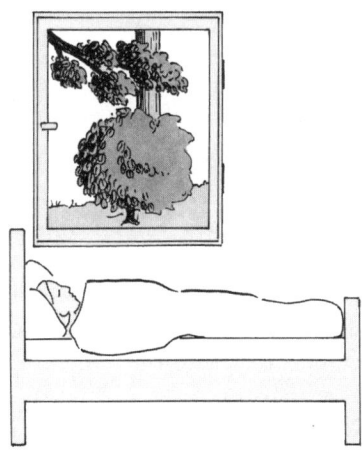

Abb. 22.4B: Positiv – Der gerade Stamm ist von Blättern verdeckt.

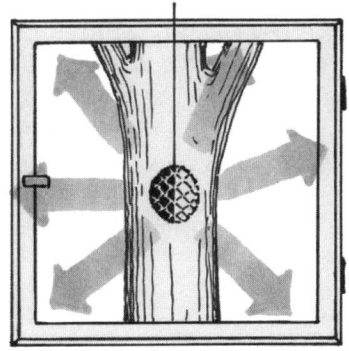

Abbildung 22.5B: Hängen Sie einen geschliffenen echten Bergkristall etwa 30 cm von der Scheibe entfernt in die Mitte des Fensters. Kristalle aus Glas oder Bleikristall sind in diesem Fall unwirksam.

Abstände von Bäumen zum Haus

Bei Pflanzen gilt die allgemeine Regel, daß sich die Wurzeln so weit ausdehnen wie die Äste. Die Wurzeln sollten sich nicht zu nahe an der Hauswand befinden, da sie Risse im Fundament verursachen können und damit Haus und Bewohner angreifen. Große Bäume sollten mindestens 6 m vom Haus entfernt stehen, die Zweige können maximal bis auf 3 m heranreichen.

Dadurch wird auch vermieden, daß abgestorbene Blätter und Zweige in die Regenrinne fallen und Insekten ins Haus kommen. Bäume, die sich sehr nahe am Haus befinden, schirmen das Haus und die Wände zu stark von Sonnenlicht und Wärme ab. Dadurch halten sie mehr Feuchtigkeit, und die Farben und Wandmaterialien werden schneller beschädigt.

Von der Begrünung einer Hauswand ist abzuraten, da es Pflanzen gibt, deren Wurzeln den Putz beschädigen können. Die Hauswand ist mit unserer Haut vergleichbar. Pflanzen, die an der Hauswand hochranken, lassen unsere „Haut" weniger atmen, kühlen sie stark und entziehen ihr Nährstoffe und Wasser. Die Hausbewohner können daher unter Hauterkrankungen leiden. In Häusern sollte die Yang-Energie vorherrschen. Wenn ein Haus von zu vielen großen Bäumen umgeben ist, die sehr nahe stehen, kann es zu stark yin werden und Geister anziehen. Ein Haus, das sehr Yin-betont ist, kann zu einem eisigen Spukhaus werden und ist zum Wohnen nicht gesund.

Zimmerpflanzen

Zimmerpflanzen wirken auf uns beruhigend und entspannend. Sie ziehen Qi an und bewirken, daß das Qi in den Räumen zirkuliert.

Setzen Sie die Pflanzen in normale Blumenerde. Alle sechs Monate sollte etwas Erde ausgetauscht werden, um damit Giftstoffe zu entfernen. Blumenerde ist Hydrokulturgranulaten vorzuziehen, denn in normaler Blumenerde leben Bakterien und Mikroorganismen, die die Giftstoffe im Boden schneller abbauen.

Günstige Pflanzen in der Nähe von Menschen sind solche mit runden Blättern, wie die Geldpflanze, auch Talerbaum genannt, Philodendron, Gummibaum, Kalanchoe-Arten, Chrysanthemen, der Drachenbaum sowie rundblättrige Wasserpflanzen.

Vermeiden Sie alle Arten von Pflanzen, die scharfe, spitze Blätter wie die *Yucca*-Palme haben. Diese Pflanze greift an, wenn Sie sie anschauen. Wenn Sie bereits eine *Yucca* zu Hause haben, stellen Sie sie an einen Ort, an dem Sie sich nicht länger aufhalten.

Pflanzen mit spitzen Blättern sind im Eingangsbereich ungünstig, denn sie wirken abschreckend. Besucher, die auf diese subtile Weise attackiert werden, kommen ungern wieder.

Stellen Sie keinen *Ficus benjamini* oder andere Ficus-Arten ins Schlafzimmer oder an einen Platz, an dem jemand sitzt, der Asthma oder Bronchitis hat. *Ficus benjamini* strömt bei Hitze ein giftiges Gas aus, das Asthma- oder Bronchitisanfälle auslösen kann. Sie können ihn jedoch in einem kühlen Wohnbereich aufstellen.

Der Saft in den Blättern der Pflanze *Dieffenbachia* ist ebenfalls giftig.

Auch Farne können Asthmaanfälle und Bronchitis auslösen. Man stellt sie daher am besten in den Wintergarten oder auf den Balkon.

Bambus ist sehr widerstandsfähig und wächst sehr gut und schnell. Er ist ein Symbol für Langlebigkeit, Kraft und Flexibilität. Es ist gut, Bambus im Garten zu haben, insbesondere die goldenen oder dunkelgelben Formen. Er sollte vorzugsweise hinter dem Haus als „Rückendeckung" gepflanzt werden.

Da Bambus eine stark zehrende Pflanze ist, die der Luft viel Qi und Nährstoffe entzieht, sollte er im Haus nicht in der Nähe des Eßtisches stehen. Zimmerbambus muß gut gedüngt werden, ansonsten absorbiert er sehr viel Qi-Energie, was bei Personen, die sich häufig in seiner Nähe aufhalten, Gesundheitsprobleme verursachen kann.

In NASA-Studien wurde festgestellt, daß verschiedene Pflanzen bestimmte Giftstoffe besonders gut absorbieren und neutralisieren können. Einige Beispiele sind in der nachfolgenden Tabelle genannt.

Gifte	Speichernde Materialien	Dadurch hervorgerufene Gesundheitsprobleme	Pflanzen, die diese Gifte absorbieren
Formaldehyd	Holz Teppiche Möbel Papier Reinigungsmittel	Kopfschmerzen Augenentzündungen Lungenprobleme Asthma Müdigkeit	Aloe Vera Philodendron Chrysantheme Efeu Schefflera Gummibaum
Benzol	Zigarettenrauch Benzin Synthetische Fasern Plastik Farben und Öle Reinigungsmittel	Haut- und Augenreizungen Appetitmangel Müdigkeit	Efeu Drachenbaum Chrysantheme Gerbera Grünlilie Einblatt
Trichloräthylen	Chem. Reinigung Farben Lacke Polituren Klebstoffe	Leukämie und Blut-bildveränderungen Leberkrebs	Gerbera Chrysantheme Lilie Drachenbaum

Tabelle 9: Beispiele für Pflanzen, die Schadstoffe absorbieren können.

Feng Shui-Hilfsmittel

Kapitel 23

In den letzten zwanzig Jahren habe ich tausende von Häusern und Hausplänen auf der ganzen Welt gesehen. Dabei habe ich festgestellt, daß die Gebäude in den westlichen Ländern mehr Feng Shui-Probleme haben, da hier Feng Shui bis vor kurzem unbekannt war. Das ist einer der Gründe, warum die Menschen der westlichen Industrieländer mehr Gesundheitsprobleme haben als die Asiaten. Dort, wo die chinesische Kultur einen starken Einfluß hat, wie in Japan, Südkorea, Taiwan, Hongkong, Singapur, Malaysia und Thailand, gibt es weniger schwerwiegende Feng Shui-Probleme.

Ganz allgemein kann man aber sagen, daß es für die meisten Feng Shui-Probleme auch eine Lösung gibt. Es können auf unterschiedlichen Ebenen Abhilfen eingesetzt werden, um die Auswirkungen von schlechtem Feng Shui zu verringern und zu beseitigen. Da jedes Haus individuell eingerichtet ist, kann im Rahmen dieses Buches nur eine allgemeine Anwendung der Hilfsmittel beschrieben werden. Wer sich mit einzelnen Fallbeispielen befassen will, dem empfehle ich, Seminare zu besuchen (Kontaktadressen siehe Anhang).

In diesem Kapitel werden Hilfsmittel besprochen, die Sie als „Erste Hilfe" bei häufig vorkommenden Feng Shui-Problemen einsetzen können. Ich unterteile die Feng Shui-Hilfsmittel in fünf Kategorien:

1. Physische Feng Shui-Hilfsmittel

Dazu gehören zum Beispiel künstlich angelegte Wasserfälle, Springbrunnen, Aquarien, Blumen, ect. Diese Hilfsmittel sind zu 100 % wirksam, um das kosmische Qi und den Sauerstoff in Wohnräumen anzuheben.

2. Physische symbolische Feng Shui-Hilfsmittel

Das sind zum Beispiel Flöten, Windspiele oder Fächer. Auch wenn die Flöten nicht gespielt und das Windspiel oder der Fächer nicht bewegt werden, wirken diese Hilfsmittel. Sie dienen zur Erhöhung und Lenkung des Qi und sind bis zu 50 – 60 % effektiv.

3. Fotos

Fotos werden ebenfalls als Hilfsmittel verwendet und funktionieren aufgrund der symbolischen Wirkung des abgebildeten Motivs. Das Foto eines Wasserfalls oder eines Baches hat beispielsweise eine Effektivität von etwa 50 – 60 %.

4. Malereien oder Skulpturen

Feng Shui-Berater empfehlen Malereien und Skulpturen als Hilfsmittel, wenn das Qi in einem Raum nur geringfügig angehoben werden muß. Das Gemälde eine Wasserfalls oder eines Sees kann eine Wirksamkeit von 20 – 30 % haben – je nachdem, wie gut die Motive gemalt sind.

5. Nicht sichtbare Feng Shui-Hilfsmittel

Mit Hilfe alter taoistischer Ritualtechniken ist es auf der rein spirituellen Ebene möglich, das Qi in einem bestimmten Bereich im Haus zu verstärken oder eventuell vorhandenes negatives Qi zu zerstreuen. Dies ist die höchste Ebene der Feng Shui-Praxis. Damit erübrigt sich auch der Einsatz von physischen Feng Shui-Hilfsmitteln.

Diese Technik erinnert an die sensationellen Fähigkeiten des Uri Geller. Dieser kann ja bekanntermaßen durch seine mentale Kraft, sogar aus der Ferne, Löffel verbiegen. Auf ähnliche Weise können spirituelle Feng Shui-Techniken aus der Distanz eingesetzt werden, um das Feng Shui eines Gebäudes zu verändern. Allerdings werden diese Techniken nur denen vermittelt, die im Feng Shui weit fortgeschritten sind.

Die von Feng Shui-Praktizierenden und -Beratern eingesetzten Techniken und Abhilfen haben ihre speziellen Funktionen und Wirkungen. Daher muß jeder Anwender genau wissen, wie sie verwendet werden und welche Wirkung sie an dem jeweils eingesetzten Ort haben.

So können nach dem Motto „Viel hilft viel" auch unwissentlich zu viele Hilfsmittel zur Qi-Erhöhung verwendet werden. Das führt zu einem Qi-Überschuß, wodurch ein Raum zu einem erstickend wirkenden Yang-Raum werden kann.

Zusammenfassung häufig verwendeter Feng Shui-Hilfsmittel

Es gibt im Feng Shui mehr als 50 Gruppen von Hilfsmitteln, die wir einsetzen können. Wir behandeln in diesem Buch jedoch nur 18 Gruppen von Hilfsmitteln, die überall auf der Welt verwendet werden können.

Gruppe 1
Bewegtes Wasser

See, Teich, Wasserfall, Springbrunnen, Aquarium, Bach, Fluß, Wasserrad oder Fotos/Gemälde mit Wasserfallmotiven

Bei bewegtem Wasser entstehen durch Reibung elektromagnetische Strahlen, die kosmisches Qi und Sauerstoff anziehen. Dem Qi, das eine weibliche Qualität hat, folgt der Sauerstoff, der männlich ist.

Je stärker die vom Wasser erzeugte Reibung ist, desto höher ist die negative Ionisierung sowie der Gehalt an Qi und Sauerstoff in der nahen Umgebung.

Im alten China wurde Patienten, die eine schwache Konstitution hatten oder an einer schweren Krankheit litten, vom Arzt empfohlen, in der Nähe eines Wasserfalls in den Bergen zu leben. Auch ich habe den Menschen, die mit Gesundheitsproblemen zu mir kamen, diese Methode empfohlen und festgestellt, daß sich ihre Gesundheit und Vitalität stark verbesserte.

Wir fühlen uns entspannt und erfrischt, wenn wir uns im Freien in der Nähe von fließendem Wasser aufhalten. Es ist das wichtigste Feng Shui-Hilfsmittel. Die Chinesen verbinden außerdem Wasser mit Geld, Reichtum und Überfluß.

Hier einige Richtlinien zur Verwendung von Wasserhilfsmitteln: Am besten werden Wasserhilfsmittel in der Nähe des Eingangs aufgestellt, damit genügend Qi in das Haus oder die Wohnung gelangen kann.

Ein allgemein guter Platz für ein Aquarium oder einen Springbrunnen ist auch das Wohn- oder Eßzimmer im Zentrum der Wohnung. Alle Bewohner können von der Anziehung des Qi profitieren. Vermeiden Sie es, Wasserhilfsmittel in der unmittelbaren Nähe eines Fensters aufzustellen, da das angezogene Qi sofort wieder aus dem Fenster entweichen würde.

Außerhalb eines Hauses sollten Wasserhilfsmittel wie Springbrunnen, Wasserfälle oder andere fließende Gewässer vorzugsweise vor dem Haus oder auf der Drachenseite installiert werden. Das Wasser, das ja Reichtum symbolisiert, sollte dabei langsam auf die Eingangstür zufließen.

Abbildung 23.1: Günstig: Langsam fließendes Wasser auf der Hausvorderseite.

Wasser auf der Rückseite des Hauses ist ungünstig, da die Wasserenergie kosmisches Qi und Sauerstoff aus dem Haus zieht. Dadurch fehlt im Haus gutes Qi.

Abbildung 23.2A: Ungünstig: Ein Fluß hinter dem Haus.

Abbildung 23.2B: Ungünstig: Ein Teich hinter dem Haus.

Wasserfallbild

Es ist auch möglich, anstelle der natürlichen Wasserhilfsmittel eine Abbildung oder ein Symbol für fließendes Wasser zu verwenden, um das Qi im Haus anzuregen. Das Bild sollte einen Wasserfall darstellen, bei dem das Wasser kräftig schäumt, damit es eine Effektivität von 50 – 60 % im Vergleich zum natürlichen Wasserfall erreicht. Auf einem solchen Wasserfallbild sollte der Eindruck entstehen, daß das Wasser aus dem Bild herausfließt.

Wasserfallbilder für das Schlafzimmer sollten einen sanft fließenden Wasserfall zeigen. Ein Übermaß an Qi würde Schlafstörungen verursachen.

Aquarium

Ein Aquarium zieht durch das sprudelnde Wasser und die farbigen Fische vermehrt Qi an und erhöht damit die Raumenergie.

Goldfische symbolisieren ein altes chinesisches Zahlungsmittel und sind insofern ein Zeichen von Reichtum, Wohlstand und Freude. Die Chinesen im Süden sprechen das Wort „Fisch" wie „Yi" aus, das dem Wort „Fülle" oder „Überfluß" gleicht.

Ein Aquarium mit einer Pumpe erzeugt sprudelndes Wasser, das wie ein Magnet wirkt und günstiges kosmisches Qi in ein Haus zieht. Sorgen Sie unbedingt für sauberes, frisches Wasser. Abgestandenes Wasser im Aquarium hat keine gute Feng Shui-Wirkung.

Aber auch die goldene Farbe der Fische zieht Qi an. Die goldenen Strahlen verteilen sich durch die Beleuchtung im Aquarium oder durch intensive Sonneneinstrahlung im gesamten Raum und verbreiten ein Bewußtsein von Wohlstand und Fülle im Haus. Diese fast transparenten goldenen Strahlen können meist nur von Menschen wahrgenommen werden, die sich in einem entspannten oder meditativen Zustand befinden.

Sie können auch rote, gelbe oder orange Fische ins Aquarium setzen, vermeiden Sie jedoch schwarze. Wenn die Fische schwarze Streifen oder Flecken haben, sollten diese nicht mehr als 30 % des gesamten Körpers ausmachen. Schwarze oder schwarzgestreifte Fische stehen für einen Trauerfall in der Familie. Im alten China war es bei den reichen Familien Brauch, nach dem Tod eines Elternteils oder eines älteren Familienmitglieds drei Jahre lang zu trauern. Ein Zeichen dafür waren schwarze Goldfische in ihrem Aquarium. Diese schwarzen Fische wurden von Außenstehenden fälschlicherweise als Symbol für größeren Wohlstand interpretiert (siehe auch Kapitel 6).

Wenn man schwarze Goldfische betrachtet, wird das Immunsystem geschwächt. Wer mit der angewandten Kinesiologie oder anderen Prüftechniken vertraut ist, kann diese negative Wirkung selber nachprüfen.

Einigen Menschen ist es zu aufwendig, Fische zu pflegen. Ein Aquarium mit Wasserpflanzen, Plastikgoldfischen und einer kräftig sprudelnden Pumpe erfüllt aufgrund des bewegten Wassers und der Symbolwirkung der Fische einen ähnlichen Zweck.

Die meisten Menschen empfinden ein Aquarium als beruhigend. Wer zum Feuerelement gehört, sollte vorsichtiger sein, wenn er sich längere Zeit neben einem Aquarium aufhält. Das Wasserelement zerstört normalerweise das Feuerelement, wenn es ihm zu nahe ist. Andererseits empfehlen Feng Shui-Berater aber einer Feuerperson ein Aquarium, wenn sie schnell in Wut gerät. Wasser kühlt die Emotionen. Um herauszufinden, wie sich ein Aquarium auf eine Feuerperson auswirkt, sollten sie jeweils in dem betreffenden Fall den kinesiologischen Test anwenden.

Die Wirkung eines Aquariums reduziert sich, wenn es in der Nähe eines Kamins, eines Ofens oder unter einer Treppe steht. Neben der Toilette würde es von dort ungesundes Qi anziehen.
Die beste Form für ein Aquarium ist ein Achteck, ein Quadrat oder ein Rechteck. Sitzen Sie jedoch nicht gegenüber den angreifenden Kanten. Dadurch, daß das Becken mit Wasser gefüllt ist, wird die angreifende Energie im Kantenbereich noch verstärkt.

Einige günstige Feng Shui-Außenmaße für Aquarien:

20 – 26 cm	103 – 112 cm
38 – 48 cm	125 – 135 cm
59,5 – 69 cm	146 – 155 cm
81 – 91 cm	

Gruppe 2
Blühende Pflanzen

Blühende Pflanzen, Topf- und Schnittblumen, schön gestaltete künstliche Pflanzen

Blühende Pflanzen erzeugen Strahlen und elektromagnetische Felder, die ihre natürliche Anziehungskraft darstellen. Sie ziehen kosmisches Qi und Insekten wie beispielsweise Bienen an. Diese helfen bei der Bestäubung und sorgen damit für die Samenbildung und Fortpflanzung.

Bunt blühende Pflanzen ziehen bis zu 300 % kosmisches Qi an. Einfarbige Blüten ziehen zwischen 150 – 200 % kosmisches Qi an.

Ein Garten mit vielen Pflanzen, die die meiste Zeit oder das ganze Jahr über bunt blühen, zieht viel Qi und Sauerstoff an.

Es wirkt sehr belebend, wenn man eine Vase mit frischen Schnittblumen am Arbeitsplatz stehen hat. Sie ziehen viel Qi an und erhöhen damit unsere Vitalität und Kreativität.

Frische Schnittblumen ziehen in den ersten drei Tagen etwa 150 – 200 % Qi an. Verwelkende Blumen sollte man jedoch schnell entfernen. Sie erinnern an Verwesung und symbolisieren das Gegenteil von Frische und Lebensfreude.

Wenn Sie Blumensträuße im Schlafzimmer stehen haben, sollten Sie diese jedoch nachts hinausstellen, da die Blumen dem schlafenden Menschen wertvollen Sauerstoff entziehen.

Bunte, echt aussehende künstliche Blumen sind ebenfalls ein gutes Feng Shui-Hilfsmittel. Sie ziehen aufgrund der Form und Symbolwirkung bis zu 100 % Qi an. Ich habe festgestellt, daß Fotos von schönen bunten Blumen ebenfalls 80 – 100 % Energie anziehen und ein Gemälde mit einem Blumenmotiv zwischen 20 – 50 % Qi. Allgemein erzeugen Blumen ein Gefühl von Liebe und Freude, das unser Immunsystem stark anregt. Daher tut es uns gut, wenn wir viele Blumen um uns herum haben.

Gruppe 3
Gegenstände in Bewegung

Windspiele, Mobile

Windspiel

Ein Windspiel erzeugt Klänge, wenn es vom Wind bewegt wird. Damit zieht es Qi an oder streut das Qi. Ein Windspiel aus Metall oder Glas sollte einen harmonischen und rhythmischen Klang haben. Wenn es jedoch dumpf und hohl klingt, hat es eine bedrückende Wirkung und zieht kein kosmisches Qi an. Es kann jedoch verwendet werden, um den Qi-Fluß in einem Raum oder Gang zu blocken oder umzulenken.

Obwohl sich ein Windspiel in geschlossenen Räumen nicht bewegt, klingt und wirkt es immer noch auf der symbolischen und spirituellen Ebene weiter. Manche sensitive Menschen können den Klang eines Windspiels im Raum hören, wenn sie kurz vor dem Einschlafen sind oder sich in einem Entspannungszustand befinden.

Windspiele werden eingesetzt, um den schnellen Qi-Fluß zu blockieren und umzulenken, wenn beispielsweise eine direkte Tür-Fenster-Linie vorhanden ist oder sich die Eingangs- und Hintertür direkt gegenüberliegen.

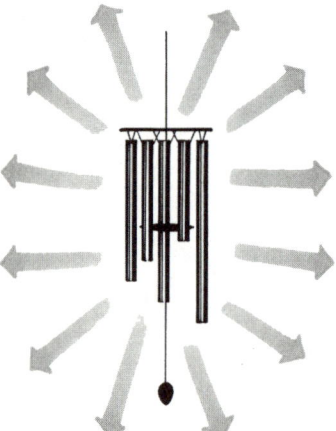

Abbildung 23.3A: Ein Windspiel mit fünf Stäben aus Metall. Subtile Energien und Klänge breiten sich aus.

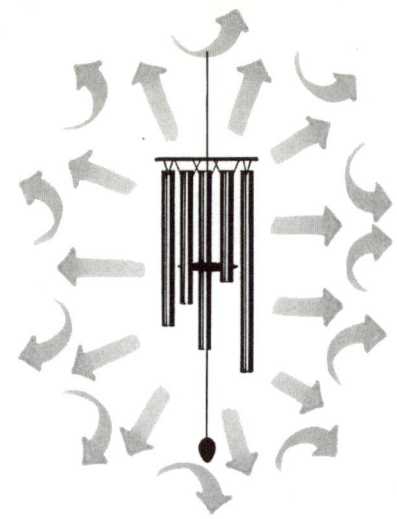

Abbildung 23.3B: Qi und Energie werden zurückgeworfen.

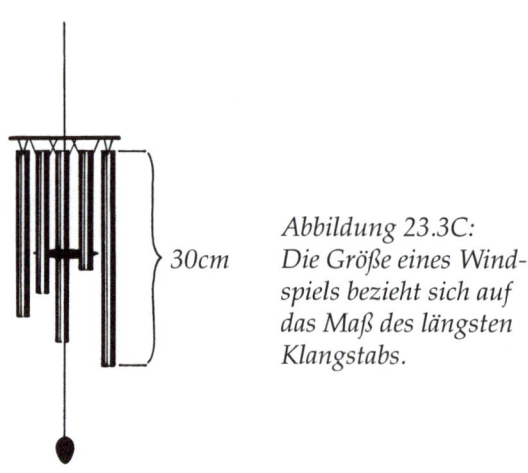

Abbildung 23.3C: Die Größe eines Windspiels bezieht sich auf das Maß des längsten Klangstabs.

30cm

Ein Windspiel mit Hohlröhren muß doppelt so lang sein, um die gleiche Wirkung zu erzielen, wie ein Windspiel mit Massivröhren. Massive Röhren haben aufgrund des intensiveren Klangs eine stärkere Wirkung.

Qi, aber auch negative Energien, werden von einem Windspiel mit 30 cm langen Hohlröhren oder mit 15 – 20 cm langen Massivröhren innerhalb eines halben Meters zurückgeworfen.

Um zu verhindern, daß Qi durch das Fenster entweicht, benötigt man für ein 1 qm großes Fenster ein Windspiel mit 30 cm langen Hohlröhren oder 15 cm langen Massivröhren.

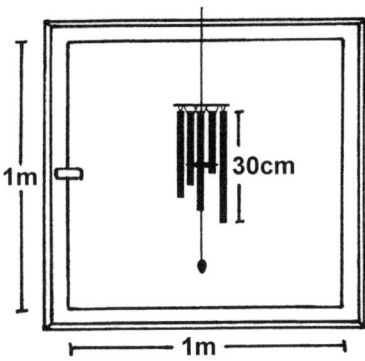

Abbildung 23.3D: Das Windspiel wird in die Mitte des Fensters gehängt und sollte möglichst etwa 30 cm von der Glasscheibe entfernt sein.

Da ein Windspiel Qi anzieht, hängt man es gerne direkt an der Eingangstür auf. Hier besteht jedoch ein Widerspruch. Qi wird zwar zur Tür hingezogen, aber gleichzeitig blockt das Windspiel das Qi wieder ab, so daß es nicht ins Haus gelangen kann.

Als Grundregel gilt: Ein Windspiel sollte je nach Größe mindestens zwei Meter von der Tür entfernt hängen. Turbulenzen und Qi-Blockaden werden dadurch vermieden.

Windspiele können Ihrer Wohnungseinrichtung farblich angepaßt werden und zum Beispiel goldfarben, gelb, braun, orange, bunt oder regenbogenfarben sein. Die Farben Rot (Feuerelement) und Grün (Holzelement) sollten jedoch vermieden werden, da sie im Elemente-Konflikt mit den Metallstäben (Metallelement) stehen.

Verwenden Sie kein Windspiel mit vier Stäben, da die Zahl Vier eine negative Bedeutung hat (siehe Kapitel 9).

Achten Sie jedoch darauf, daß eine Person, die zum Holzelement gehört, sich nicht ständig in der Nahe eines Windspiels (Metallelement) aufhält. Ein Windspiel sollte möglichst zwei bis drei Meter von einer „Holzperson" entfernt sein, da Metall das Holz angreift.

Mobile

Mobile werden häufig zur Innendekoration verwendet. Sie können aus Papier, Glas, Keramik oder Metall bestehen. Blumen oder Fische sind geeignete Motive für ein Mobile, denn sie stehen symbolisch für Reichtum und Freude.

Abbildung 23.4: Mobile mit acht Fischen. Das Wort „Fisch" wird im chinesischen „Yi" ausgesprochen, was auch für Wohlstand und Fülle steht.

Mobiles verlangsamen den Qi-Fluß und werden gern vor großen Fenstern oder in Korridoren aufgehängt.

Ein Mobile verursacht keinen melodiösen Klang und ist im Vergleich zum metallenen Windspiel nur etwa zu 20 – 30 % effektiv. Es zieht auch kein Qi an, es sei denn, es besitzt die Farben des Regenbogens.

Gruppe 4
Blasinstrumente
Flöten, Alphorn, australisches Didgeridoo und andere Blasinstrumente

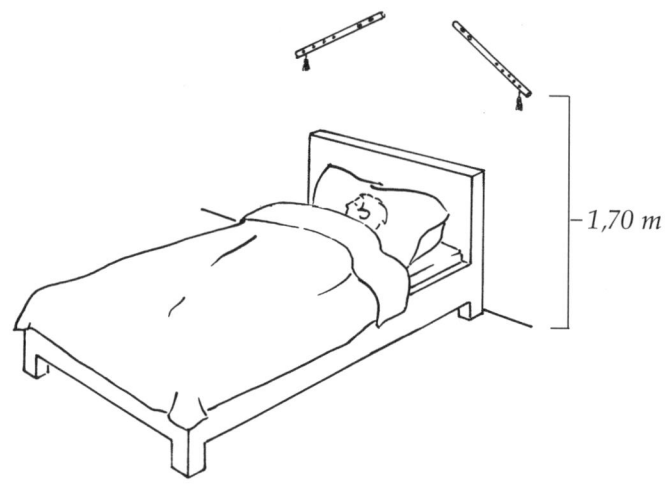

Flöten werden in China seit über 5 000 Jahren als Symbol für schöne Musik und harmonische, rhythmische Klänge verwendet. Sie verstärken den Qi-Fluß in einem Haus.

Die langen chinesischen Bambusflöten begleiteten auch chinesische Gelehrte auf ihren Reisen. Sie wurden einerseits als Musikinstrument aber auch als Waffe gegen Räuber eingesetzt.

Alle Arten von Flöten, egal aus welchem Land, wirken als Feng Shui-Hilfsmittel gleich gut. Je leichter sie zu blasen sind und je lauter sie klingen, desto mehr regen sie das Qi an, wenn sie als Feng Shui-Hilfsmittel verwendet werden. Ideal ist es, wenn die Flöten ein günstiges Feng Shui-Maß haben.

Ein Paar Flöten mit jeweils einem Durchmesser von 2 cm und einer Länge von 46 cm kann das Qi eines 12 qm großen Raums von 50 % auf 100 % anheben. Wenn das Zimmer größer ist, müssen größere und längere Flöten verwendet werden. Je größer der Durchmesser einer Flöte und je länger sie ist, desto mehr hebt sie das Qi in einem Raum an.

Normalerweise sollte Ihr Schlafzimmer nicht mehr als 100 % Qi haben, sonst sind Sie zu stark angeregt und können nicht ruhig schlafen. Mit dem Pendel oder dem Kinesiologietest können Sie feststellen, welche Flötengröße benötigt wird.

Kürzere Flöten mit einer Länge bis zu 46 cm können in der Nähe des Bettes oder eines Sitzplatzes aufgehängt werden.

Sie können die Flöten paarweise mit doppelseitigem Klebeband direkt an der Wand zu befestigen. Sie sollten nicht frei hängen und zum Aufhängen auch nicht durchbohrt werden. Die Flöten werden schräg in Trigrammform aufgehängt. Der obere Abstand zwischen den Flöten beträgt

Abbildung 23.5A: Flöten sollten vom Boden aus gemessen etwa 1,70 m hoch hängen, damit das aus den Flöten austretende Qi die Aura der Person nicht stört. Die Flöten werden schräg zueinander aufgehängt. Das Ende der Flöten sollte nicht direkt auf eine Person zeigen, damit diese von den Turbulenzen nicht gestört wird.

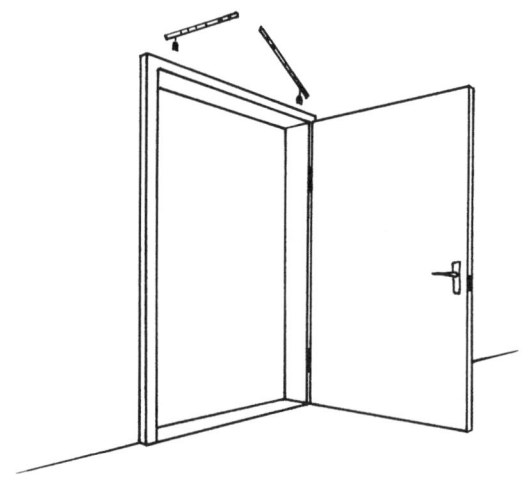

Abbildung 23.5B: Ein Paar Flöten über der Innenseite einer Eingangstür.

beispielsweise 5 cm oder 21 cm – ein günstiges Feng Shui-Maß. Das Mundstück oder Blasloch muß sich oben befinden, damit kosmisches Qi nach unten geleitet wird. Hängen Sie die Flöten bitte nicht mit dem Mundstück nach unten auf. Das kostbare Qi würde nach oben an die Decke oder ins obere Stockwerk hinaufgeblasen werden. Darüber hinaus würde dem Schlafenden Energie entzogen werden, falls die Flöten über dem Bett befestigt sind.

Hängen Sie nie Flöten direkt am Fenster oder in unmittelbarer Nähe auf. Sie würden das kostbare Qi zum Fenster hinausleiten.

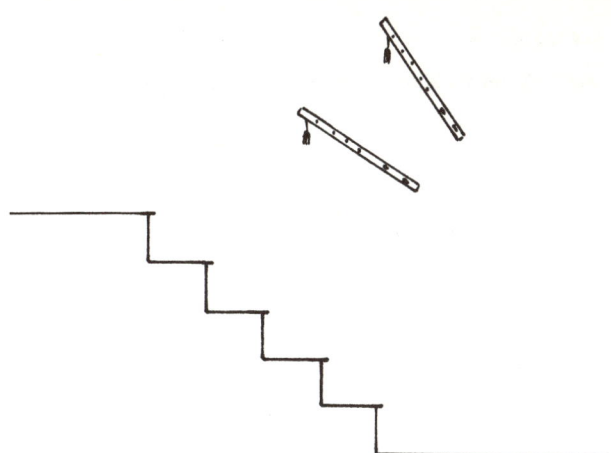

Abbildung 23.5D: Ausnahme: Das Mundstück der Flöten zeigt nach unten, wenn die Energie die Treppe hinauf gelenkt werden soll.

Phönix   *Drache*

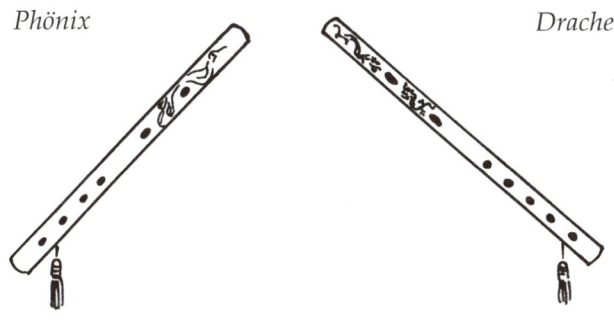

Abbildung 23.5C: Ein Paar Flöten wird mit dem Mundstück nach oben aufgehängt. Wenn die Flöten mit Drachen- und Phönixmotiv bemalt sind, sollte sich die Flöte mit dem Drachen (männlich) von vorn gesehen rechts an der Wand und der Phönix (weiblich) links an der Wand befinden.

Es gibt nur eine Ausnahme, bei der die Flöten mit dem Mundstück nach unten aufgehängt werden. Das ist dann der Fall, wenn mehr kosmisches Qi in das obere Stockwerk bewegt werden soll. Die Flöten werden dann an der Wand am Treppenaufgang aufgehängt (siehe Abbildung 23.5D).

Andere Blasinstrumente funktionieren in der Feng Shui-Praxis gleichermaßen. Das Didgeridoo, ein Instrument der australischen Eingeborenen, wird aus einem hohlen Baumstamm hergestellt, und es bedarf einer kräftigen Lunge, um es zu blasen. Daher ist es ein sehr kraftvolles Feng Shui-Instrument, um das Qi im Haus anzuheben. Ein Didgeridoo mit einer Länge von einem Meter und 6 cm Durchmesser kann das kosmische Qi eines ca. 15 qm großen Raumes um 100 % anheben. Dazu kommt das bereits vorhandene Qi des Raumes, wodurch die Gesamtenergie auf 140 – 180 % ansteigen kann, was jedoch für diese Raumgröße zuviel ist.

Didgeridoos und andere spezielle kraftvolle Blasinstrumente wie das Alphorn sollten nur in einer Halle oder einem Konferenzraum aufgehängt werden. In einem kleinen Raum würden diese Instrumente eine überwältigende, erstickende Energie bewirken. Wie schon erwähnt, sollte das Qi eines Raumes oder eines Hauses dem Qi-Gehalt im Freien ähneln, der 80 – 100 % beträgt. Bei einem Qi-Gehalt von über 120 % in einem Raum wird zuviel Yang-Energie erzeugt, was zu Unruhe und Schlaflosigkeit führen kann.

Gruppe 5
Schwere Gegenstände
Große Steine, Felsbrocken, Statuen und Skulpturen

Große Steine oder Felsformationen werden im Feng Shui für verschiedene Zwecke verwendet.

Als „Rückendeckung" dienen Felsen in Form eines Hügels oder Berges hinter dem Haus, am Ende einer Halle oder im Garten hinter dem Haus. Sie verleihen dem Gebäude eine solidere Grundlage und verstärken Erfolg und Wohlstand.

Statuen oder Skulpturen aus schweren Materialien werden als Feng Shui-Hilfsmittel ebenfalls innerhalb oder außerhalb eines Gebäudes plaziert, um ihm mehr Festigkeit zu verleihen.

Abbildung 23.6: Felsen oder große Steine, die wie ein solider Berg wirken.

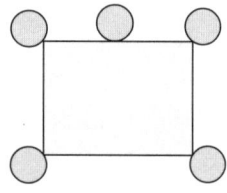

Abbildung 23.7: Runde Betonblöcke, um die Basis eines Gebäudes zu stärken. In diesem Fall werden fünf Säulen um ein Gebäude mit Glaswänden plaziert, um es zu festigen.

Gruppe 6
Geräte zur Windbewegung
Deckenventilator, Klimaanlage, Fächer

Deckenventilatoren helfen, das stagnierende Qi und die Energie in einem Raum anzuregen und zu bewegen. Abluftventilatoren sind sehr nützlich, wenn es heiß ist oder die Fenster die ganze Zeit geschlossen sind. Verbrauchte, schmutzige Luft wird abgesaugt, damit mehr frisches Qi hereinfließen kann.

Klimaanlagen helfen, in den Räumen und im Gebäude ein Qi-Niveau von 60 % aufrechtzuerhalten.

Fächer werden zu Dekorationszwecken auf der ganzen Welt benutzt. Das gute daran ist, daß es zudem noch anerkannte Feng Shui-Symbole sind, die das Qi in einem Raum bewegen und anregen. Obwohl ein an der Wand befestigter Fächer statisch zu sein scheint, bewegt er symbolisch und spirituell weiterhin Qi und Energie. Es ist daher unangenehm, im Abstand von 1 – 2 Metern von einem großen Fächer zu sitzen oder zu schlafen. Sie können die Wirkung kinesiologisch überprüfen.

Abbildung 23.8A: Eine Person schläft nicht gut in einem Bett, über dem ein nach unten gerichteter Fächer hängt.

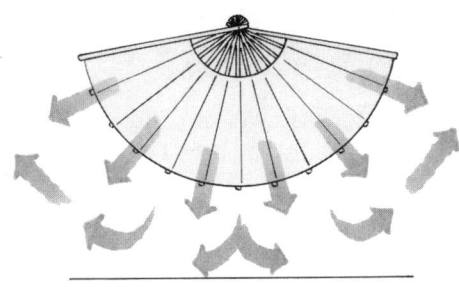

Abbildung 23.8B: Auf diese Weise sollte ein Fächer nicht plaziert werden: Nach unten gerichtet leitet er das Qi auf den Fußboden.

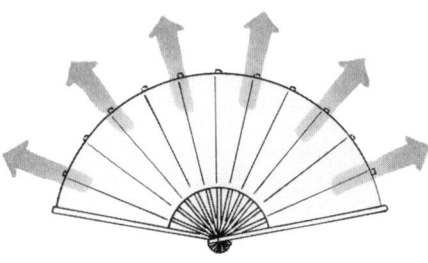

Abbildung 23.8C: Dies ist eine weitere ungünstige Position: Der nach oben gerichtete Fächer bewegt das Qi und die Energie nach oben und drückt die warme verbrauchte Luft, die sich unter der Zimmerdecke sammelt, wieder nach unten. Dadurch entsteht eine Mischung ungesunder Luft, die im Raum zirkuliert und zu Gesundheitsproblemen führen kann.

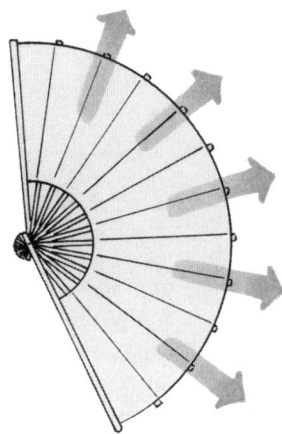

Abbildung 23.8D: Korrekte Position des Fächers zur Energielenkung.

Ein Fächer sollte am besten bunt bemalt sein. Es könnte beispielsweise eine Landschaft dargestellt sein. Chinesische Fächer sind als Glückssymbole oft rot bemalt.

Gruppe 7
Farben

Jede Regenbogenfarbe hat eine bestimmte Bedeutung und Eigenschaft und aktiviert eines der sieben Hauptchakren (Hauptenergiezentren des Körpers). Ein speziell ausgewähltes Farbschema kann im jeweiligen Raum anregend und erheiternd wirken. Insbesondere in den dunklen Monaten wirkt es gegen Depressionen. Farben, die das jeweilige Element unterstützen (siehe auch Kapitel 8), wirken sich günstig auf die Arbeitsleistung, den Erfolg und die Gesundheit aus.

So verwenden viele China-Restaurants in Hongkong, Singapur oder auch in Europa vorwiegend Rot in ihrer Einrichtung, was appetitanregend wirkt. Meiner Erfahrung nach sind erfolgreiche Restaurants in hellen, freundlichen Farben eingerichtet, um für ihre Gäste eine angenehme Umgebung zu schaffen.

Diese Farben unterstützen das jeweilige Element (Fütterungszyklus)

Holzelement: Grün, Blau
Feuerelement: Rot, Grün
Erdelement: Braun, Beige, Gelb, Orange, Rot
Metallelement: Gold, Silber, Braun, Beige, Gelb, Orange
Wasserelement: Blau, Gold, Silber

Diese Farben schwächen das jeweilige Element (Zerstörungszyklus)

Holzelement: Gold, Silber
Feuerelement: Blau
Erdelement: Grün
Metallelement: Rot
Wasserelement: Braun

Gruppe 8
Beleuchtung
Künstliche Beleuchtung, offenes Licht

In der Feng Shui-Praxis wird eine künstliche Beleuchtung häufig verwendet, um normales Tageslicht zu simulieren. Bei alten und dunklen Häusern, die nicht genügend Fenster haben, sollten die häufig genutzten Bereiche den ganzen Tag über beleuchtet sein.

Dunkle und finstere Ecken in einem Haus sind Brutstätten für Bakterien und Pilze. Sie lassen dort die Yin-Qualität zu stark werden, was auch unerwünschte Geister anzieht.

Normalerweise sollte die künstliche Beleuchtung so hell sein wie das Tageslicht, jedoch nicht blenden. Man kann bestimmte Bereiche oder Gegenstände mit kleinen Scheinwerfern oder Spots beleuchten, ansonsten sollten aber normale Lampen verwendet werden, die nicht zu grell und heiß sind. Sie trocknen die Raumluft aus und beeinträchtigen das kosmische Qi.

Das beste Licht ist das Vollspektrumlicht, das alle Regenbogenfarben enthält. In den skandinavischen Ländern sind diese Tageslichtröhren bereits weit verbreitet. Menschen, die sich in diesem Licht regelmäßig aufhalten, haben weniger Gesundheitsprobleme. Es wurde auch festgestellt, daß Affen und Hühner, deren Käfige mit Tageslichtröhren ausgerüstet sind, doppelt so lange leben.

Eine weitere gute Beleuchtung sind die herkömmlichen klaren Glühlampen, die auf der ganzen Welt verbreitet sind.

Halogenlampen haben ein sehr helles, blendendes Licht, daher empfehle ich sie nur zur indirekten Beleuchtung. Da sie UV-Strahlung abgeben, muß vorne ein Deckglas eingesetzt sein.

Die neuentwickelten „Energiesparlampen" ähneln aufgrund ihrer Strahlung und ihres Lichtspektrums den Leuchtstoffröhren und sind daher nicht zu empfehlen. Sie erzeugen durch ihren Transformator außerdem starken Elektrosmog.

Am ungesündesten sind die herkömmlichen Leuchtstoffröhren. Ihr Flimmern verursacht Nervosität, Augenprobleme, schnelle Stimmungsschwankungen und andere Gesundheitsprobleme.

Zudem entsteht an beiden Enden der Röhre eine schädliche Mikrowellenstrahlung, die das Raumklima belastet. Untersuchungen in Kanada und Amerika ergaben, daß Schüler in Klassenzimmern mit Leuchtstoffröhren schlechtere Leistungen erbrachten als diejenigen, die sich in Räumen mit Tageslicht aufhielten.

Leuchtstofflampen, vor allem in Räumen mit niedriger Decke, können zu Hormonstörungen und insbesondere bei Männern zu Haarausfall führen.

Es ist eine gute Feng Shui-Maßnahme, den Eingang und den Weg zum Haus in der Dunkelheit ständig zu beleuchten, um kosmisches Qi anzuziehen. Wenn die Eingangstür im Dunkeln liegt, kommt weniger Qi ins Haus.

Lampen auf hohen Pfosten werden im Feng Shui oft eingesetzt, um einen fehlenden Bereich des Gebäudes „aufzufüllen". Einem L-förmigen Haus fehlt vom Trigramm der acht Lebenssituationen her beispielsweise die „Wohlstandsecke". Sie wird durch eine helle Lampe in der Ecke ergänzt. Die Lampe muß nur nachts brennen.

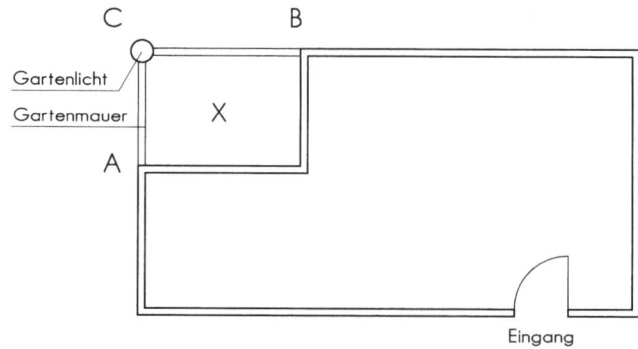

Abbildung 23.9: Gartenlampe auf einem drei Meter hohen Pfosten. Da die Lampe allein zum Eckenausgleich nicht ausreicht, werden die fehlenden Linien durch einen gepflasterten Weg, einen Zaun oder eine Mauer aus ähnlichem Material wie das Haus ergänzt.

Reflektierende Gegenstände

Spiegel und geschliffener Bergkristall

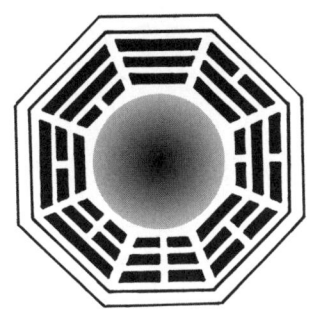

Abbildung 23.10A: Pa'kua mit Konvexspiegel.

In der Feng Shui-Praxis werden sehr häufig Spiegel als reflektierende Hilfsmittel eingesetzt. Im alten China wurde anstelle von Spiegeln poliertes Messing verwendet.

Wie alles auf diesem Planeten haben auch Spiegel eine positive (Yang), eine negative (Yin) und eine neutrale Wirkung – je nachdem, wie sie eingesetzt werden. Im allgemeinen werden Spiegel im Feng Shui verwendet, um „angreifendes" Qi und zu starkes Qi abzulenken. Weiterhin werden Spiegel eingesetzt, um negatives Qi und Geister zu vertreiben, Qi zu lenken, einen Raum größer erscheinen lassen oder einen Raum mit einem ungünstigen Schnitt zu korrigieren.

Pa'kua-Spiegel

In den meisten Teilen Südchinas und in Ländern, die chinesisch geprägt sind, sieht man häufig die acht Trigramme um einen konvexen Spiegel herum gruppiert über der Eingangstür oder im Fenster hängen. Dieses sogenannte Pa'kua mit konvexem Spiegel (der stark verkleinert und verzerrt) schützt vor Geistern. Es sollte nicht im Haus hängen, da es auch die Psyche der Bewohner beeinträchtigt. Hängen Sie es immer außen über der Eingangstür auf.

Wenn das Pa'kua in der Mitte jedoch das Yin-Yang- oder Tai'chi-Symbol trägt, kann es im Haus aufgehängt werden. Das Pa'kua ist meinen Untersuchungen zufolge das höchste spirituelle Symbol und verlangt Respekt. Es schreckt Geister ab und kann negatives Shia und Shah Qi streuen, die sonst Unglück und Gesundheitsprobleme verursachen. Wenn Sie feststellen, daß es in Ihrem Haus spukt, hängen Sie einen Pa'kua-Spiegel außen über der Tür auf. Dieses Symbol hilft auch, wenn Sie weniger als 200 m von einer Andachtsstätte, einem Friedhof oder einem Krematorium entfernt wohnen.

Abbildung 23.10B: Dieses Pa'kua mit Konvexspiegel sollte immer außen am Haus aufgehängt werden, um Shia und Shah Qi abzulenken.

Konkave Spiegel (Vergrößerungsspiegel) werden verwendet, um angreifendes negatives Qi wie beispielsweise einen spitzen Dachgiebel oder die scharfe Dachkante eines Nachbarhauses (siehe Kapitel 12) abzulenken und zu streuen.

Um das negative Qi von zu starken angreifenden Kanten des Nachbarhauses abzulenken, muß sichergestellt sein, daß der Spiegel nicht direkt auf das Nachbarhaus zeigt. Sonst reflektieren Sie die schädliche Energie wieder zurück und werden dadurch wiederum zum Angreifer auf das Nachbarhaus und somit auf die Bewohner. Das wäre vergleichbar mit einem körperlichen Angriff.

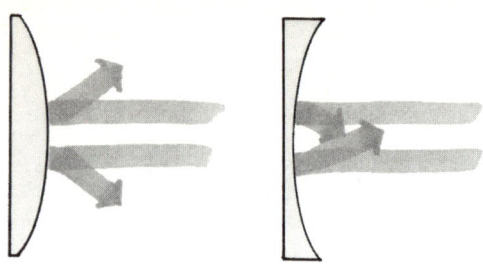

Abbildung 23.10C: Konvexer und konkaver Spiegel

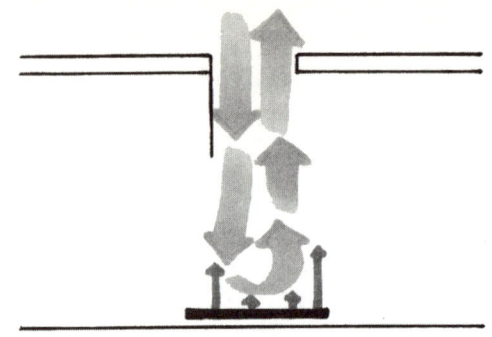

Abbildung 23.11: Ein großer Spiegel zwei Meter vom Eingang entfernt verursacht viele Turbulenzen und reflektiert das Qi wieder zum Eingang hinaus.

Ein konkaver Spiegel wird auch dazu eingesetzt, die angreifende „Negativenergie" eines Lampenpfostens, Bushaltestellenschildes, Strommasten oder eines Baumstammes vor der Haustür zu neutralisieren (siehe auch Kapitel 17). Der Spiegel wird seitlich oder oberhalb der Eingangstür befestigt, damit er gut ausgerichtet werden kann. Er sollte entweder direkt auf den Fuß des Pfostens oder unmittelbar vor den Baumstamm, aber niemals direkt auf den Stamm gelenkt werden, denn der Baum könnte aufgrund dieser „Gegenattacke" absterben. Im Freien aufgehängte Spiegel müssen regelmäßig geputzt werden, damit sie ihre reflektierende Wirkung behalten und wirken können.

Herkömmlicher Spiegel

Spiegel reflektieren das Qi und das einfallende Licht. Wenn ein großer Spiegel zu nahe an der Eingangstür hängt, reflektiert er günstiges kosmisches Qi wieder zur Tür hinaus und erzeugt zahlreiche Turbulenzen im Eingangsbereich. Das Haus hat demzufolge nur wenig kosmisches Qi.

Fallbeispiel: In Hamburg baute eine Familie ein großes Haus, angeblich nach Feng Shui-Prinzipien. Es traten jedoch Disharmonien und Gesundheitsprobleme in der Familie auf. Ich stellte fest, daß ein Großteil des kosmischen Qi, das in das Haus fließen sollte, von einem großen antiken Spiegel (Maße 2 m x 2,5 m) reflektiert wurde, der zwei Meter von der Haustür entfernt aufgehängt war. Die Familienbeziehungen sowie die Gesundheit verbesserten sich, als der Spiegel entfernt wurde.

Abstände bei Spiegeln

Je größer der Spiegel, desto weiter sollte er sich vom Eingang entfernt befinden, um Turbulenzen und Qi-Verluste zu vermeiden. Ein Spiegel direkt gegenüber vom Eingang ist auch deshalb nicht empfehlenswert, weil man leicht erschrickt und „angegriffen" wird, wenn man sich beim Hereinkommen im Spiegel sieht. Wenn der Spiegel seitlich vom Eingang hängt, achten Sie darauf, daß er sich nicht unmittelbar gegenüber von der Toilettentür oder einer anderen Tür befindet, da die hereinkommende Energie sonst in den gegenüberliegenden Raum gelenkt wird und die übrigen Räume wiederum nur wenig Qi haben.

Große Spiegelflächen werden oft im Wohn- oder Eßzimmer installiert, damit der Raum optisch größer erscheint. Je nachdem, wie der Spiegel hängt, kann jedoch das günstige kosmische Qi aus dem Raum hinausreflektiert werden.

Wandspiegel werden manchmal auch aufgehängt, um eine schöne Landschaft von draußen „in den Raum zu holen". Achten Sie wiederum darauf, daß der Spiegel nicht zu groß ist und richtig hängt, so daß das Qi nicht falsch umgelenkt wird und beispielsweise über das Fenster wieder entweicht.

Natürliche Bergkristalle

Ein echter Bergkristall sendet Schwingungen aus, die den Qi-Fluß blockieren. Aufgrund dieser Wirkung kann er als Alternative zum Windspiel verwendet werden.

Richtlinie: Eine Bergkristallspitze von dreifacher Daumengröße kann die Fläche von einem Quadratmeter eines Fensters abschirmen. Der Kristall wird in die Mitte des Fensters gehängt.

Facettiert geschliffene klare Bergkristalle, die im Fenster hängen, senden bei Sonneneinstrahlung wunderschöne Regenbogenstrahlen in den Raum. Das wirkt insbesondere während der dunklen Wintermonate sehr belebend.

Je größer die Facetten des Bergkristalls, desto mehr Regenbogenlicht wird reflektiert. Ein Bergkristall mit kleinen Facetten hat eine feinere Streuwirkung. Diese Art von Kristall eignet sich nicht zur Abschirmung von Fenstern, kann aber sehr gut als Anhänger getragen werden. Er umgibt uns mit einer sanften Energie, die vor schädlichen Strahlen wie zum Beispiel vor elektromagnetischen Feldern schützt. Runde tropfenförmige oder ovale Formen eignen sich hier am besten.

Alle echten Bergkristalle absorbieren negative Energien aus der Umgebung. Deshalb sollten sie mindestens einmal im Monat gereinigt werden. Am besten legt man sie hierzu 24 Stunden lang in ein Gefäß mit sauberem Wasser, vorzugsweise Quellwasser.

Viele Feng Shui-Berater empfehlen Glasprismen oder geschliffene Bleikristalle, die ebenfalls Regenbogenlicht verbreiten und damit Qi anziehen. Diese sind jedoch weniger effektiv. Sie besitzen nicht die Schwingung des echten Bergkristalls und sind nicht dazu geeignet, Fenster abzuschirmen.

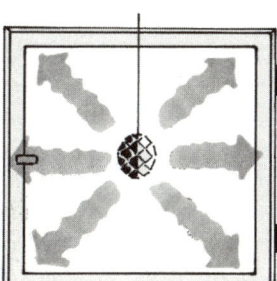

Abbildung 23.12: Ein echter Bergkristall schirmt ein Fenster ab.

Paravents und Stoffe
Paravents, Rolläden, Perlenvorhänge, fließende Stoffe

Paravents und Trennwände

Ein massiver Paravent oder eine Trennwand aus Holz wird im Feng Shui eingesetzt, um Qi zu blocken und umzulenken. Wenn sich Eingangs- und Hintertür in direkter Linie zueinander befinden, wird ein Paravent aufgestellt, um diese Linie zu unterbrechen.

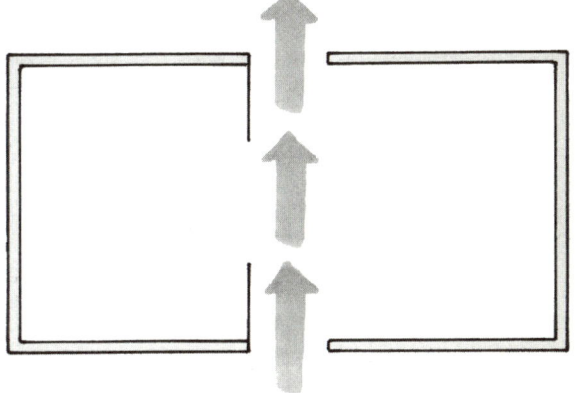

Abbildung 23.13A: Aufgrund der geraden Linie zwischen Eingangs- und Hintertür entweicht sehr viel Qi. Die Bewohner haben wenig Qi im Haus, und ihre Vitalität und Gesundheit ist dadurch beeinträchtigt.

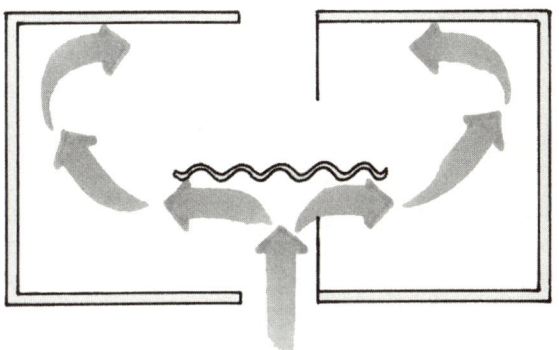

Abbildung 23.13B: Abhilfe: Stellen Sie eine massive Trennwand aus Holz oder einen zwei Meter hohen Schrank auf, um die direkte Linie zu unterbrechen, das Qi zu blocken und zu verteilen.

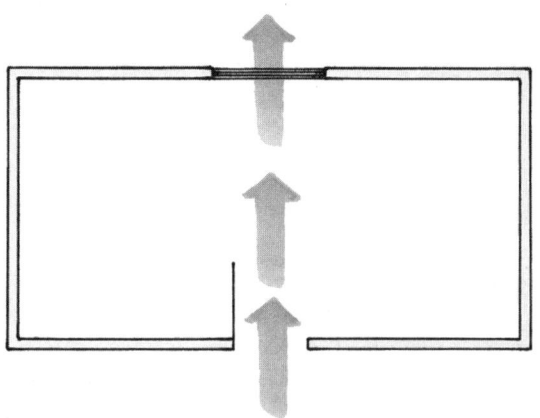

Abbildung 23.14: Bei einer direkten Tür-Fenster-Linie entweicht das Qi zu schnell. Jalousien aus Aluminium oder Holzrolläden helfen, den Qi-Fluß zu verlangsamen und einen Teil des Qi zu blockieren.

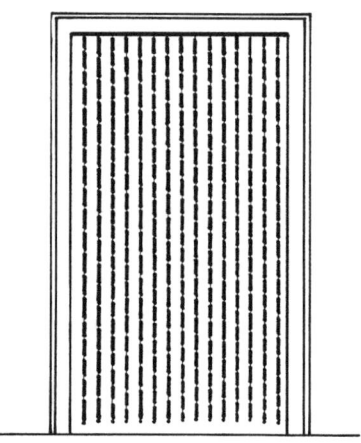

Abbildung 23.15: Perlenvorhang.

Perlenvorhänge

In warmen Ländern sieht man häufig Perlenvorhänge im Hauseingang. Sie verhindern, daß Insekten in die Küche oder ins Wohnzimmer gelangen. Im Feng Shui werden Vorhänge aus Muschelschalen, buntem Papier oder Perlen aufgehängt, um den Qi-Fluß zu verlangsamen und in andere Räume umzulenken, insbesondere, wenn die Eingangstür einer anderen Zimmertür direkt gegenüberliegt.

Drapierte Stoffe

Niedrige Deckenbalken lenken Qi und Energie nach unten und haben einen „Schneideffekt". Das führt zu Turbulenzen und macht eine Person, die unter dem Balken sitzt oder schläft, ängstlich und vermittelt ihr das Gefühl, daß ein Druck auf ihr lastet. Darüber hinaus verlangsamen die Balken den Qi-Fluß. Verhängen Sie in diesem Fall die Balken mit einem weichfallenden Stoff. Alternativ können die Balken auch abgerundet werden.

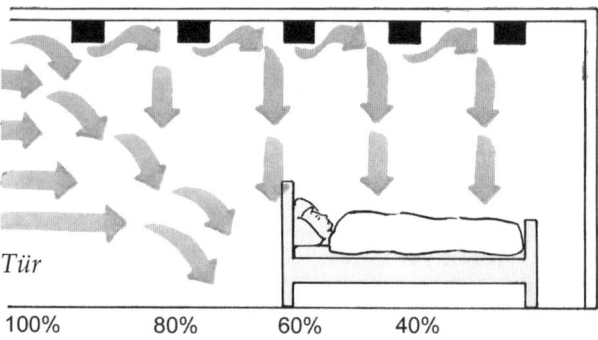

Abbildung 23.16A: Wenn die Deckenbalken horizontal angeordnet sind, hat der Raum am anderen Ende weniger Qi, da das einfließende Qi durch die Balken abgebremst wird.

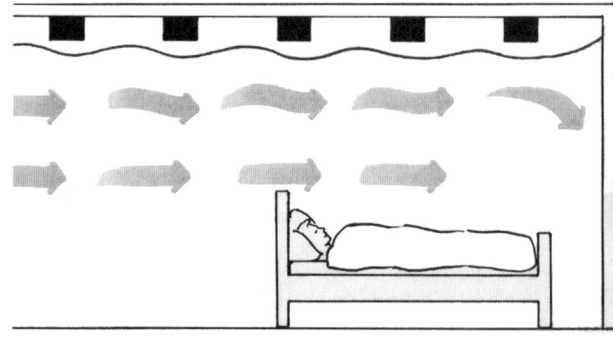

Abbildung 23.16B: Abhilfe: Die Deckenbalken werden mit einem weichfallendem Stoff abgehängt, um den Qi-Fluß sanfter werden zu lassen. Auf diese Weise wird die „angreifende" Wirkung der Deckenbalken neutralisiert.

Gruppe 11
Abgrenzungen im Freien

Hecken, Zäune, Steinwälle

Es gibt im Freien viele Möglichkeiten, mit Trennwänden und anderen Abgrenzungen zu arbeiten. Im Feng Shui verwendet man gern große Steine, Bäume und Büsche, um bei einer ungünstigen Landform bestimmte Markierungslinien zu setzen und damit negative Bereiche abzutrennen.

Flechtzäune helfen vor starkem Wind zu schützen, der besonders während bestimmter Jahreszeiten gegen das Haus bläst. Zum Beispiel können in Europa kräftige kalte Ostwinde aus Sibirien Lungen- und Halsprobleme verursachen.

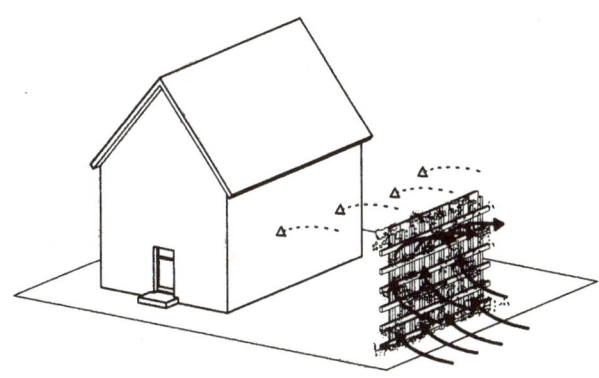

Abbildung 23.18: Ein Flechtzaun schützt vor starkem Wind.

Flechtzäune bieten auch Schutz gegen angreifende Gebäudeecken.

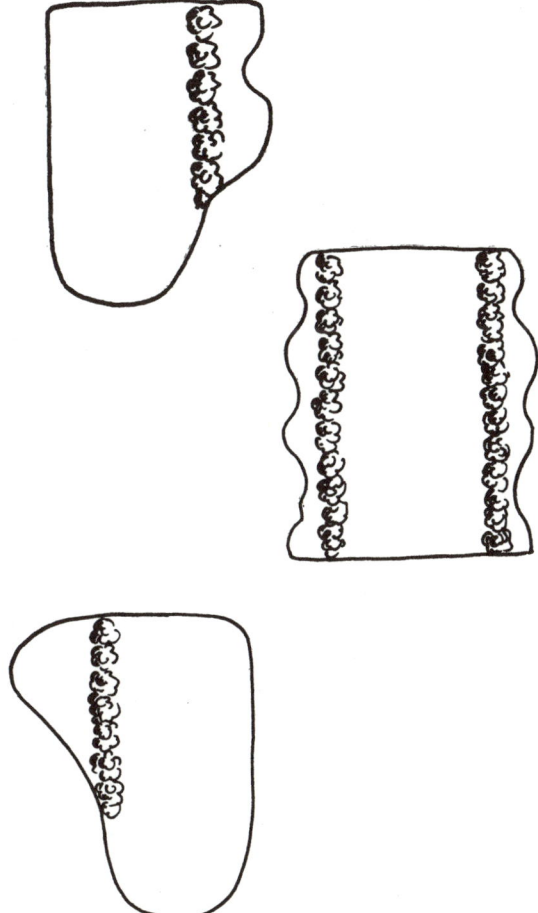

Abbildung 23.17: Markierungslinien aus Büschen und Bäumen bei ungünstigen Grundstücksformen.

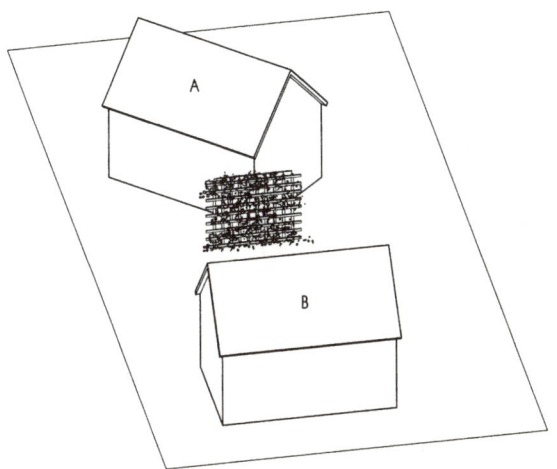

Abbildung 23.19: Die scharfe Ecke des Hauses A greift die Mitte des Hauses B an. Die Bewohner von B haben mehr Gesundheitsprobleme im Rückenbereich. Abhilfe: Als Schutz vor der angreifenden Ecke wird ein mit Kletterpflanzen bewachsener Flechtzaun aufgestellt.

Gruppe 12
Pyramiden und pyramidenförmige Gegenstände

In früheren Zeiten dienten Pyramiden einerseits dazu, Nahrung zu konservieren und andererseits dazu, die sterblichen Überreste von königlichen Familien zu bewahren.

Die Form einer Pyramide ist so gestaltet, daß die Energie von allen Seiten zur Spitze hin abgezogen wird. Das führt zu einem extrem niedrigen Qi-Gehalt in einer Pyramide, speziell unterhalb der Pyramidenspitze.

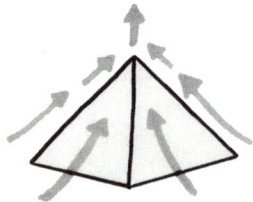

Abbildung 23.20A: Energiebewegungen bei einer Pyramide.

Dadurch, daß Luft und Energie in der Pyramide nach oben gezogen werden, entsteht eine Sogwirkung. Durch den entstehenden Qi-Mangel können sich Bakterien nur sehr schwer vermehren. Daher hat die Pyramide konservierende Eigenschaften, unter denen sich Fleisch und andere Lebensmittel hervorragend halten. Die alten Ägypter machten sich dieses Wissen zunutze und bewahrten auf diese Weise die Mumien ihrer Herrscherfamilien auf.

Auch die Chinesen, Inkas und Azteken kannten die Aufbewahrung und Konservierung von Lebensmitteln unter Pyramiden.

Eine andere Wirkung der Pyramide, die jedoch weniger bekannt ist, ist ihre „angreifende" Wirkung als Symbol. Wenn ein Mensch eine Pyramide betrachtet, wird sein Immunsystem geschwächt.

Warum ist das so? Man glaubt, daß viele alte Kulturen in Südamerika auf Pyramiden Plattformen errichteten, um dort okkulte Rituale und Opferungen durchzuführen. In vielen südamerikanischen Ländern wie Mexiko und Peru kann man solche Plattformen heute noch sehen. Vielleicht haben wir solche Erfahrungen aus früheren Zeiten noch in uns „gespeichert". Wenn man eine Pyramide anschaut, verursacht das Unbehagen und wirkt schwächend. Dieser Abschreckungseffekt wurde damals bei der Aufbewahrung von Lebensmitteln und bei der Bestattung genutzt, da es Räuber und Diebe aus diesem Grund nicht wagten, sich einer Pyramide zu nähern. Das ist der Hauptgrund, weshalb in Ägypten die meisten Königsgräber über lange Zeit unberührt geblieben sind.

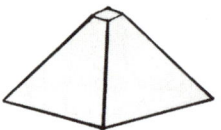

Abb. 23.20B: Pyramide mit Plattform.

Mir ist bekannt, daß die berühmte Glaspyramide im Hof des Louvre in Paris den Franzosen viele Probleme bereitet. Architekten sei daher geraten, kein Pyramidendach für menschliche Behausungen zu verwenden, da es die Energie der Menschen, die dort wohnen oder arbeiten, langsam zerstört.

Es ist auch nicht empfehlenswert, unter einer Pyramide zu schlafen, da das elektromagnetische Feld (Aura) des Menschen erheblich gestört wird. Das kann zu Ängsten, Gleichgewichtsproblemen und Depressionen führen.

Eine Pyramide kann andererseits auch verwendet werden, um die Energie und das Qi in einem Gebäude zu erhöhen, da ihr „Sogeffekt" vermehrt Energie anzieht.

Alle Pyramiden, die eingesetzt werden, um das Qi und die Energie zu verbessern oder um Lebensmittel aufzubewahren, sollten so aufgestellt werden, daß sie nicht sichtbar sind – zum Beispiel hinter einem Paravent oder einer Trennwand. Im Bereich über der Pyramidenspitze sollte sich niemand aufhalten.

Runde, abgerundete und wellenförmige Gegenstände

Kreis, die Zahl Acht, Wellenformen, Scheiben

Aufgrund ihrer Entwicklungsgeschichte fühlen sich Menschen mit runden Gegenständen wohler und geschützter. Mit runden und gebogenen Schilden schützte man sich zum Beispiel vor Angriffen. Unter einer Kuppel oder einem halbrunden Objekt fühlen wir uns geborgen. Auch wenn wir unseren Körper betrachten, stellen wir fest, daß alle Körperteile vom Scheitel bis zum Zeh abgerundet sind. Unsere Körperform ist ein Ausdruck unseres inneren Bewußtseins und spiegelt jene Formen wieder, die mit uns in Harmonie stehen.

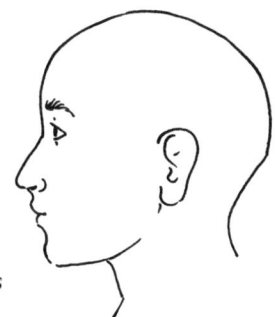

Abbildung 23.21: Die runde Schädelform des Menschen.

Der Kreis repräsentiert sowohl die Erde als auch das Universum. Er gehört zum Erdelement und wird eingesetzt, um angreifende Spitzen und die Wirkung negativer Zahlen wie beispielsweise der Zahl 4 zu neutralisieren. Häufig wird er für Firmenlogos verwendet.

Abbildung 23.22: Ungünstige Zahlen wie 13, 24 oder 744 werden zur Neutralisierung in einen Kreis gesetzt.

Die Zahl 8 ist ein Symbol für Unendlichkeit und steht für das kommende Wassermannzeitalter – für Frieden, Liebe und Freude. Dieses Zeitalter beginnt im Jahr 2008. Wenn man davon die Quersumme bildet (2 + 8 = 10 = 1), zeigt dieses den Beginn eines neuen Zeitalters im Jahre 2008 an. Für die Chinesen wird die Zahl 8 wie „Paat" ausgesprochen, was dem Wort „fett" entspricht und daher den Begriffen Wohlstand und Überfluß sehr nahe kommt. Sie ist damit ein günstiges Symbol.

Die Doppelacht – 88 – wird vom *Qi-Mag International Feng Shui-Institute* als Hilfsmittel verwendet, um eine ausgleichende Wirkung zu erzeugen, zum Beispiel wenn jemand von negativen Symbolen und schlechter Architektur umgeben ist.

Abrundungen von scharfen Wandecken, Schränken und Möbeln sind günstig, um einen guten Qi-Fluß herzustellen und die Angriffswirkung zu neutralisieren.

Wellenförmige Linien in Form von Bändern oder Fransen sind eine gute Abhilfe, um angreifende Kanten und Ecken über die ganze Länge abzudecken.

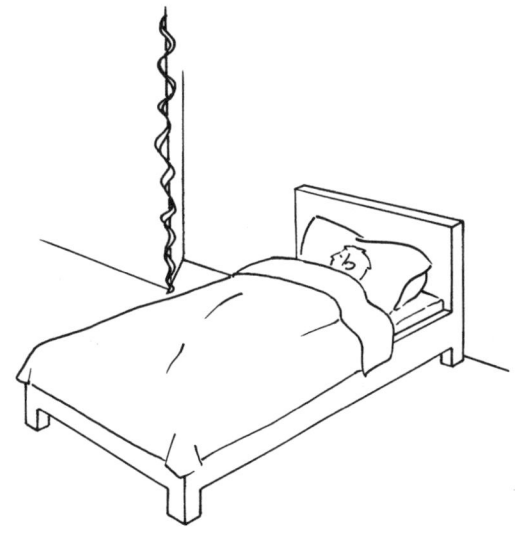

Abbildung 23.23: Eine scharfe Kante greift das Bett an. Abhilfe: Ein buntes Band wird angebracht, das über die ganze Länge verläuft.

Spitze Dachgiebel werden neutralisiert, indem man eine Scheibe oder runde Lampe davor befestigt.

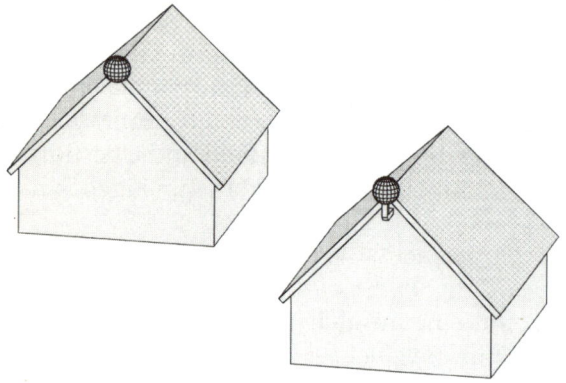

Abbildung 23.24: Scheiben oder kugelförmige Lampen verdecken den Dachgiebel.

Gruppe 14
Schutzsymbole

Schwert, Lineal, Salomons Siegel und das chinesische Pa'kua

Im alten China wurden gegenüber von der Eingangstür Schwerter und andere Waffen aufgehängt, um Fremde, die mit böser Absicht ins Haus kamen, abzuschrecken. Auch in Europa kann man alte Pistolen und sonstige Waffen an den Wänden sehen, die bedrohlich wirken sollen, damit sich die Besucher friedlich verhalten. Einige alte Feng Shui-Berater verwenden immer noch Waffen als Feng Shui-Hilfsmittel. In unserer heutigen modernen Welt sind diese Handwaffen jedoch weniger bedrohlich geworden und entsprechen nicht mehr dem Bewußtsein unserer Zeit. Trotzdem wirkt es sehr negativ und abweisend, sie so offensichtlich zu plazieren.

Verschiedene Feng Shui-Schulen verwenden das Feng Shui-Lineal als „Gerechtigkeitssymbol", das ungebetene Gäste abschrecken und wandernde Geister vom Haus fernhalten soll. Normalerweise wird ein Lineal zusammen mit einer Flöte oder einem Schwert so aufgehängt, daß es von der Eingangstür aus sichtbar ist. Ich habe festgestellt, daß diese Abhilfen in unserer Gesellschaft des 21. Jahrhunderts nicht mehr aktuell ist. Wenn wir mit Feng Shui-Abhilfen arbeiten, sollten wir auch den Zeitfaktor berücksichtigen, denn manche Hilfsmittel, die vor ein- bis zweitausend Jahren sehr wirkungsvoll waren, sind heutzutage vielleicht überflüssig.

Zwei Symbole, die meiner Erfahrung nach ihre Schutzwirkung gegen Geister behalten haben, sind das Pa'kua und das Siegel Salomons. Sie können aufgehängt oder als Schmuckanhänger getragen werden (siehe auch Kapitel 11 und Gruppe 9).

Abbildung 23.25: Pa'kua mit Yin-/Yangsymbol in der Mitte (links) und Salomons Siegel (rechts).

Gruppe 15
Innenraumgestaltung mit Wasser und Pflanzen

Miniaturlandschaften und Wintergärten

Eine Miniaturlandschaft mit Wasser in einem großen Haus, möglichst in der Nähe des Eingangsbereichs, ist ein hervorragendes Feng Shui-Hilfsmittel. Ein solcher Wassergarten beeinflußt, insbesondere in Ländern mit kaltem Klima, in den Wintermonaten die Stimmung positiv und verbessert die Vitalität der Bewohner.

Wenn Sie ein kleineres Haus haben, können Sie vielleicht in einem Wintergarten einen Miniaturgarten mit Wasser anlegen. Der Wintergarten liegt am besten auf der Hausvorderseite oder an der Seite, um möglichst viel günstiges Qi in das Gebäude zu hineinzuziehen.

Der Wintergarten sollte sich nicht hinter dem Haus befinden, vor allem nicht in direkter Linie zum Hauseingang. Sonst wird das Qi leicht nach hinten gezogen und entweicht dann durch die Glaswände, ohne im Haus zirkulieren zu können. Da aufgrund der vielen Glaswände im Wintergarten selbst wenig Energie herrscht, ist es unbedingt zu empfehlen, dort einen kleinen Wassergarten mit Springbrunnen anzulegen.

Gruppe 16
Gartengestaltung mit Wasser

Auf der ganzen Welt findet man speziell angelegte Landschafts- und Wassergärten. Die meisten alten Paläste und Regierungsgebäude in Europa, die vor dem ersten Weltkrieg gebaut wurden, haben sehr genau geplante Gärten.

Ein kleiner Garten, in dem sich ein Gewässer mit Springbrunnen befindet, ein Bach, der in Richtung Haus fließt, oder einfach nur ein Teich sind hervorragende Feng Shui-Hilfsmittel, um Qi und Sauerstoff um das Haus herum zu erhöhen und in das Haus zu ziehen.

Wenn ein Wassergarten angelegt wird, sollte dieser vorzugsweise der Haustür gegenüberliegen, und das Wasser sollte langsam auf das Haus zufließen, um für gutes Qi zu sorgen. Richten Sie einen solchen Garten nicht auf der Rückseite des Hauses ein, damit das Qi nicht nach hinten ins Freie gezogen wird und es dem Gebäude dadurch an Qi mangelt. Die Bewohner eines solchen Hauses finden wenig Unterstützung und sind weniger erfolgreich.

Wenn Sie keinen Wassergarten anlegen können, pflanzen Sie bunte Blumen vor Ihrem Haus, um vermehrt Qi anzuziehen.

Gruppe 17
Maßnahmen zum Gegenangriff bei lebensbedrohlichen Energien

Wenn Ihr Nachbarhaus absichtlich mit negativen Strukturen ausgestattet wurde, die Ihr eigenes Haus angreifen, kann in Ausnahmefällen ein Gegenangriff die einzige Lösung sein, um sich und Ihre Familie zu schützen. Diese Fälle sind jedoch sehr selten, und hierfür muß ein sehr erfahrener Feng Shui-Meister zu Rate gezogen werden.

Gegenangriffe verursachen in der Regel schlechtes Karma, sowohl bei denjenigen, die solche Lösungen vorschlagen, als auch bei denjenigen, die sie dann umsetzen. Deshalb muß hier umsichtig vorgegangen werden. Aus diesem Grund werden im Rahmen dieses Buches keine praktischen Lösungen angeboten.

Ein Beispiel für ein aggressives Gebäude ist das messerartig geformte Gebäude der Bank of China in Hongkong. Dieses Gebäude wurde zu einer Zeit entworfen, in der es zwischen Hongkong und China große Unstimmigkeiten bezüglich der Rückgabe Hongkongs am 1. Juli 1997 gab. Das Bankgebäude greift von seiner Form her den Gouverneurspalast und andere große Wirtschaftsbanken und Firmengebäude in der Umgebung an. Als es fertiggestellt wurde, starb der damalige Gouverneur meines Erachtens an den Folgen des starken Shia- und Shah Qi, das vom Bankgebäude ausging. In einer solchen Situation sind Gegenangriffsmaßnahmen notwendig, um die Negativwirkung zu verringern. Daher hat auch ein großes Firmengebäude in der Nähe zwei große Kanonen installiert, um die Bank of China wiederum anzugreifen. Das hat die negative Wirkung zwar verringert, ist aber hinsichtlich einer friedlichen Lösung natürlich nicht förderlich.

Gegenmaßnahmen solcher Art sollten nur einem Feng Shui-Meister vorbehalten bleiben, denn sie können, wenn sie nicht korrekt ausgeführt werden, bei den Beteiligten zu beträchtlichem Schaden führen.

Gruppe 18
Tiersymbole

Kraft und Schutz durch Tiersymbole in verschiedenen Kulturen

In allen Kulturen der Welt wird zumindest ein Tier verehrt, das kraftvoll ist und Schutz verleihen soll. Statuen dieser Tiere werden zur Warnung vor einem Dorf oder einem Gebäude aufgestellt. Sie sollen Fremde warnen, damit sie vorsichtig sind und sich friedlich verhalten.

Diese Schutztiere, die zum Beispiel vor einer Eingangstür Wache halten, können auch auf spiritueller Ebene wirken und Eindringlinge vertreiben, wenn die Augen der Tiere „spirituell geöffnet" wurden. In Asien wird diese Technik normalerweise von Mönchen oder anderen Personen durchgeführt, die gelernt haben, auf spiritueller Ebene zu arbeiten. Wenn die Augen der „Wächter" auf diese spirituelle Weise aktiviert wurden, sind sie im Dunkeln als weiß- oder rotleuchtend wahrnehmbar.

Bei den Chinesen findet man häufig ein Paar Löwen vor dem Eingang. Der männliche Löwe, der von der Tür aus betrachtet auf der linken Seite (Drachenseite) steht, hält einen Ball, während das Löwenweibchen auf der rechten Seite (Tigerseite) ein Junges mit der Pfote hält.

Löwen sind auch in Europa ein beliebtes Schutz- und Herrschersymbol. Löwenstatuen sieht man am Eingang von Regierungs- und Privathäusern. Zumeist wird hier nur der männliche Löwe abgebildet.

Ähnlich wie der Löwe werden auch der Adler und der Bär verwendet.

In Thailand ist der Elefant das Schutztier der Nation. Dort stehen Elefantenstatuen wachend vor dem Regierungsgebäude oder vor Privathäusern der Oberschicht.

Abbildung 23.26: Chinesisches Löwenpaar.

Der Autor

In den frühen 80er Jahren gründete Dr. Jes Lim das *Qi-Mag Health and Longlife Centre*, um Feng Shui mit Naturheilkunde zu kombinieren und Menschen zu helfen, die schwer erkrankt sind.

1990 gründete er das *Qi-Mag International Feng Shui & Geobiology Institute* und die *Qi-Mag East-West Medicina Alternativa Academy* und unterrichtete weltweit Naturheilverfahren, unter anderem auch den SOCOM-Kurs mit vereinfachten Akupunkturtechniken.

Diese beiden Institute veranstalten Kurse in fünfzehn Ländern – unter anderem in Europa, Nordamerika, Sri Lanka, Indien und Australien. Mittlerweile haben über 20 000 Menschen die Kurse besucht.

Dr. Lim unterrichtet Feng Shui von der Grundstufe bis hin zu Feng Shui-Beraterkursen mit internationalem Diplom.

Er ist Professor am Institut der *Medicina Alternativa*, die ursprünglich von den Vereinten Nationen 1962 in Alma-Ata gegründet wurde, sowie Professor an der *Open International University for Complementary Medicine*, Sri Lanka.

Weitere Qualifikationen: Naturheilkunde (Bachelor of Natural Science, Australia), Doktor der Akupunktur und Diplom in Sportmedizin, Sri Lanka und Singapur.

Aufgrund seiner Beiträge zur weltweiten Gesundheitsfürsorge erhielt er 1996 von der *Medicina Alternativa* den Titel „Sir Jes Lim".

Dr. Lim ist durch Fernsehauftritte und Veröffentlichungen international bekannt.

Das Kursangebot

Dr. Lim und von ihm authorisierte Kursleiter bieten die folgenden Seminare an:

Qi-Mag Feng Shui I
Praktisches „Erste-Hilfe-Feng Shui" für Haus und Wohnung. Verbreitete Feng Shui-Probleme sowie Abhilfen, mit denen Sie sofort arbeiten können.

Qi-Mag Feng Shui II
Bestimmung der Bereiche in Raum und Gebäude, die für eine einzelne Person mehr oder weniger harmonisch sind. Auswahl günstiger Trigrammbereiche zum Schlafen und Arbeiten, Vertiefung der Fünf Elemente-Lehre.

Qi-Mag Feng Shui für Geschäft und Beruf
Feng Shui für Arbeitsplatz und Geschäftsgebäude zur Erfolgssteigerung. Entwerfen günstiger Logos und Symbole.

Qi-Mag Feng Shui-Beraterkurse für Architektur und Design (ab 1999)
Entwurf von gesunden Wohn- und Geschäftsgebäuden mit hoher Energie. Wirkung verschiedener Strukturen und Symbole, Innenarchitektur. Abschluß: Internationales Feng Shui-Berater-Diplom für Architektur + Design (FSA).

Qi-Mag Feng Shui-Beraterkurs I & II
Intensivunterricht, der unter anderem die folgenden Punkte behandelt: Landschafts-Feng Shui, günstiges Design von Wohnhäusern, Arbeit mit dem Lo'pan, astrologische Aspekte und Interpretationen, u.a. das Lo'Shu-System der Fliegenden Sterne.

Absolventen, die die Kurse I und II erfolgreich abgeschlossen haben, erhalten ein internationales Feng Shui-Berater-Diplom (FSC) und können weltweit praktizieren.

Qi-Mag Feng Shui-Beraterkurse III - VIII
Fortgeschrittenen- und Praxiskurse für Berater. Nach Abschluß aller Kurse erhalten die Teilnehmer das Feng Shui-Meister-Diplom.

Geobiologie I & II (in Planung)
Identifikation und Untersuchung gesundheitsschädlicher Erd- und Umweltenergien.

Feng Shui-Fernlehrgänge (ab 1999)

Anhang A

Empfohlene Maßnahmen bei Belastungen durch geopathische Störfelder

Bitte beachten Sie: Bevor Sie den unten genannten Vorschlägen folgen und die entsprechenden Kräutertees und Nahrungsergänzungsmittel einnehmen, befragen Sie bitte Ihren Arzt oder Heilpraktiker.

Diejenigen, die auf geopathischen Störfeldern sitzen oder schlafen, die durch Wasseradern oder Erdverwerfungen verursacht sind, haben in den Kristallen ihrer Körperzellen beträchtliche Mengen dieser Erdstrahlen absorbiert und gespeichert. Wenn diese Strahlung nicht aus den Zellen entfernt wird, sind sie diesen störenden Frequenzen weiterhin ausgesetzt, was zu unnötigem Streß und einem Ungleichgewicht führt. Im folgenden finden Sie häufig verwendete Maßnahmen, um schädliche Strahlungen und deren Auswirkungen im menschlichen Körper zu reduzieren und zu entfernen.

1. Reinigung durch ein Vollbad

Lösen Sie 500 g naturbelassenes Meersalz (kein Tafelsalz!) und 500 g Natriumbikarbonat (Kaisernatron) im Badewasser auf, das so heiß sein sollte, wie Sie es vertragen. Lassen Sie soviel Wasser ein, daß Sie den ganzen Körper bis zum Hals eintauchen können. Ein Bad sollte etwa 10 Minuten dauern. Steigen Sie aus der Wanne und duschen Sie oder brausen Sie sich ab. Wichtig ist, daß Sie die Wanne verlassen, bevor das Wasser abläuft, ansonsten würde das Ihre Aura beeinträchtigen. Nach dem Bad sollten Sie sich energetisiert und leicht fühlen. Nehmen Sie insgesamt weitere drei bis fünf dieser Bäder im Abstand von drei bis fünf Tagen alle sechs Monate.

Wenn Sie täglich am Computer arbeiten und relativ viel Strahlung im Körper aufnehmen, können Sie mit Hilfe dieses Bades einen Teil davon beseitigen. Nehmen Sie zur Gesunderhaltung einmal im Monat ein solches Bad.

2. Kräutertees zur Reinigung des Körpers

Folgende Tees sind zu empfehlen:

Einen großen Eßlöffel *Misteltee* über Nacht einweichen. Am nächsten Morgen zwei Tassen Wasser hinzufügen. Das ganze am besten auf dem Gasherd oder Holzofen kochen.

Trinken Sie drei Wochen lang täglich zwei Tassen Misteltee.

Mischen Sie die folgenden Kräutertees im Verhältnis wie unten angegeben und trinken Sie von dieser Mischung ebenfalls drei Wochen lang täglich zwei Tassen. Nehmen Sie zwei Teelöffel dieser Mischung auf eine Tasse und lassen Sie den Tee zehn Minuten lang ziehen.

Mischungsverhältnis:

    10 g   Ysop
    10 g   Zinnkraut
     5 g   Klettenwurzel
     5 g   Schafgarbe
     7 g   Spitzwegerich

3. Nahrungsergänzungsmittel zur Stärkung der Vitalität, des Immunsystems und zur Reinigung des Körpers

Nehmen Sie die folgenden Nahrungsergänzungsmittel täglich 6 Monate lang wie angegeben, danach einen Monat lang die halbe Menge und drei Monate lang davon wiederum die halbe Menge.

- 30 mg Coenzym Q10 (je nach Präparat 2 Kapseln 2 x täglich), die letzte Einnahme vor 18.00 Uhr – bei allgemeinen Ermüdungserscheinungen
- 50 – 75 mcg (Mikrogramm) Selen
- 1 000 i. E. Vitamin E auf Sojaölbasis
- 1 000 i. E. Vitamin A oder 250 ml frischen Karottensaft mit einigen Tropfen Öl
- 2 000 mg Vitamin C
- 5 Grapefruitkerne kauen und schlucken
- 10 – 15 ganze Mandeln mit der Haut, über Nacht in Wasser eingeweicht, morgens essen
- Einige Eßlöffel Algen wie beispielsweise Kelp direkt ins Essen geben
- 5 Eßlöffel Aloe Vera-Saft, mit Wasser oder Fruchtsaft verdünnt

Eine Person, die von geopathischen Störfeldern betroffen ist, hat meistens auch Würmer, Parasiten und Pilze im Körper. Walnußschalentinktur sowie eingeweichte Kürbiskerne sind in diesem Fall ein gutes Mittel.

Anhang B
Adressen- und Bezugsquellenverzeichnis des Qi-Mag International Feng Shui Institute

Deutschland

Qi-Mag Healthy Building Design Centre
Prof. Dr. Jes Lim
Tel. +49 - 700 - 38889999, Fax +49 - 8366 - 98686
Internet: www.feng-shui.com
E-mail: office@feng-shui.com
Feng Shui - Architektur & Design, Beratungen weltweit

Qi-Mag Feng Shui Worldwide
Internet: www.feng-shui.com
E-mail: qi-mag@feng-shui.com
Beratungen, Architekten, Versand

Gerhard Waldner
Unterschwarzenberg 18, D-87466 Oy-Mittelberg
Tel. +49 - (0) 83 66 / 9 86 87,
Fax +49 - (0) 83 66 / 9 86 86
E-mail: fslife@aol.com
Seminar- und Beraterkursinformationen, Beratungen

Wasili Pantazoglou
Ringstr. 40c, D-86911 Riederau
Tel. +49 - (0) 8807 / 88 58, Fax 88 73,
Mobil: 0171-62 49 200. *Beratungen*

Dr. Meyer-Anderson & Partner, Architekturbüro
Stolberger Str. 8, D-28205 Bremen
Tel. +49 - (0)4 21 / 4 98 98 38, Fax: 4 98 98 87
Tel. ab 1998: +49 - (0)41 64 / 8 82 71
Seminarinformationen, Beratungen, Versand

Walter Friedrich Haag Architekturbüro
Winterhäuser-Str. 9, D-97084 Würzburg
Tel. +49 - (0) 931 / 6 19 53 88, Fax 6 19 53 80
Beratungen, Planungen, Vorträge

Christian und Ute v. Saint Paul
Pippinplatz 1, D-81475 München
Tel. +49 - (0)89 / 75 07 09 38, Fax 75 07 09 86
Mobil: +49 - (0) 172 - 8 161 118
Feng Shui-Videos von Dr. Jes Lim, Beratungen

Josefine Reimig
Tempelhofer Damm 183
D-12099 Berlin
Tel. 030 / 75 70 76 88, Fax 75 70 73 69
Seminarinformationen, Beratungen

Daniela E. Schenker
Happy Dragon International
Postfach 1218, D-82231 Wessling
Tel.: +49 - (0) 81 53 / 95 20 17,
Fax: +49 - (0) 81 53 / 95 20 16
Mobil: +49 - (0)1 71 / 1 98 92 88
Internet: www.feng-shui.com
E-mail: dschenker@feng-shui.com
*Beratungen, Fachübersetzungen
Feng Shui*

Dieter Kugler
Schönbichlstr. 90 b,
D-82211 Herrsching,
Tel.: +49 - (0) 8152 / 96 98 48,
Fax: +49 - (0) 8152 / 96 98 47
Mobil: 0171 / 18 10 612
*Geomantie-Beratung, Wünschelru-
tenkurse, Elektrobiologie-Seminare*

Andreas L. Gleißner
Werkstätte f. Holz u. Gestaltung
Bavariastr. 6 a, D-80336 München
Tel.: +49 - (0)89 / 74 665 055
Fax: +49 - (0)89 / 74 665 056
*Möbel, Einrichtungen, Innenausbau,
Beratungen*

Vielharmonie
Am Fichtenholz 5,
D-87477 Sulzberg
Tel.: +49 - (0)700 / 11 888 999,
Fax: +49 - (0)700 / 3 888 9999
Internet: www.vielharmonie.com
E-mail: qi@vielharmonie.com
Versand von Feng Shui-Artikeln

Logos Buchvertrieb International
Schestedter Str. 17
D-24340 Eckernförde
Tel.: +49 - (0)4351 / 726 288,
Fax: +49 - (0)4351 / 726 289
Intern: www.logosbooks.com/fengshui
E-mail: info@logosbooks.com
Deutsche + englische FS-Fachliteratur

Österreich

Doris Hirschberg
Mollardgasse 85A/II/2/80
A-1060 Wien
Tel. +43 - 1/5974671
Fax +43 - 1/5 97 09 31
Informationen, Beratungen

Dragon & Phoenix Feng Shui
Kernstockg. 21
A-8020 Graz
Tel. +43 - 316 - 7198 88 - 98
Fax +43 - 316 - 7198 88 - 99
Homepage: fengshui.at
E-mail: office@fengshui.at
*Feng Shui Großhandel,
Seminarorg., Vermittlungsstelle f.
FS Berater*

M.Mag. Waltrudis D. Luib
Landstr. 15, A-4020 Linz
Tel.: +43 - (0)7 32 / 7 71 73 7 / 16
Fax: +43 - (0)7 32 / 7 71 73 77
*Glaswindspiele, Feng Shui 88
Beratungen*

Friedrich Andexlinger
Sternwaldstr. 60
A-4170 Haslach
Tel.: +43 - (0) 7289 / 71888-0
Fax: +43 - (0) 7289 / 7 188 890
Internet: www.andex.at
E-mail: fengshui@andex.at
*Planung/Beratung, Möbel/Einrich-
tungen unter Berücksichtigung der
speziellen Baumenergien*

Tischlerei Prause GmbH
Mag. Katja Prause
Hauptstraße 160,
A-9210 Pörtschach
Tel.: +43-(0)4272 / 3999,
Fax: +43-(0)4272 / 39993
Mobil: +43-(0)664 / 1612567
oder +43-664 / 3572851
Intern.:www.fengshui-prause.com
E-mail: tischlerei.prause@aon.at
*Feng Shui-Einrichtungen und
Beratungen*

Thomas Steinmann
Porzellangasse 4 / 18
A - 1090 Wien
Tel.: +43 - (0) 1 / 3154 656
Fax: 3154 657
Geobiologische Beratungen

Schweiz

Bernhard Schaer,
Parabola-Forum
Oberdorfstr. 16 e,
CH-8001 Zürich
Tel./Fax: +41 - (0)1 / 2 61 0 0 90
Mobil: +41 - (0)79 / 2 27 50 75
Seminarinformationen

Prosperity Feng Shui Versand
Rita Niederberger
Goldacher, CH-6062 Wilen
Tel.: +41 - (0) 41 / 66 20 01 87,
Fax: 662 01 89
E-mail: prosperity@bluewin.ch
Versand von Feng Shui-Artikeln

Bibliographie

Deutschsprachige Literatur

Bachler: *Erfahrungen einer Rutengängerin*, Veritas Verlag, 1991

Freiherr von Pohl, Gustav: *Erdstrahlen als Krankheits- und Krebserreger*, Lebenskunde Verlag, 1985

Graves, Tom: *Pendel und Wünschelrute*, Goldmann Verlag, 1995

Kettenring, Maria: *Raumdüfte*, Joy Verlag, 1995

Lam Kam Chuen: *Feng Shui Handbuch*, Joy Verlag, 1996

Linn, Denise: *Die Magie des Wohnens*, Goldmann Verlag, 1997

Mayer-Tasch und Malunat: *Strom des Lebens*, Strom des Todes, Fischer Verlag, 1995

Merz, Blanche: *Orte der Kraft*, Institut de Recherches en Geobiologie, 1989

Walters, Derek: *Feng Shui – die Kunst des Wohnens*, Scherz Verlag, 1996

Walters, Derek: *Ming Shu – Chinesische Astrologie*, Astrodata Verlag, 1987

Wolverton: *Gesünder leben mit Zimmerpflanzen*, vgs Verlag, 1997

Alte chinesische Literatur

Chan Shih Shu: *Ten Books of Yang Dwelling Classic*, China

Hsiao Zhi: *Wu Hsin Ta Yi*, China, 600A.D.

Kuo P'o: *The Burial Classic*, Imperial Encyclopaedia, 4th Century, China, British Museum

Si Mah Qian: *The Records*, China 1916

Wang Wie: *The Yellow Emperor's Dwellings Manual*, Imperial Encyclopaedia, 5th Century, British Museum

Yang Yun-sung: *Manual of the Moving Dragon and Method of the Twelve Staves*, 9th Century, China

Art & Divination Section (18 writings on Geomancy), 1726 edition Section XVII of the Imperial Encyclopaedia (The Ku Chin T'u Shu Chi Ch'eng), British Museum

Shui-lung Ching (Water Dragon Classic), China

The Dwellings Manual, Imperial Encyclopaedia, British Museum

Ti-li Wu Chieh (Five Explanations of Geomancy), China by Chao Chiu-feng

Yang-chai Shih Shu (10 Writings on Yang Dwellings), China

Englischsprachige Literatur

De Barry, Chan Wing Tsit, B. Watson: *Sources of Chinese Tradition*, London, 1960

Feng Shui and Negative Earth Rays Cause Cancer & Terminal Diseases, Second World Healers Conference, Hamilton, New Zealand, 1990

Heselton, Philip: *The Elements of Earth Mysteries*, Element Books Ltd.,U.K., 1991

Gordon, Rolf: *Are You Sleeping in a Safe Place*, Dulwich Health Society, London, 1993

Graham, David: *Folk Religion in Southwest China*, Washington, 1961

Groves, Derham: *Feng Shui and Western Building Ceremonies*, Graham Brash (Pte) Ltd., Singapore 1991

Kwok Man-ho and Joanne O'Brien: *The Elements of Feng Shui*, Element Books Ltd., U.K., 1991

Lip, Evelyn: *Chinese Geomancy*, Times Books International, Singapore, 1979

Lo, Raymond: *Feng Shui – The Pillars of Destiny*, Times Books International, Singapore, 1994

Needham, Joseph: *Science and Civilisation in China*, London, 1943

Lip Mong Har: *Feng Shui*, Chinese Colours and Symbolism, Journal of the Singapore Institute of Architects, Singapore, 1978

Marfori, Mark D.: *Feng Shui – Discover Money Health and Love*, Dragon Publishing, Santa Monica, U.S.A., 1993

Nielson, Greg and Polansky, Joseph: *Pendulum Power*, Aquarian Press, Wellingborough, U.K.; 1991

Skinner, Stephen: *The Living Earth Manual of Feng Shui – Chinese Geomancy*, Graham Brash(Pte) Ltd., Singapore, 1982

Too, Lilian: *Applied (Pa-kua and Lo Shu) Feng Shui*, Konsep Lagenda Sdn Bhd.,Kuala Lumpur by 1993

Too, Lilian: *Chinese Numerology in Feng Shui – the Time Dimension*, Konsep Lagenda Sdn Bhd., Kuala Lumpur, 1994

Victorio Hua Wong Seng Tian: *Authentic Feng Shui – Practical Geomantic Analysis for Modern Living*, Eastern Dragon Books 1993, Kuala Lumpur 1994

Stichwortverzeichnis

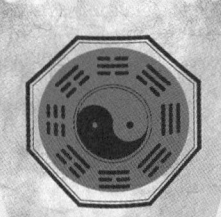

Ganzheitlich leben

aktuelle Themen bei JOY

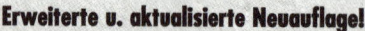